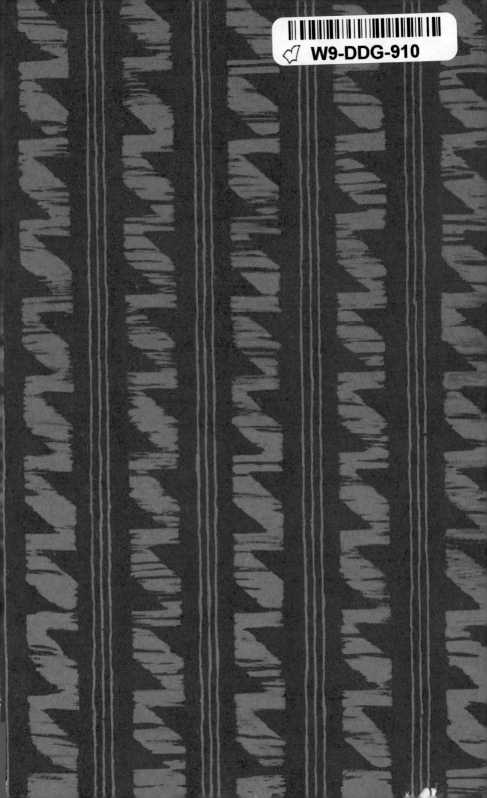

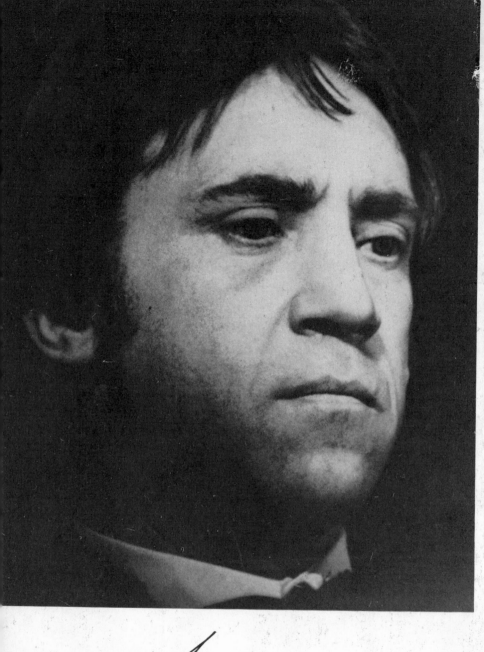

ВЛАДИМИР ВЫСОЦКИЙ

Избранное

МОСКВА
СОВЕТСКИЙ
ПИСАТЕЛЬ
1988

ББК 84 Р7
В 93

В этой книге творчество Владимира Высоцкого (1938—1980) представлено с наибольшей полнотой. Наряду с уже печатавшимися произведениями поэта читатель найдет здесь целый ряд стихотворений и песен, публикуемых впервые.

Книга подготовлена к изданию Комиссией по литературному наследию В. С. Высоцкого (председатель — Р. И. Рождественский).

Составитель — Н. А. Крымова.

Текстологическая работа — Н. А. Крымова, В. О. Абдулов, Г. Д. Антимоний.

Художник
Евгений СОКОЛОВ

В $\dfrac{4702010202—233}{083(02)—88}$ 174—88

ISBN 5—265—00508—0

Жил талантливый человек, всем известный. Песни его ворвались в наш слух, в наши души, а говорить и писать о нем было нельзя. Его не печатали, не издавали. Кого-то очень пугала острая социальная направленность его стихов, кого-то раздражала его популярность. Трудно сказать, что испытывал человек, знавший себе цену и не имевший возможности увидеть свои стихи опубликованными.

Смерть легализовала его. Смерть и новые обстоятельства нашей жизни. Эта смерть была столь внезапной и неправдоподобной, что потрясла общество. Стало уже невозможно отмалчиваться, и тут начался разговор, попытка анализа. Началось то, на что поэт имеет право, без чего невозможно развитие литературы, культуры вообще.

Началось, естественно, с коротких прощальных плачей его друзей, а затем все превратилось в сокрушительный поток, в целую систему потоков, разнополюсных, взаимоисключающих, от неприятия до славословия, с озлобленностью на одном конце и с кликушескими восторгами — на другом. В общем, все закономерно и даже, пожалуй, благо — столкновение мнений, разные точки зрения, но в разговоре о поэте крайности всегда не к добру. Не должно быть ни обожествления, ни хулы,— тем более, что обожествляют в основном либо восторженные невежды, либо сознательные спекулянты. А хулители? Как ни печально, это чаще всего стихотворцы, братья по цеху, не стяжавшие поэтических лавров, страдающие комплексом неполноценности, или же критики, отчаянно привлекающие к себе литературное внимание.

А что же было? Был поэт, был голос, была гитара, было печальное время. Всякий мало-мальски думающий человек, мало-мальски чувствующая натура сознавали эту печаль, ощущали упадок, нравственные потери.

Он начал с примитива, с однозначности, постепенно обогащая свое поэтическое и гражданское видение, дошел до высоких литературных образцов; он постоянно учился у жизни, у литературы, что происходит с любым поэтом независимо от степени его одаренности. Он начал писать для узкого круга друзей, а пришел к самой широкой аудитории, пришел к предельному выражению себя, а выражать себя — значит добиваться наивысшего наслаждения.

Конечно, гитара только обостряет эмоции, актерское мастерство всего лишь проявляет, усугубляет суть, но в целом — стихи, гитара, интонация — это жанр, в котором он совершенствовался изо дня в день.

С годами он стал профессиональнее, исчезла юношеская словоохотливость, когда достаточно мелкого повода, чтобы родились стихи. Все стало подлинным — и страдание, и ненависть, и любовь. Стих стал плотным, метафоричным.

Что же нам теперь, размышляя о поэте, углубляться в его несовершенства, слабости и просчеты? Мы ведь хорошо знаем, что хотя таланты и бездарности бывают сходны в неудачах, зато только таланту всегда сопутствует удача, а бездарности — никогда. Так будем судить о Высоцком по удачам и достижениям, по тому, что очаровало нас в шестидесятых и продолжает с нарастанием волновать и сегодня.

БУЛАТ ОКУДЖАВА

БОЛЬШОЙ КАРЕТНЫЙ

— Где твои семнадцать лет?
— На Большом Каретном.
— Где твои семнадцать бед?
— На Большом Каретном.
— Где твой чёрный пистолет?
— На Большом Каретном.
— Где тебя сегодня нет?
— На Большом Каретном.

— Помнишь ли, товарищ, этот дом?
Нет, не забываешь ты о нём!
Я скажу, что тот полжизни потерял,
Кто в Большом Каретном не бывал.
                    Ещё бы...

— Где твои семнадцать лет?
— На Большом Каретном.
— Где твои семнадцать бед?
— На Большом Каретном.
— Где твой чёрный пистолет?
— На Большом Каретном.
— Где тебя сегодня нет?
— На Большом Каретном.

Переименован он теперь,
Стало всё по новой там, верь не верь!
И всё же, где б ты ни был, где ты ни бредёшь —
Нет-нет, да по Каретному пройдёшь.
                    Ещё бы...

— Где твои семнадцать лет?
— На Большом Каретном.
— Где твои семнадцать бед?
— На Большом Каретном.
— Где твой чёрный пистолет?
— На Большом Каретном.
— Где тебя сегодня нет?
— На Большом Каретном.

[1962]

ТАТУИРОВКА

Не делили мы тебя и не ласкали,
А что любили, так это позади.
Я ношу в душе твой светлый образ, Валя,
А Лёша выколол твой образ на груди.

И в тот день, когда прощались на вокзале,
Я тебя до гроба помнить обещал,
Я сказал: — Я не забуду в жизни Вали.
— А я тем более,— мне Лёша отвечал.

И теперь реши, кому из нас с ним хуже,
И кому трудней — попробуй разбери:
У него твой профиль выколот снаружи,
А у меня душа исколота снутри.

И когда мне так уж тошно, хоть на плаху,—
Пусть слова мои тебя не оскорбят,—
Я прошу, чтоб Лёша расстегнул рубаху,
И гляжу, гляжу часами на тебя.

Но недавно мой товарищ, друг хороший,
Он беду мою искусством поборол,—
Он скопировал тебя с груди у Лёши
И на грудь мою твой профиль наколол.

Знаю я, друзей своих чернить неловко,
Но ты мне ближе и роднее оттого,
Что моя, верней — твоя татуировка
Много лучше и красивше, чем его.

[1961]

* * *

У тебя глаза как нож:
Если прямо ты взглянёшь,
Я забываю, кто я есть и где мой дом.
А если косо ты взглянёшь —
Как по сердцу полоснёшь
Ты холодным острым серым тесаком.

Я здоров, к чему скрывать!
Я пятаки могу ломать,
Я недавно головой быка убил.
Но с тобой жизнь коротать —
Не подковы разгибать,
А прибить тебя морально — нету сил!

Вспомни, было ль хоть разок,
Чтоб я из дому убёг?
Ну когда же надоест тебе гулять?
С гаражу я прихожу,
Язык за спину заложу
И бежу тебя по городу шукать.

Я все ноги исходил,
Велосипед себе купил,
Чтоб в страданьях облегчения была.
Но налетел на самосвал,
К Склифосовскому попал.
Навестить меня ты даже не пришла.

И хирург, седой старик, —
Он весь обмяк и как-то сник, —
Он шесть суток мою рану зашивал.
А как кончился наркоз,
Стало больно мне до слёз:
Для кого ж я своей жизнью рисковал?

Ты не радуйся, змея,
Скоро выпишут меня!
Отомщу тебе тогда без всяких схем.
Я те точно говорю:
Остру бритву навострю
И обрею тебя наголо совсем.

[1961]

* * *

Я вырос в ленинградскую блокаду,
Но я тогда не пил и не гулял.
Я видел, как горят огнём Бадаевские склады,
В очередях за хлебушком стоял.

Граждане смелые!
Что ж тогда вы делали,
Когда наш город счёт не вёл смертям? —
Ели хлеб с икоркою,
А я считал махоркою
Окурок с-под платформы чёрт-те с чем напополам.

От стужи даже птицы не летали,
И вору было нечего украсть.
Родителей моих в ту зиму ангелы прибрали,
А я боялся — только б не упасть!

Было здесь до́ фига
Голодных и дистрофиков.
Все голодали, даже прокурор,
А вы в эвакуации
Читали информации
И слушали по радио «От Совинформбюро».

Блокада затянулась, даже слишком,
Но наш народ врагов своих разбил.
И можно жить как у Христа за пазухой, под мышкой,
Да только вот мешает бригадмил.

Я скажу вам ласково:
— Граждане с повязками!
В душу ко мне лапами не лезь!
Про жизнь вашу личную
И непатриотичную
Знают уже органы и ВЦСПС.

[1961—1962]

ТОТ, КТО РАНЬШЕ С НЕЮ БЫЛ

В тот вечер я не пил, не пел,
Я на неё вовсю глядел,
      Как смотрят дети, как смотрят дети,
Но тот, кто раньше с нею был,
Сказал мне, чтоб я уходил,
Сказал мне, чтоб я уходил,
      Что мне не светит.

И тот, кто раньше с нею был,—
Он мне грубил, он мне грозил,—
      А я всё помню, я был не пьяный.
Когда ж я уходить решил,
Она сказала: — Не спеши! —
Она сказала: — Не спеши,
      Ведь слишком рано.

Но тот, кто раньше с нею был,
Меня, как видно, не забыл,
      И как-то в осень, и как-то в осень —
Иду с дружком, гляжу — стоят.
Они стояли молча в ряд,
Они стояли молча в ряд,
      Их было восемь.

Со мною нож, решил я: — Что ж,
Меня так просто не возьмешь.
      Держитесь, гады! Держитесь, гады! —
К чему задаром пропадать?
Ударил первым я тогда,
Ударил первым я тогда —
      Так было надо.

Но тот, кто раньше с нею был,—
Он эту кашу заварил
      Вполне серьёзно, вполне серьёзно.
Мне кто-то нá плечи повис,
Валюха крикнул: — Берегись! —
Валюха крикнул: — Берегись! —
      Но было поздно.

За восемь бед — один ответ.
В тюрьме есть тоже лазарет,
    Я там валялся, я там валялся.
Врач резал вдоль и поперёк,
Он мне сказал: — Держись, браток! —
Он мне сказал: — Держись, браток! —
    И я держался.

Разлука мигом пронеслась.
Она меня не дождалась,
    Но я прощаю, её прощаю.
Её простил и всё забыл,
Того ж, кто раньше с нею был,
Того, кто раньше с нею был,
    Не извиняю.

Её, конечно, я простил,
Того ж, кто раньше с нею был,
Того, кто раньше с нею был,
    Я повстречаю!

[1962]

* * *

Нам ни к чему сюжеты и интриги, —
Про всё мы знаем, что ты нам ни дашь.
Я, например, на свете лучшей книгой
Считаю кодекс уголовный наш.

И если мне неймётся и не спится
Или с похмелья нет на мне лица —
Открою кодекс на любой странице
И не могу, читаю до конца.

Я не давал товарищам советы,
Но знаю я — разбой у них в чести.
Вот только что я прочитал про это:
Не ниже трёх, не свыше десяти.

Вы вдумайтесь в простые эти строки, —
Что нам романы всех времён и стран!
В них всё — бараки, длинные, как сроки,
Скандалы, драки, карты и обман.

Сто лет бы мне не видеть этих строчек —
За каждой вижу чью-нибудь судьбу!
И радуюсь, когда статья — не очень:
Ведь всё же повезёт кому-нибудь...

И сердце бьется раненою птицей,
Когда начну свою статью читать.
И кровь в висках так ломится, стучится,
Как мусора́, когда приходят брать.

[1962]

12

* * *

Сегодня я с большой охотою
Распоряжусь своей субботою,
И если Нинка не капризная —
Распоряжусь своею жизнью я.

— Постой, чудак! Она ж наводчица!
Зачем? — Да так! Уж очень хочется.
— Постой, чудак! У нас компания,
Пойдём в кабак, зальём желание.

— Сегодня вы меня не пачкайте,
Сегодня пьянка мне до лампочки.
Сегодня Нинка соглашается,
Сегодня жизнь моя решается.

— Ну и дела же с этой Нинкою,
Она жила со всей Ордынкою,
И с нею спать — ну кто захочет сам?
— А мне плевать, мне очень хочется.

Сказала — любит. Всё, замётано.
— Отвечу рупь за сто, что врёт она,
Она ж сама ко всем ведь просится...
— А мне чего, мне очень хочется.

— Она ж хрипит, она же грязная,
И глаз подбит, и ноги разные,
Всегда одета как уборщица...
— Плевать на это — очень хочется.

Все говорят, что не красавица,
А мне такие больше нравятся.
Ну что ж такого, что наводчица?
А мне ещё сильнее хочется.

[1963]

СЕРЕБРЯНЫЕ СТРУНЫ

У меня гитара есть — расступитесь, стены!
Век свободы не видать из-за злой фортуны!
Перережьте горло мне, перережьте вены,
Только не порвите серебряные струны!

Я зароюсь в землю, сгину в одночасье.
Кто бы заступился за мой возраст юный?
Влезли ко мне в душу, рвут её на части,
Только б не порвали серебряные струны!

Но гитару унесли — с нею и свободу.
Упирался я, кричал: — Сволочи! Паскуды!
Вы втопчите меня в грязь, бросьте меня в воду,
Только не порвите серебряные струны!

Что же это, братцы? Не видать мне, что ли,
Ни денёчков светлых, ни ночей безлунных?
Загубили душу мне, отобрали волю,
А теперь порвали серебряные струны!

[1963]

*   *   *

За меня невеста отрыдает честно,
За меня ребята отдадут долги,
За меня другие отпоют все песни,
И, быть может, выпьют за меня враги.

Не дают мне больше интересных книжек,
И моя гитара — без струны,
И нельзя мне выше, и нельзя мне ниже,
И нельзя мне солнца, и нельзя луны.

Мне нельзя на волю — не имею права,
Можно лишь от двери — до стены,
Мне нельзя налево, мне нельзя направо,
Можно только неба кусок, можно сны.

Сны про то, как выйду, как замок мой снимут,
Как мою гитару отдадут.
Кто меня там встретит, как меня обнимут
И какие песни мне споют?

[1963]

* * *

Свой первый срок я выдержать не смог.
Мне год добавят, может быть, четыре.
Ребята, напишите мне письмо,
Как там дела в свободном вашем мире.

Что вы там пьете? Мы почти не пьем.
Здесь только снег при солнечной погоде.
Ребята, напишите обо всём,
А то здесь ничего не происходит.

Мне очень-очень не хватает вас,
Хочу увидеть милые мне рожи.
Как там Надюха? С кем она сейчас?
Одна? — тогда пускай напишет тоже.

Страшней быть может только Страшный суд.
Письмо мне будет уцелевшей нитью.
Его, быть может, мне не отдадут,
Но всё равно, ребята, напишите.

[1963—1964]

ЛЕЧЬ НА ДНО

Сыт я по горло, до подбородка.
Даже от песен стал уставать.
Лечь бы на дно, как подводная лодка,
Чтоб не могли запеленговать.

Друг подавал мне водку в стакане,
Друг говорил, что это пройдёт.
Друг познакомил с Веркой по пьяни —
Верка поможет, а водка спасёт.

Не помогли ни Верка, ни водка.
С водки похмелье, с Верки — что взять?
Лечь бы на дно, как подводная лодка,
Чтоб не смогли запеленговать.

Сыт я по горло, сыт я по глотку.
Ох, надоело петь и играть!
Лечь бы на дно, как подводная лодка,
И позывных не передавать.

[1964—1965]

ЗВЕЗДЫ

Мне этот бой не забыть нипочём, —
Смертью пропитан воздух.
А с небосвода бесшумным дождём
Падали звезды.

Снова упала, и я загадал —
Выйти живым из боя!
Так свою жизнь я поспешно связал
С глупой звездою.

Нам говорили: «Нужна высота!»
И «Не жалеть патроны!»
Вон покатилась вторая звезда —
Вам на погоны.

Я уж решил — миновала беда,
И удалось отвертеться...
С неба скатилась шальная звезда
Прямо под сердце.

Звёзд этих в небе — как рыбы в прудах,
Хватит на всех с лихвою.
Если б не насмерть — ходил бы тогда
Тоже героем.

Я бы звезду эту сыну отдал, —
Просто на память...
В небе висит, пропадает звезда —
Некуда падать.

[Июль 1964]

ВСЕ УШЛИ НА ФРОНТ

Нынче все срока закончены,
А у лагерных ворот,
Что крест-накрест заколочены,
Надпись: «Все ушли на фронт».

За грехи за наши нас простят,—
Ведь у нас такой народ:
Если Родина в опасности —
Значит, всем идти на фронт.

Там год — за три, если Бог хранит,—
Как и в лагере зачёт.
Нынче мы на равных с ВОХРами,
Нынче всем идти на фронт.

У начальника Берёзкина —
Ох и гонор, ох и понт!
И душа — крест-накрест досками,
Но и он пошёл на фронт.

Лучше б было сразу в тыл его,
Только с нами был он смел.
Высшей мерой наградил его
Трибунал за самострел.

Ну, а мы — всё оправдали мы,
Наградили нас потом,
Кто живые — тех медалями,
А кто мёртвые — крестом.

И другие заключённые
Прочитают у ворот
Нашу память застеклённую —
Надпись: «Все ушли на фронт».

[Июль 1964]

ШТРАФНЫЕ БАТАЛЬОНЫ

Всего лишь час дают на артобстрел.
Всего лишь час пехоте передышки.
Всего лишь час до самых важных дел:
Кому — до ордена, ну, а кому — до «вышки».

За этот час не пишем ни строки.
Молись богам войны — артиллеристам!
Ведь мы ж не просто так, мы — штрафники,
Нам не писать: «Считайте коммунистом».

Перед атакой — водку? Вот мура!
Своё отпили мы ещё в гражданку.
Поэтому мы не кричим «ура!»,
Со смертью мы играемся в молчанку.

У штрафников один закон, один конец —
Коли-руби фашистского бродягу!
И если не поймаешь в грудь свинец,
Медаль на грудь поймаешь «За отвагу».

Ты бей штыком, а лучше бей рукой —
Оно надёжней, да оно и тише.
И ежели останешься живой,
Гуляй, рванина, от рубля и выше!

Считает враг — морально мы слабы.
За ним и лес, и города сожжёны.
Вы лучше лес рубите на гробы —
В прорыв идут штрафные батальоны!

Вот шесть ноль-ноль, и вот сейчас — обстрел.
Ну, бог войны! Давай — без передышки!
Всего лишь час до самых главных дел:
Кому — до ордена, а большинству — до «вышки».

[1964]

О ГОСПИТАЛЕ

Жил я с матерью и батей
На Арбате,— век бы так.
А теперь я в медсанбате
На кровати, весь в бинтах.

Что нам слава, что нам Клава-
Медсестра и белый свет!
Помер мой сосед, что справа,
Тот, что слева,— ещё нет.

И однажды — как в угаре —
Тот сосед, что слева, мне
Вдруг сказал: — Послушай, парень,
У тебя ноги-то нет.

Как же так! Неправда, братцы!
Он, наверно, пошутил?
— Мы отрежем только пальцы,—
Так мне доктор говорил.

Но сосед, который слева,
Всё смеялся, всё шутил.
Даже если ночью бредил —
Всё про ногу говорил,

Издевался: мол, не встанешь!
Не увидишь, мол, жены!
Поглядел бы ты, товарищ,
На себя со стороны.

Если б был я не калека
И слезал с кровати вниз,
Я б тому, который слева,
Просто глотку перегрыз!

Умолял сестричку Клаву
Показать, какой я стал.
Был бы жив сосед, что справа,—
Он бы правду мне сказал...

[1964]

21

БРАТСКИЕ МОГИЛЫ

На братских могилах не ставят крестов,
И вдовы на них не рыдают,
К ним кто-то приносит букеты цветов
И Вечный огонь зажигают.

Здесь раньше вставала земля на дыбы,
А нынче — гранитные плиты.
Здесь нет ни одной персональной судьбы,
Все судьбы в единую слиты.

А в Вечном огне видишь вспыхнувший танк,
Горящие русские хаты,
Горящий Смоленск и горящий рейхстаг,
Горящее сердце солдата.

У братских могил нет заплаканных вдов,
Сюда ходят люди покрепче.
На братских могилах не ставят крестов,
Но разве от этого легче?

[1964—1965]

МАРШ ФИЗИКОВ

(Студенческая песня)

Тропы ещё в антимир не протоптаны,
Но, как на фронте, держись ты!
Бомбардируем мы ядра протонами,
Значит, мы — антилиристы.

Нам тайны нераскрытые раскрыть пора,—
Лежат без пользы тайны, как в копилке,
Мы тайны эти скоро вырвем у ядра,
На волю пустим джинна из бутылки.

Тесно сплотились коварные атомы,—
Ну-ка, попробуй, прорвись ты!
Живо по коням — в погоню за квантами,
Значит, мы — кванталиристы.

Нам тайны нераскрытые раскрыть пора,
Лежат без пользы тайны, как в копилке,
Мы тайны эти скоро вырвем у ядра,
На волю пустим джинна из бутылки.

Пусть не поймаешь нейтрино за бороду
И не посадишь в пробирку,—
Было бы здорово, чтоб Понтекорво
Взял его крепче за шкирку!

Нам тайны нераскрытые раскрыть пора,
Лежат без пользы тайны, как в копилке,
Мы тайны эти скоро вырвем у ядра,
На волю пустим джинна из бутылки.

Жидкие, твердые, газообразные —
Просто, понятно, вольготно!
С этою плазмой дойдешь до маразма... и
Это довольно почётно.

Нам тайны нераскрытые раскрыть пора,
Лежат без пользы тайны, как в копилке,
Мы тайны эти скоро вырвем у ядра,
На волю пустим джинна из бутылки.

Молодо-зелено! Древность — в историю!
Дряхлость в архивах пылится!
Даёшь эту общую, эту теорию
Элементарных частиц нам!

Нам тайны нераскрытые раскрыть пора,
Лежат они без пользы, как в копилке,
Мы тайны эти с корнем вырвем у ядра
И вволю выпьем джина из бутылки!

[1964]

ПЕСНЯ КОСМИЧЕСКИХ НЕГОДЯЕВ

Вы мне не поверите и просто не поймёте —
В космосе страшней, чем даже в Дантовом аду!
По пространству-времени мы прём на звездолете,
Как с горы на собственном заду.

От Земли до Беты — восемь дён,
Сколько ж до планеты Эпсилон,
Не считаем мы, чтоб не сойти с ума.
Вечность и тоска — ох, влипли как!
Наизусть читаем Киплинга,
А кругом космическая тьма.

На Земле читали в фантастических романах
Про возможность встречи с иноземным существом.
Мы на Земле забыли десять заповедей рваных,
Нам все встречи с ближним нипочём!

От Земли до Беты — восемь дён,
Сколько ж до планеты Эпсилон,
Не считаем мы, чтоб не сойти с ума.
Вечность и тоска — ох, влипли как!
Наизусть читаем Киплинга,
А кругом космическая тьма.

Нам прививки сделаны от слёз и грёз дешевых,
От дурных болезней и от бешеных зверей.
Нам плевать из космоса на взрывы всех сверхновых —
На земле бывало веселей!

От Земли до Беты — восемь дён,
Сколько ж до планеты Эпсилон,
Не считаем мы, чтоб не сойти с ума.
Вечность и тоска — ох, влипли как!
Наизусть читаем Киплинга,
А кругом космическая тьма.

Мы не разбираемся в симфониях и фугах.
Вместо сурдокамер знали тюрем тишину.
Испытанья мы прошли на мощных центрифугах —
Нас крутила жизнь, таща ко дну.

От Земли до Беты — восемь дён,
Ну а до планеты Эпсилон
Не считаем мы, чтоб не сойти с ума.
Вечность и тоска — игрушки нам!
Наизусть читаем Пушкина,
А кругом космическая тьма.

Прежнего земного не увидим небосклона,
Если верить россказням учёных чудаков.
Ведь когда вернёмся мы, по всем по их законам
На Земле пройдёт семьсот веков.

То-то есть смеяться отчего —
На Земле бояться нечего!
На Земле нет больше тюрем и дворцов!
На Бога уповали, бедного,
Но теперь узнали — нет его
Ныне, присно и вовек веков!

[1964—1965]

* * *

На границе с Турцией или с Пакистаном
Полоса нейтральная. Справа, где кусты, —
Наши пограничники с нашим капитаном,
А на левой стороне — ихние посты.

    А на нейтральной полосе цветы
    Необычайной красоты!

Капитанова невеста жить решила вместе.
Прикатила, говорит: — Милый! То да сё...—
Надо ж хоть букет цветов подарить невесте —
Что за свадьба без цветов? Пьянка, да и всё!

    А на нейтральной полосе цветы
    Необычайной красоты!

К ихнему начальнику, точно по повестке,
Тоже баба прикатила — налетела блажь,
Тоже «милый» говорит, только по-турецки, —
Будет свадьба, — говорит, — свадьба — и шабаш!

    А на нейтральной полосе цветы
    Необычайной красоты!

Наши пограничники — храбрые ребята —
Трое вызвались идти, с ними — капитан.
Разве ж знать они могли про то, что азиаты
Порешили в ту же ночь вдарить по цветам?

    Ведь на нейтральной полосе цветы
    Необычайной красоты!

Пьян от запаха цветов капитан мертвецки,
Ну и ихний капитан тоже в доску пьян.
Повалился он в цветы, охнув по-турецки,
И, по-русски крикнув: — Мать...— рухнул капитан.

    А на нейтральной полосе цветы
    Необычайной красоты!

Спит капитан, и ему снится,
Что открыли границу, как ворота в Кремле.
Ему и на фиг не нужна была чужая заграница —
Он пройтиться хотел по ничейной земле.
Почему же нельзя? Ведь земля-то ничья,
Ведь она — нейтральная!

    А на нейтральной полосе цветы
    Необычайной красоты!

[1964]

ДУРАЧИНА-ПРОСТОФИЛЯ

Жил-был добрый дурачина-простофиля.
Куда только его черти не носили!
Но однажды, как назло,
                              повезло
И совсем в чужое царство занесло.

Слёзы градом — так и надо
Простофиле!
Не усаживайся задом
На кобыле,
Ду-ра-чи-на!

Посреди большого поля, глядь: три стула!
Дурачину в область печени кольнуло.
Сверху надпись: «Для гостей»,
                              «Для князей»,
А над третьим — «Стул для царских кровей».

Вот на первый стул уселся
Простофиля,
Потому что от усердья
Обессилел,
Ду-ра-чи-на...

Только к стулу примостился дурачина,
Сразу слуги принесли хмельные вина.
Дурачина ощутил
                              много сил,
Элегантно ел, кутил и шутил.

Погляди-ка, поглазей:
В буйной силе
Влез на стул для князей
Простофиля —
Ду-ра-чи-на!

29

И сейчас же бывший добрый дурачина
Ощутил, что он — ответственный мужчина.
Стал советы подавать,
                                              крикнул рать
И почти уже решил воевать.

Больше, больше руки грей,
Ежли в силе!
Влез на стул для королей
Простофиля —
Ду-ра-чи-на!

Сразу руки потянулися к печати,
Сразу стал ногами топать и кричати:
— Будь ты князь, будь ты хоть
                                              сам Господь! —
Вот возьму и прикажу запороть!

Если б люди в сей момент
Рядом были,
Не сказали б комплимент
Простофиле —
Ду-ра-чи-не...

Но был добрый этот самый простофиля:
Захотел издать указ про изобилье.
Только стул подобных дел
                                              не терпел:
Как тряхнёт — и ясно, тот не усидел.

И очнулся добрый малый
Простофиля
У себя на сеновале —
В чём родили...
Ду-ра-чи-на!

[1964]

* * *

Сегодня в нашей комплексной бригаде
Прошёл слушок о бале-маскараде.
Раздали маски кроликов,
Слонов и алкоголиков,
Назначили всё это в зоосаде.

— Зачем идти при полном при параде?
Скажи мне, моя радость, христа ради! —
Она мне: — Одевайся!
Мол, я тебя стесняюся,
Не то, мол, как всегда, пойдешь ты сзади.

— Я платье, говорит, взяла у Нади,
Я буду нынче как Марина Влади!
И проведу, хоть тресну я,
Часы свои воскресные
Хоть с пьяной твоей мордой — но в наряде.

Зачем же я себя утюжил, гладил?
Меня поймали тут же, в зоосаде.
Ведь массовик наш Колька
Дал мне маску алкоголика,
И «на троих» зазвали меня дяди.

Я снова очутился в зоосаде.
Глядь — две жены, ну две Марины Влади!
Одетые животными,
С двумя же бегемотами.
Я тоже озверел и встал в засаде...

Наутро дали премию в бригаде,
Сказав мне, что на бале-маскараде
Я будто бы не только
Сыграл им алкоголика,
А был у бегемотов я в ограде!

[1964]

31

МОЙ СОСЕД

Мой сосед объездил весь Союз.
Что-то ищет, а чего — не видно!
Я в дела чужие не суюсь,
Но мне очень больно и обидно.

У него на окнах — плюш и шёлк,
Баба его шастает в халате.
Я б в Москве с киркой уран нашёл
При такой повышенной зарплате.

И сдаётся мне, что люди врут:
Он нарочно ничего не ищет.
Для чего? Ведь денежки идут —
Ох, какие крупные деньжищи!

А вчера на кухне ихний сын
Головой упал у нашей двери
И разбил нарочно мой графин.
Я — папаше счёт в тройном размере!

Ему, значит, рупь, а мне — пятак?
Пусть теперь мне платит неустойку.
Я ведь не из зависти, я — так,
Ради справедливости — и только!

Ничего, я им создам уют —
Живо он квартиру обменяет.
У них денег — куры не клюют,
А у нас — на водку не хватает.

[1965]

32

ПРО КОНЬКОБЕЖЦА-СПРИНТЕРА

Десять тысяч — и всего один забег
　　　　　　　　　остался.
В это время наш Бескудников Олег
　　　　　　　　　зазнался —
Я, мол, болен, бюллетеню, нету сил —
　　　　　　　　　и сгинул.
Вот наш тренер мне тогда и предложил —
　　　　　　　　　беги, мол!
Я ж на длинной на дистанции помру —
　　　　　　　　　не охну,
Пробегу, быть может, только первый круг —
　　　　　　　　　и сдохну!
Но сурово эдак тренер мне — мол на-
　　　　　　　　　до, Федя!
Главно дело, чтобы воля, мол, была
　　　　　　　　　к победе.
Воля волей, если сил невпроворот!
　　　　　　　　　А я увлёкся —
Я на десять тыщ рванул, как на пятьсот,—
　　　　　　　　　и спёкся.
Подвела меня — ведь я предупреждал! —
　　　　　　　　　дыхалка.
Пробежал всего два круга — и упал...
　　　　　　　　　а жалко!
И наш тренер, экс- и вице-чемпион
　　　　　　　　　ОРУДа,
Не пускать меня велел на стадион,
　　　　　　　　　иуда!
Ведь вчера мы только брали с ним с тоски
　　　　　　　　　по «банке»,
А сегодня он кричит: — Меняй коньки
　　　　　　　　　на санки! —
Жалко тренера — он тренер неплохой...
　　　　　　　　　Ну, бог с ним —
Я ведь нынче занимаюсь и борьбой
　　　　　　　　　и боксом.
Не имею больше я на счёт на свой
　　　　　　　　　сомнений —
Все вдруг стали очень вежливы со мной —
　　　　　　　　　и тренер.

* * *

Дайте собакам мяса —
Пусть они подерутся!
Дайте похмельным кваса —
Авось они перебьются.

Чтоб не жиреть воронам —
Ставьте побольше пугал.
Чтобы любить — влюблённым
Дайте укромный угол.

В землю бросайте зёрна —
Может, появятся всходы.
Ладно, я буду покорным —
Дайте же мне свободу!

Псам мясные ошмётки
Дали,— а псы не подрáлись.
Дали пьяницам водки,—
А они отказались.

Люди ворон пугают,—
А вороньё не боится.
Пары соединяют,—
А им бы разъединиться.

Лили на землю воду —
Нету колосьев — чудо!
Мне вчера дали свободу.
Что я с ней делать буду?

[1965]

ХОЛОДА

В холода, в холода
От насиженных мест
Нас другие зовут города,—
Будь то Минск, будь то Брест.
В холода, в холода...

Неспроста, неспроста
От родных тополей
Нас далёкие манят места,—
Будто там веселей.
Неспроста, неспроста...

Как нас дома ни грей,
Не хватает всегда
Новых встреч нам и новых друзей,—
Будто с нами беда.
Будто с ними — теплей...

Как бы ни было нам
Хорошо иногда,
Возвращаемся мы по домам.
Где же наша звезда?
Может — здесь, может — там...

[1965]

* * *

Игорю Кохановскому

Мой друг уехал в Магадан.
Снимите шляпу, снимите шляпу!
Уехал сам, уехал сам,
Не по этапу, не по этапу.

Не то чтоб другу не везло,
Не чтоб кому-нибудь назло,
Не для молвы, что, мол, чудак,
А просто так.

Быть может, кто-то скажет: — Зря!
Как так — решиться всего лишиться?
Ведь там сплошные лагеря,
А в них убийцы, а в них убийцы!

Ответит он: — Не верь молве.
Их там не больше, чем в Москве.—
Потом уложит чемодан —
И в Магадан.

Не то чтоб мне не по годам,—
Я б прыгнул ночью из электрички,—
Но я не еду в Магадан,
Забыв привычки, закрыв кавычки.

Я буду петь под струнный звон
Про то, что будет видеть он,
Про то, что в жизни не видал,—
Про Магадан.

Мой друг уехал сам собой,
С него довольно, с него довольно.
Его не будет бить конвой,
Он — добровольно, он — добровольно.

А мне удел от Бога дан...
А может, тоже в Магадан
Уехать с другом заодно
И лечь на дно?

[1965]

* * *

В куски
       разлетелася корона,
Нет державы, нет и трона.
Жизнь России и законы —
      Всё к чертям!
И мы,
     словно загнанные в норы,
Словно пойманные воры,
Только кровь одна с позором
       Пополам.
И нам
      ни черта не разобраться —
С кем порвать и с кем остаться,
Кто за нас, кого бояться,
Где пути, куда податься —
      Не понять.
Где дух?
      Где честь?
           Где стыд?
Где свои, а где чужие,
Как до этого дожили,
Неужели на Россию нам плевать?

Позор —
      всем, кому покой дороже,
Всем, кого сомненье гложет,
Может он или не может
      Убивать.
Сигнал!..
      И по-волчьи, и по-бычьи,
И как коршун на добычу.
Только воронов покличем
      Пировать.

Написано к спектаклю «10 дней, которые потрясли мир».

Эй, вы!
       Где былая ваша твёрдость,
Где былая ваша гордость?
Отдыхать сегодня — подлость!
Пистолет сжимает твёрдая рука.
Конец,
       всему
               конец.
Всё разбилось, поломалось,
Нам осталась только малость —
Только выстрелить в висок иль во врага.

[1964—1965]

«ВЕРТИКАЛЬ»

ПРОЩАНИЕ С ГОРАМИ

В суету городов и в потоки машин
Возвращаемся мы — просто некуда деться!
И спускаемся вниз с покорённых вершин,
Оставляя в горах свое сердце.

    Так оставьте ненужные споры!
    Я себе уже все доказал —
    Лучше гор могут быть только горы,
    На которых ещё не бывал.

Кто захочет в беде оставаться один!
Кто захочет уйти, зову сердца не внемля?!
Но спускаемся мы с покорённых вершин —
Что же делать, и боги спускались на землю.

    Так оставьте ненужные споры!
    Я себе уже всё доказал —
    Лучше гор могут быть только горы,
    На которых ещё не бывал.

Сколько слов и надежд, сколько песен и тем
Горы будят у нас и зовут нас остаться.
Но спускаемся мы — кто на год, кто совсем,
Потому что всегда мы должны возвращаться.

    Так оставьте ненужные споры!
    Я себе уже всё доказал —
    Лучше гор могут быть только горы,
    На которых никто не бывал.

Цикл песен к фильму.

ПЕСНЯ О ДРУГЕ

Если друг оказался вдруг
И не друг, и не враг, а так,
Если сразу не разберёшь,
Плох он или хорош,—
Парня в горы тяни, рискни,
Не бросай одного его,
Пусть он в связке в одной с тобой —
Там поймёшь, кто такой.

Если парень в горах — не ах,
Если сразу раскис — и вниз,
Шаг ступил на ледник и сник,
Оступился — и в крик,—
Значит, рядом с тобой — чужой,
Ты его не брани — гони,—
Вверх таких не берут, и тут
Про таких не поют.

Если ж он не скулил, не ныл,
Пусть он хмур был и зол, но шёл,
А когда ты упал со скал,
Он стонал, но держал,—
Если шёл он с тобой как в бой,
На вершине стоял, хмельной,—
Значит, как на себя самого,
Положись на него.

ВЕРШИНА

Здесь вам не равнина — здесь климат иной.
Идут лавины одна за одной.
И здесь за камнепадом ревёт камнепад,
И можно свернуть, обрыв обогнуть,—
Но мы выбираем трудный путь,
Опасный, как военная тропа.

Кто здесь не бывал, кто не рисковал —
Тот сам себя не испытал,
Пусть даже внизу он звёзды хватал с небес.

Внизу не встретишь, как ни тянись,
За всю свою счастливую жизнь
Десятой доли таких красот и чудес.

Нет алых роз и траурных лент,
И не похож на монумент
Тот камень, что покой тебе подарил.
Как Вечным огнём, сверкает днем
Вершина изумрудным льдом,
Которую ты так и не покорил.

И пусть говорят — да, пусть говорят!
Но нет — никто не гибнет зря,
Так — лучше, чем от водки и от простуд.
Другие придут, сменив уют
На риск и непомерный труд,—
Пройдут тобой не пройденный маршрут.

Отвесные стены — а ну не зевай!
Ты здесь на везение не уповай.
В горах ненадёжны ни камень, ни лёд, ни скала.
Надеемся только на крепость рук,
На руки друга и вбитый крюк
И молимся, чтобы страховка не подвела.

Мы рубим ступени. Ни шагу назад!
И от напряженья колени дрожат,
И сердце готово к вершине бежать из груди.
Весь мир на ладони — ты счастлив и нем
И только немного завидуешь тем,
Другим — у которых вершина ещё впереди.

СКАЛОЛАЗКА

Я спросил тебя: — Зачем идете в гору вы? —
А ты к вершине шла, а ты рвалася в бой.
— Ведь Эльбрус и с самолета видно здорово! —
Рассмеялась ты и взяла с собой.

И с тех пор ты стала близкая и ласковая,
Альпинистка моя, скалолазка моя!
Первый раз меня из трещины вытаскивая,
Улыбалась ты, скалолазка моя.

41

А потом, за эти проклятые трещины,
Когда ужин твой я нахваливал,
Получил я две короткие затрещины —
Но не обиделся, а приговаривал:

— Ох, какая же ты близкая и ласковая,
Альпинистка моя, скалолазка моя!
Каждый раз меня по трещинам выискивая,
Ты бранила меня, альпинистка моя.

А потом на каждом нашем восхождении —
Ну, почему ты ко мне недоверчивая?! —
Страховала ты меня с наслаждением,
Альпинистка моя гуттаперчевая.

Ох, какая ты неблизкая, неласковая,
Альпинистка моя, скалолазка моя!
Каждый раз меня из пропасти вытаскивая,
Ты ругала меня, скалолазка моя.

За тобой тянулся из последней силы я,—
До тебя уже мне рукой подать.
Вот долезу и скажу: — Довольно, милая!..—
Тут сорвался вниз, но успел сказать:

— Ох, какая же ты близкая и ласковая,
Альпинистка моя скалолазковая!
Мы теперь с тобой одной веревкой связаны —
Стали оба мы скалолазами.

[1966]

ОНА БЫЛА В ПАРИЖЕ

Ларисе Лужиной

Наверно, я погиб. Глаза закрою — вижу.
Наверно, я погиб — робею, а потом —
Куда мне до неё! Она была в Париже,
И я вчера узнал — не только в нём одном.

Какие песни пел я ей про север дальний!
Я думал: вот чуть-чуть — и будем мы на «ты».
Но я напрасно пел о полосе нейтральной,
Ей глубоко плевать, какие там цветы.

Я спел тогда ещё — я думал, это ближе —
Про счётчик, про того, кто раньше с нею был.
Но что ей до меня! Она была в Париже,
Ей сам Марсель Марсо чего-то говорил.

Я бросил свой завод, хоть в общем был не вправе,
Засел за словари на совесть и на страх.
Но что ей до того! Она уже в Варшаве,
Мы снова говорим на разных языках.

Приедет — я скажу по-польски: «Проше, пани,
Прими таким, как есть, не буду больше петь!»
Но что ей до меня! — она уже в Иране, —
Я понял — мне за ней, конечно, не успеть.

Ведь она сегодня здесь, а завтра будет в Осле —
Да, я попал впросак, да, я попал в беду!
Кто раньше с нею был и тот, кто будет после, —
Пусть пробуют они. Я лучше пережду.

[1966]

ВСТРЕЧА

В ресторане по стенкам висят тут и там
Три медведя, заколотый витязь,—
За столом одиноко сидит капитан.
— Разрешите? — спросил я.— Садитесь!

Закури! — Извините, «Казбек» не курю.
— Ладно, выпей! Давай-ка посуду...
Да пока принесут... Пей, кому говорю!
Будь здоров! — Обязательно буду.

— Ну! Так что же,— сказал, захмелев, капитан,—
Водку пьёшь ты красиво, однако,
А видал ты вблизи пулемёт или танк?
А ходил ли ты, скажем, в атаку?

В сорок третьем под Курском я был старшиной,
За моею спиною — такое!..
Много всякого, брат, за моею спиной,
Чтоб жилось тебе, парень, спокойно!

Он ругался и пил, он спросил про отца.
Он кричал, тупо глядя на блюдо:
— Я полжизни отдал за тебя, подлеца,
А ты жизнь прожигаешь, паскуда!

А винтовку тебе, а послать тебя в бой?!
А ты водку тут хлещешь со мною! —
Я сидел, как в окопе под Курской дугой,
Там, где был капитан старшиною.

Он всё больше хмелел. Я за ним по пятам.
Только в самом конце разговора
Я обидел его, я сказал: — Капитан!
Никогда ты не будешь майором!

[1966]

44

ПАРОДИЯ НА ПЛОХОЙ ДЕТЕКТИВ

Опасаясь контрразведки, избегая жизни светской,
Под английским псевдонимом «мистер Джон Ланкастер
Пек»,
Вечно в кожаных перчатках,— чтоб не делать отпечатков,—
Жил в гостинице «Советской» несоветский человек.

Джон Ланкастер в одиночку, преимущественно ночью,
Щёлкал носом — в нем был спрятан инфракрасный
объектив,—
А потом в нормальном свете представало в чёрном цвете
То, что ценим мы и любим, чем гордится коллектив.

Клуб на улице Нагорной стал общественной уборной,
Наш родной Центральный рынок стал похож на грязный
склад.
Искажённый микроплёнкой, ГУМ стал маленькой избёнкой,
И уж вспомнить неприлично, чем предстал театр МХАТ.

Но работать без подручных, может — грустно, может —
скучно.
Враг подумал, враг был дока,— написал фиктивный чек.
Где-то в дебрях ресторана гражданина Епифана
Сбил с пути и с панталыку несоветский человек.

Епифан казался жадным, хитрым, умным, плотоядным.
Меры в женщинах и в пиве он не знал и не хотел.
В общем, так: подручный Джона был находкой для шпиона.
Так случиться может с каждым, если пьян и мягкотел.

— Вот и первое заданье: в три пятнадцать, возле бани,
Может, позже, может, ране — остановится такси.
Надо сесть, связать шофера, разыграть простого вора,
А потом про этот случай раструбят по Би-би-си.

И еще. Оденьтесь свеже, и на выставке в Манеже
К вам приблизится мужчина с чемоданом, скажет он:
— Не хотите ли черешни? — Вы ответите: — Конечно.—
Он вам даст батон с взрывчаткой — принесёте мне батон.

А за это, друг мой пьяный,— говорил он Епифану,—
Будут деньги, дом в Чикаго, много женщин и машин...—
Враг не ведал, дурачина,— тот, кому всё поручил он,
Был чекист, майор разведки и прекрасный семьянин.

Да, до этих штучек мастер этот самый Джон Ланкастер.
Но жестоко просчитался пресловутый мистер Пек.
Обезврежен он, и даже он пострижен и посажен.
А в гостинице «Советской» поселился мирный грек.

[1966]

МЫ В ОЧЕРЕДИ ПЕРВЫЕ СТОЯЛИ

А люди всё роптали и роптали,
А люди справедливости хотят:
— Мы в очереди первые стояли,
А те, кто сзади нас,— уже едят.

      Им объяснили, чтобы не ругаться:
      — Мы просим вас, уйдите, дорогие!
      Те, кто едят, ведь это — иностранцы,
      А вы, прошу прощенья, кто такие?

Но люди всё ворчали и ворчали,
Наверно, справедливости хотят:
— Мы в очереди первые стояли,
А те, кто сзади нас,— уже едят.

      Но снова объяснил администратор:
      — Я вас прошу, уйдите, дорогие!
      Те, кто едят, ведь это — делегаты,
      А вы, прошу прощенья, кто такие?

А люди всё кричали и кричали,
А люди справедливости хотят:
— Мы в очереди первые стояли,
А те, кто сзади нас,— уже едят.

[1966]

47

ПИСЬМО НА СЕЛЬХОЗВЫСТАВКУ

Здравствуй, Коля, милый мой, друг мой ненаглядный!
Во пе́рвых строках письма шлю тебе привет.
Вот приедешь ты, боюсь, занятой, нарядный,
Не заглянешь и домой — сразу в сельсовет.

Как уехал ты — я в крик — бабы прибежали:
— Ох, разлуку,— говорят,— ей не перенесть.
Так скучала за тобой, что меня держали,
Хоть причина не скучать очень даже есть.

Тут вон Пашка приходил — кум твой окаянный.
Еле-еле не далась — даже счас дрожу.
Он три дня уж, почитай, ходит злой и пьяный,
Перед тем, как приставать, пьёт для куражу.

Ты, болтают, получил премию большую!
Будто Борька — наш бугай — первый чемпион!
К злыдню этому, быку, я тебя ревную
И люблю тебя сильней, нежели чем он.

Ты приснился мне больной, пьяный и угрюмый,
Если думаешь чего, так не мучь себя.
С агрономом я прошлась, только ты не думай,—
Говорили мы весь час только про тебя.

Я-то ладно, а вот ты — страшно за тебя-то.
Тут недавно приезжал очень важный чин,
Так в столице, говорит, всякие разврвты,
Да и женщин, говорит, больше, чем мужчин.

Ты уж, Коля, там не пей — потерпи до дома.
Дома можешь хоть чего — можешь хоть в запой.
Мне не надо никого, даже агронома.
Хоть культурный человек — не сравню с тобой.

Наш амбар в дожди течёт — прохудился, верно.
Без тебя невмоготу — кто создаст уют!
Хоть какой, но приезжай, жду тебя безмерно.
Если можешь — напиши, что там продают.

[1966]

ПИСЬМО С СЕЛЬХОЗВЫСТАВКИ

Не пиши мне про любовь — не поверю я.
Мне вот тут уже дела твои прошлые!
Слушай лучше: тут с лавсаном материя.
Если хочешь,— я куплю, вещь хорошая.

Водки я пока не пью, ну ни стопочки!
Экономлю и не ем даже супу я,
Потому что я куплю тебе кофточку,
Потому что я люблю тебя, глупая!

Был в балете: мужики девок лапают,
Девки все, как на подбор, в белых тапочках.
Вот пишу, а слёзы душат и капают —
Не давай себя хватать, моя лапочка!

Наш бугай — один из первых на выставке,
А сперва кричали, будто бракованный!
Но очухались, и вот дали приз-таки.
Весь в медалях он лежит, запакованный.

Председателю скажи,— пусть избу мою
Кроет нынче же и пусть травку выкосит,
А не то я тёлок крыть не подумаю.
Рекордсмена портить мне? Накось выкуси!

Пусть починят наш амбар, ведь не гнить зерну!
Будет Пашка приставать — с ним, как с предателем!
С агрономом не гуляй, ноги выдерну!
Можешь раза два пройтись с председателем.

До свидания! Я — в ГУМ, за покупками.
Это — вроде наш лабаз, но со стёклами.
Ты мне можешь надоесть с полушубками,
В синем платьице с узорами блёклыми!

P. S. Тут стоит культурный парк по-над речкою,
В нём гуляю и плюю только в урны я,
Но ты, конечно, не поймёшь, там за печкою,
Потому ты — темнота некультурная.

[1966]

* * *

В заповедных и дремучих, страшных муромских лесах
Всяка нечисть бродит тучей и в проезжих сеет страх.
    Воет воем, что твои упокойники.
    Если есть там соловьи — то разбойники.
        Страшно, аж жуть!

В заколдованных болотах там кикиморы живут,—
Защекочут до икоты и на дно уволокут.
    Будь ты конный, будь ты пеший — заграбастают,
    А уж лешие так по́ лесу и шастают.
        Страшно, аж жуть!

А мужик, купец и воин попадал в дремучий лес,
Кто за чем — кто с перепою, а кто сдуру в чащу лез.
    По причине попадали, без причины ли,
    Всех их только и видали,— словно сгинули.
        Страшно, аж жуть!

Из заморского из леса, где и вовсе сущий ад,
Где такие злые бесы — чуть друг друга не едят,
    Чтоб творить им совместное зло потом,
    Поделиться приехали опытом.
        Страшно, аж жуть!

Соловей-Разбойник главный им устроил буйный пир,
А от них был Змей трёхглавый и слуга его — Вампир.
    Пили зелье в черепах, ели бульники,
    Танцевали на гробах, богохульники!
        Страшно, аж жуть!

Змей-Горыныч взмыл на древо, ну раскачивать его:
— Выводи, Разбойник, девок, пусть покажут кой-чего!
    Пусть нам лешие попляшут, попоют,
    А не то я, матерь вашу, всех сгною! —
        Страшно, аж жуть!

В заповедных и дремучих страшных

~~Всяка нечисть~~   Муромских лесах

~~Волгой~~ ~~там~~ Бродят лучей и в проезжих

—сеет страх

Вост воем, ~~жуть вою~~

~~Подходящими~~ ногами и утопленники

Если есть там соловей — то разбойники

В заколдованных болотах там кикиморы

живут

Защекочут до икоты и на дно уволокут

Будь ты пеший, будь ты конный — заграбастают

А уже лешие так просу и мастакат

Страшно сеют жуть!

Лесно брожу

~~А~~ мужик, ищу ~~да волол~~ посмрал в

~~Домто~~ ~~в яком~~ народу ~~погубил~~ дремучий

лес

~~Тот~~ ~~кто сдуру,~~ ~~с перепою~~

Кто зачем — кто с перепою, а кто сдуру

в чащу лез

По привычке посадили, без причины

Всех их только и видали — словно сгинули

Соловей-Разбойник тоже был не только лыком шит.
Свистнул, гикнул, крикнул: — Рожа, гад, заморский паразит!
   Убирайся без бою, уматывай!
   И Вампира с собою прихватывай! —
     Страшно, аж жуть!

Все взревели, как медведи: — Натерпелись столько лет!
Ведьмы мы али не ведьмы? Патриотки али нет?!
   Нáлил бельма, ишь ты, клещ, отоварился!
   А ещё на наших женщин позарился! —
     Страшно, аж жуть!

И теперь седые люди помнят прежние дела —
Билась нечисть грудью в груди и друг друга извела.
   Прекратилось навек безобразие,
   Ходит в лес человек безбоязненно.
     И не страшно — ничуть!

[1966]

* * *

Лукоморья больше нет, от дубов простыл и след.
Дуб годится на паркет,— так ведь нет:
Выходили из избы здоровенные жлобы,
Порубили все дубы на гробы.

Распрекрасно жить в домах на куриных на ногах,
Но явился всем на страх вертопрах!
Добрым молодцем он был, ратный подвиг совершил —
Бабку-ведьму подпоил, дом спалил!

       Ты уймись, уймись, тоска
       У меня в груди!
       Это только присказка —
       Сказка впереди.

Здесь и вправду ходит кот, как направо — так поет,
Как налево — так загнёт анекдот,
Но учёный сукин сын — цепь златую снёс в торгсин
И на выручку один — в магазин.

Как-то раз за божий дар получил он гонорар:
В Лукоморье перегар — на гектар.
Но хватил его удар. Чтоб избегнуть божьих кар,
Кот диктует про татар мемуар.

       Ты уймись, уймись, тоска
       У меня в груди!
       Это только присказка —
       Сказка впереди.

Тридцать три богатыря порешили, что зазря
Берегли они моря и царя.
Каждый взял себе надел, кур завёл и там сидел,
Охраняя свой удел не у дел.

Ободрав зеленый дуб, дядька ихний сделал сруб,
С окружающими туп стал и груб.
И ругался день-деньской бывший дядька их морской,
Хоть имел участок свой под Москвой.

    Ты уймись, уймись, тоска
    У меня в груди!
    Это только присказка —
    Сказка впереди.

А русалка — вот дела! — честь недолго берегла
И однажды, как смогла, родила.
Тридцать три же мужика — не желают знать сынка:
Пусть считается пока сын полка.

Как-то раз один колдун — врун, болтун и хохотун,—
Предложил ей, как знаток бабских струн:
Мол, русалка, всё пойму и с дитём тебя возьму.
И пошла она к нему, как в тюрьму.

    Ты уймись, уймись, тоска
    У меня в груди!
    Это только присказка —
    Сказка впереди.

Бородатый Черномор, лукоморский первый вор —
Он давно Людмилу спёр, ох, хитёр!
Ловко пользуется тать тем, что может он летать:
Зазеваешься — он хвать — и тикать!

А коверный самолет сдан в музей в запрошлый год —
Любознательный народ так и прёт!
Без опаски старый хрыч баб ворует, хнычь не хнычь.
Ох, скорей ему накличь паралич.

    Ты уймись, уймись, тоска
    У меня в груди!
    Это только присказка —
    Сказка впереди.

Нету мочи, нету сил,— Леший как-то недопил,
Лешачиху свою бил и вопил:
— Дай рубля, прибью а то, я добытчик али кто?!
А не дашь — тогда пропью долото!

— Я ли ягод не носил? — снова Леший голосил.
— А коры по скольку кил приносил?
Надрывался издаля, всё твоей забавы для,
Ты ж жалеешь мне рубля, ах ты тля!

    Ты уймись, уймись, тоска
    У меня в груди!
    Это только присказка —
    Сказка впереди.

И невиданных зверей, дичи всякой — нету ей.
Понаехало за ней егерей.
Так что, значит, не секрет: Лукоморья больше нет.
Всё, о чём писал поэт,— это бред.

    Ну-ка, расступись, тоска,
    Душу мне не рань.
    Раз уж это присказка —
    Значит, дело дрянь.

[1966]

СТРАННАЯ СКАЗКА

В Тридевятом государстве
($3 \times 9 = 27$)
Всё держалось на коварстве,
Без проблем и без систем.

    Нет того, чтобы, там, воевать!
    Стал король втихаря попивать,
    Расплевался с королевой,
    Дочь оставил старой девой,
    А наследник пошёл воровать.

В Тридесятом королевстве
(3×10 — тридцать, что ль?)
В добром дружеском соседстве
Жил ещё один король.

    Тишь да гладь, да спокойствие там,
    Хоть король был отъявленный хам.
    Он прогнал министров с кресел,
    Оппозицию повесил
    И скучал от тоски по делам.

В Триодиннадцатом царстве
(То бишь, в царстве 33)
Царь держался на лекарстве:
Воспалились пузыри.

    Был он милитарист и вандáл,
    Двух соседей зазря оскорблял,
    Слал им каждую субботу
    Оскорбительную ноту,
    Шёл на международный скандал.

В Тридцать третьем царь сказился:
Не хватает, мол, земли.
На соседей покусился —
И взбесились короли.

— Обуздать его, смять! — Только глядь:
Нечем в Двадцать седьмом воевать,
А в Тридцатом — полководцы
Все утоплены в колодце,
И вассалы восстать норовят...

[1966]

ПРО ДИКОГО ВЕПРЯ

В королевстве, где всё тихо и складно,
Где ни войн, ни катаклизмов, ни бурь,
Появился дикий вепрь огромадный —
То ли буйвол, то ли бык, то ли тур.

Сам король страдал желудком и астмой,
Только кашлем сильный страх наводил,
А тем временем зверюга ужасный
Коих ел, а коих в лес волочил.

И король тотчас издал три декрета:
«Зверя надо одолеть, наконец!
Кто отважится на дело на это —
Тот принцессу поведёт под венец!»

А в отчаявшемся том государстве —
Как войдёшь, так сразу наискосок,—
В бесшабашной жил тоске и гусарстве
Бывший лучший королевский стрелок.

На полу лежали люди и шкуры,
Пели песни, пили мёды — и тут
Протрубили на дворе трубадуры,
Хвать стрелка! — и во дворец волокут.

И король ему прокашлял: — Не буду
Я читать тебе моралей, юнец!
Если завтра победишь Чуду-юду,
То принцессу поведёшь под венец.

А стрелок: — Да это что за награда?
Мне бы выкатить портвейна бадью!
Мол, принцессу мне и даром не надо —
Чуду-юду я и так победю.

А король: — Возьмёшь принцессу — и точка!
А не то тебя — раз-два! — и в тюрьму!
Это всё же королевская дочка! —
А стрелок: — Ну хоть убей — не возьму!

И пока король с ним так препирался,
Съев уже почти всех женщин и кур,
Возле самого дворца ошивался
Этот самый то ли бык, то ли тур.

Делать нечего — портвейн он отспорил,
Чуду-юду победил и убёг.
Так принцессу с королём опозорил
Бывший лучший, но опальный стрелок.

[1966]

ПРО ЙОГОВ

Чем славится индийская культура?
Ну, скажем, Шива — многорук, клыкаст.
Ещё артиста знаем, Радж Капура,
И касту йогов — странную из каст.

    Говорят, что раньше йог мог,
    Ни черта не бравши в рот,— год,
    А теперь они рекорд бьют —
    Всё едят и целый год пьют.

А что же мы? — и мы не хуже многих.
Мы тоже можем много выпивать.
И бродят многочисленные йоги,
Их, правда, очень трудно распознать.

    Очень много может йог штук.
    Вот один недавно лёг вдруг.
    Третий год уже летит — стыд,—
    Ну, а он себе лежит, спит.

Я знаю, что у них секретов много.
Поговорить бы с йогом тет-на-тет.
Ведь даже яд не действует на йога —
На яды у него иммунитет.

    Под водой не дышит час — раз.
    Не обидчив на слова — два.
    Если чует, что старик вдруг,
    Скажет: «Стоп!», и в тот же миг — труп.

Я попросил подвыпившего йога —
Он бритвы, гвозди ел, как колбасу:
— Послушай, друг, откройся мне, ей-бога,
С собой в могилу тайну унесу!

    Был ответ на мой вопрос — прост,
    И поссорились мы с ним в дым.
    Я бы мог сказать ответ тот,
    Но... йог велел хранить секрет — вот!

Но если даже йог не чует боли,
И может он не есть и не дышать,
Я б не хотел такой весёлой доли —
Уметь не видеть, сердце отключать.

Чуть чего, так сразу йог — вбок,
Он, во-первых, если спит — сыт.
Люди рядом — то да сё, мрут.
А ему плевать, и всё тут.

[1966]

О СЕНТИМЕНТАЛЬНОМ БОКСЁРЕ

Удар, удар, ещё удар, опять удар — и вот
Борис Будкеев (Краснодар) проводит аперкот.
Вот он прижал меня в углу, вот я едва ушёл,
Вот — аперкот, я на полу, и мне нехорошо.

    И думал Будкеев, мне челюсть кроша:
    «И жить хорошо, и жизнь хороша!»

При счёте «семь» я всё лежу, рыдают землячки.
Встаю, ныряю, ухожу, и мне идут очки.
Неправда, будто бы к концу я силы берегу,—
Бить человека по лицу я с детства не могу.

    Но думал Будкеев, мне рёбра круша:
    «И жить хорошо, и жизнь хороша!»

В трибунах свист, в трибунах вой: — Ату его! Он трус!..—
Будкеев лезет в ближний бой, а я к канатам жмусь.
Но он пролез — он сибиряк, настырные они.
И я сказал ему: — Чудак! Устал ведь, отдохни!

    Но он не услышал, он думал, дыша,
    Что жить хорошо и жизнь хороша.

А он всё бьет — здоровый чёрт! Я вижу — быть беде.
Ведь бокс — не драка, это спорт отважных и т. д.
Вот он ударил раз, два, три — и сам лишился сил.
Мне руку поднял рефери, которой я не бил.

    Лежал он и думал, что жизнь хороша...
    Кому — хороша, а кому — ни шиша.

[1966]

* * *

Всеволоду Абдулову

Дела...
Меня замучили дела каждый день,
                                    каждый день.
Дотла
Сгорели песни и стихи — дребедень,
                                    дребедень.
Весь год
Жила-была и вдруг взяла, собрала
                                    и ушла,
И вот —
Такие грустные дела у меня.
         Теперь —
         Мне целый вечер подари, подари,
                                    подари,
         Поверь —
         Я буду только говорить.
Из рук,
Из рук вон плохо шли дела у меня,
                                    шли дела,
И вдруг
Сгорели пламенем дотла — не дела,
                                    а зола...
Весь год
Жила-была и вдруг взяла, собрала
                                    и ушла
И вот —
Опять весёлые дела у меня.
         Теперь,
         Хоть целый вечер подари, подари,
                                    подари,
         Поверь —
         Не буду даже говорить.

[1966]

ГОЛОЛЁД

Гололёд на земле, гололёд,
Целый год напролёт, целый год,
Будто нет ни весны, ни лета.
Чем-то скользким одета планета,
Люди, падая, бьются об лёд.
Гололёд на земле, гололёд.
Целый год напролёт, целый год...

Даже если планету в облёт,
Не касаясь планеты ногами,
Не один, так другой упадёт —
Гололёд на земле, гололёд, —
И затопчут его сапогами.

Гололёд на земле, гололёд,
Целый год напролёт, целый год,
Будто нет ни весны, ни лета.
Чем-то скользким одета планета,
Люди, падая, бьются об лёд.
Гололёд на земле, гололёд.
Целый год напролёт, целый год.

И, хотя на поверхности лёд, —
На гигантский каток непохоже.
Только зверь не упавши пройдёт —
Гололёд! — и двуногий встаёт
На четыре конечности тоже.

Гололёд на земле, гололёд,
Целый год напролёт, целый год,
Будто нет ни весны, ни лета.
Чем-то скользким одета планета,
Люди, падая, бьются об лёд.
Гололёд на земле, гололёд.
Целый год напролёт гололёд...

[1966]

БЕСПОКОЙСТВО

А у дельфина взрезано брюхо винтом.
Выстрела в спину не ожидает никто.
На батарее нету снарядов уже.
Надо быстрее на вираже.

     Парус! Порвали парус!
     Каюсь! Каюсь, каюсь!

Даже в дозоре можешь не встретить врага.
Это не горе — если болит нога.
Петли дверные многим скрипят, многим поют.
Кто вы такие — вас здесь не ждут!

     Парус! Порвали парус!
     Каюсь! Каюсь, каюсь!

Многие лета — всем, кто поёт во сне.
Все части света могут лежать на дне.
Все континенты могут гореть в огне.
Только всё это не по мне.

     Парус! Порвали парус!
     Каюсь! Каюсь, каюсь!

[1966]

ПРОЩАНИЕ

Корабли постоят и ложатся на курс,
Но они возвращаются сквозь непогоды.
Не пройдет и полгода, и я появлюсь,
Чтобы снова уйти на полгода.

Возвращаются все, кроме лучших друзей,
Кроме самых любимых и преданных женщин.
Возвращаются все, кроме тех, кто нужней.
Я не верю судьбе, а себе — еще меньше.

Но мне хочется думать, что это не так,
Что сжигать корабли скоро выйдет из моды.
Я, конечно, вернусь весь в друзьях и мечтах,
Я, конечно, спою — не пройдет и полгода.

[1966]

О НОВОМ ВРЕМЕНИ

Как призывный набат, прозвучали в ночи тяжело шаги, —
Значит, скоро и нам уходить и прощаться без слов.
По нехоженым тропам протопали лошади, лошади,
Неизвестно к какому концу унося седоков.

Наше время — иное, лихое, но счастье, как встарь, ищи!
И в погоню летим мы за ним, убегающим, вслед.
Только вот в этой скачке теряем мы лучших товарищей,
На скаку не заметив, что рядом товарищей нет.

И ещё будем долго огни принимать за пожары мы,
Будет долго зловещим казаться нам скрип сапогов,
Про войну будут детские игры с названьями старыми,
И людей будем долго делить на своих и врагов.

А когда отгрохочет, когда отгорит и отплачется,
И когда наши кони устанут под нами скакать,
И когда наши девушки сменят шинели на платьица, —
Не забыть бы тогда, не простить бы и не потерять.

[1966]

АИСТЫ

Небо этого дня
        ясное,
Но теперь в нем броня
            лязгает.
А по нашей земле
          гул стоит,
И деревья в смоле, —
            грустно им.
    Дым и пепел встают
              как кресты.
    Гнёзд по крышам не вьют
               аисты.

Колос — в цвет янтаря,
            успеем ли?
Нет! Выходит, мы зря
          сеяли.
Что ж там цветом в янтарь
            светится?
Это в поле пожар
         мечется.
    Разбрелись все от бед
            в стороны.
    Певчих птиц больше нет —
             вороны.

И деревья в пыли —
          к осени.
Те, что песни могли, —
           бросили.
И любовь не для нас.
            Верно ведь,
Что нужнее сейчас —
          ненависть?
    Дым и пепел встают,
             как кресты.
    Гнёзд по крышам не вьют
               аисты.

Лес шумит, как всегда,
                    кронами,
А земля и вода —
                    стонами.
Но нельзя без чудес —
                    аукает
Довоенными лес
                    звуками.
          Побрели все от бед
                    на Восток,
          Певчих птиц больше нет,
                    нет аистов.

Воздух звуки хранит
                    разные,
Но теперь в нём гремит,
                    лязгает,
Даже цокот копыт —
                    топотом,
Если кто закричит —
                    шёпотом.
          Побрели все от бед
                    на Восток,—
          И над крышами нет
                    аистов.

[1967]

* * *

Полчаса до атаки.
Скоро снова — под танки,
Снова слушать разрывов концерт.
А бойцу молодому
Передали из дому
Небольшой голубой треугольный конверт.

И как будто не здесь ты,
Если почерк невесты
Или пишут отец твой и мать...
Но случилось другое,
Видно, зря перед боем
Поспешили солдату письмо передать.

Там стояло сначала:
«Извини, что молчала!
Ждать устала...» И всё, весь листок.
Только снизу приписка:
«Уезжаю не близко,
Ты ж спокойно воюй и прости, если что!»

Вместе с первым разрывом
Парень крикнул тоскливо:
«Почтальон! Что ты мне притащил?
За минуту до смерти
В треугольном конверте
Пулевое ранение я получил!»

Он шагнул из траншеи
С автоматом на шее,
Он осколков беречься не стал.
И в бою над Сурою
Он обнялся с землёю,
Только ветер обрывки письма разметал.

[1967]

БАНЬКА ПО-ЧЁРНОМУ

Копи!
Ладно, мысли свои вздорные
                              копи!
Топи,
Ладно баньку мне по-чёрному
                              топи!
Вопи!
Всё равно меня утопишь,
                       но вопи!..
Топи.
Только баню мне, как хочешь,
                            натопи.

        Ох, сегодня я отмаюсь, эх, освоюсь,
        Но сомневаюсь, что отмоюсь.

Не спи.
Где рубаху мне по пояс
                       добыла́?
Топи!
Эх, сегодня я отмоюсь
                      добела.
Кропи,
В бане стены закопчённые
                         кропи.
Топи,
Слышишь, баньку мне по-чёрному
                              топи.

        Ох, сегодня я отмаюсь, эх, освоюсь,
        Но сомневаюсь, что отмоюсь.

Кричи!
Загнан в угол зельем,
                      словно гончей лось.
Молчи!
У меня давно похмелье
                      кончилось.

71

Терпи,
Ты ж сама по дури
     продала меня!
Топи,
Чтоб я чист был, как щенок
      к исходу дня.

  Ох! Сегодня я отмаюсь, эх, освоюсь,
  Но сомневаюсь, что отмоюсь.

Купи!
Хоть кого-то из охранников
       купи!
Топи!
Слышишь! Баню ты мне раненько
       топи!
Вопи.
Всё равно меня утопишь,
     но вопи.
Топи.
Эту баню мне, как хочешь,
     натопи.

  Эх, сегодня я отмаюсь, ох, освоюсь,
  Но сомневаюсь, что отмоюсь.

[1967]

СПАСИТЕ НАШИ ДУШИ!

Уходим под воду в нейтральной воде.
Мы можем по году плевать на погоду,
А если накроют — локаторы взвоют
    О нашей беде.

    Спасите наши души!
    Мы бредим от удушья.
    Спасите наши души!
        Спешите к нам!

        Услышьте нас на суше —
        Наш SOS всё глуше, глуше.
        И ужас режет души
        Напополам...

И рвутся аорты, но наверх — не сметь!
Там, справа по борту, там, слева по борту,
Там, прямо по ходу, мешает проходу
    Рогатая смерть.

    Спасите наши души!
    Мы бредим от удушья.
    Спасите наши души!
        Спешите к нам!

        Услышьте нас на суше —
        Наш SOS всё глуше, глуше.
        И ужас режет души
        Напополам...

Но здесь мы на воле — ведь это наш мир!
Свихнулись мы, что ли,— всплывать в минном поле?!
— А ну, без истерик! Мы врежемся в берег! —
    Сказал командир.

    Спасите наши души!
    Мы бредим от удушья.
    Спасите наши души!
        Спешите к нам!

Услышьте нас на суше —
Наш SOS всё глуше, глуше.
И ужас режет души
        Напополам...

Всплывём на рассвете — приказ есть приказ.
Погибнуть во цвете уж лучше при свете.
Наш путь не отмечен. Нам нечем... Нам нечем!..
Но помните нас!

Спасите наши души!
Мы бредим от удушья.
Спасите наши души!
        Спешите к нам!

Услышьте нас на суше —
Наш SOS всё глуше, глуше.
И ужас режет души
        Напополам...

Вот вышли наверх мы, но выхода нет!
Вот — полный на верфи! Натянуты нервы,
Конец всем печалям, концам и началам — мы рвёмся
                                        к причалам
Заместо торпед!

Спасите наши души!
Мы бредим от удушья,
Спасите наши души!
        Спешите к нам!

Услышьте нас на суше —
Наш SOS всё глуше, глуше.
И ужас режет души
        Напополам...

[1967]

* * *

Марине

То ли в избу и запеть,
Просто так, с морозу!
То ли взять да помереть
От туберкулёзу...

То ли выстонать без слов,
То ли под гитару,
То ли в сани — рысаков
И уехать к Яру!

Вот напасть — то не в сласть,
То не в масть карту класть.
То ли счастие украсть,
То ли просто упасть
В страсть...

В никуда навсегда —
Вечное стремление.
То ли с неба вода,
То ль разлив весенний...

Может, песня без конца,
Может — без идеи.
Строю печку в изразцах
Или просто сею...

Сколько лет счастья нет,
Впереди — красный свет.
Недопетый куплет,
Недодаренный букет...
Бред...

На́зло всем, насовсем,
Со звездою в лапах,
Без реклам, без эмблем,
В пимах косолапых, —

Не догнал бы кто-нибудь,
Не учуял запах...
Отдохнуть бы, продыхнуть
Со звездою в лапах.

Без неё, вне её —
Ничего не моё —
Невесёлое житьё.
И быльё — и то её,
Ё-моё...

[1967—1969]

МОСКВА — ОДЕССА

В который раз лечу Москва — Одесса —
Опять не выпускают самолет.
А вот прошла вся в синем стюардесса, как принцесса,
Надёжная, как весь гражданский флот.

    Над Мурманском — ни туч, ни облаков,
    И хоть сейчас лети до Ашхабада.
    Открыты Киев, Харьков, Кишинёв,
    И Львов открыт, но мне туда не надо.

Сказали мне: — Сегодня не надейся,
Не стоит уповать на небеса.—
И вот опять дают задержку рейса на Одессу —
Теперь обледенела полоса.

    А в Ленинграде с крыши потекло,
    И что мне не лететь до Ленинграда?
    В Тбилиси — там всё ясно и тепло,
    Там чай растет, но мне туда не надо.

Я слышу — ростовчане вылетают!
А мне в Одессу надо позарез,
Но надо мне туда, куда меня не принимают
И потому откладывают рейс

    Мне надо, где сугробы намело,
    Где завтра ожидают снегопада
    А где-нибудь всё ясно и светло,
    Там хорошо, но мне туда не надо!

Отсюда не пускают, а туда не принимают,
Несправедливо, муторно, но вот —
Нас на посадку скучно стюардесса приглашает,
Похожая на весь гражданский флот.

    Открыли самый дальний закуток,
    В который не заманят и награды.
    Открыт закрытый порт Владивосток,
    Париж открыт, но мне туда не надо.

Взлетим мы — можно ставить рупь за сто — запреты снимут.
Напрягся лайнер, слышен визг турбин.
Но я уже не верю ни во что — меня не примут,
У них найдётся множество причин.

      Мне надо, где метели и туман,
      Где завтра ожидают снегопада,
      Открыли Лондон, Дели, Магадан,
      Открыли всё, но мне туда не надо!

Я прав — хоть плачь, хоть смейся, но опять задержка рейса, —
И нас обратно к прошлому ведёт
Вся стройная, как ТУ, та стюардесса — мисс Одесса,
Доступная, как весь гражданский флот.

      Опять дают задержку до восьми,
      И граждане покорно засыпают.
      Мне это надоело, черт возьми,
      И я лечу туда, где принимают!

[1967]

* * *

На краю края земли, где небо ясное
Как бы вроде даже сходит за кордон,
На горе стояло здание ужасное,
Издаля напоминавшее ООН.

    Все сверкает, как зарница,—
    Красота! Но только вот —
    В этом здании царица
    В заточении живет.

И Кащей Бессмертный грубое животное
Это здание поставил охранять,
Но по-своему несчастное и кроткое,
Может, было то животное, как знать!

    От большой тоски по маме
    Вечно чудище в слезах —
    Ведь оно с семью главами,
    О пятнадцати глазах.

Сам Кащей (он мог бы раньше врукопашную!)
От любви к царице высох и увял,
Стал по-своему несчастным старикашкою,
Ну, а зверь его к царице не пускал.

    — Пропусти меня, чего там,
    Я ж от страсти трепещу!
    — Хоть снимай меня с работы,
    Ни за что не пропущу!

Добрый молодец Иван решил попасть туда,—
Мол, видали мы Кащеев, так-растак!
Он всё время, где чего — так сразу шасть туда!
Он по-своему несчастный был дурак.

    То ли выпь захохотала,
    То ли филин заикал,—
    На душе тоскливо стало
    У Ивана-дурака.

Началися его подвиги напрасные,
С Баб-Ягами никчемушная борьба —
Тоже ведь она по-своему несчастная,
Эта самая лесная голытьба.

    Сколько ведьмочек пришипнул!
    Двух молоденьких, в соку...
    Как увидел утром — всхлипнул,
    Жалко стало дураку.

Но, однако же, приблизился, дремотное
Состоянье превозмог свое Иван.
В уголке лежало бедное животное,
Все главы свои склонившее в фонтан.

    Тут Иван к нему сигает,
    Рубит головы, спеша,
    И к Кащею подступает,
    Кладенцом своим маша.

И грозит он старику двухтыщелетнему —
Я те бороду, мол, мигом обстригу!
— Так умри ты, сгинь, Кащей! — А тот в ответ ему:
— Я бы рад, но я бессмертный,— не могу.

    Но Иван себя не помнит:
    — Ах ты, гнусный фабрикант!
    Вон настроил сколько комнат,
    Девку спрятал, интригант!

Я закончу дело, взявши обязательство!..—
И от этих-то неслыханных речей
Умер сам Кащей без всякого вмешательства,—
Он неграмотный, отсталый был, Кащей.

    А Иван, от гнева красный,
    Пнул Кащея, плюнул в пол
    И к по-своему несчастной
    Бедной узнице взошел.

[1967]

* * *

В. А.

У неё всё своё — и бельё, и жильё.
Ну, а я ангажирую угол у тёти.
Для неё — всё свободное время моё.
На неё я гляжу из окна, что напротив.

У неё каждый вечер не гаснет окно.
И вчера мне лифтёр рассказал за полбанки:
У неё два знакомых артиста кино
И один популярный артист из Таганки.

И пока у меня в ихнем ЖЭКе рука,
Про неё я узнал очень много нюансов:
У неё старший брат — футболист «Спартака»,
А отец — референт в министерстве финансов.

Я скажу, что всегда на футболы хожу,
На «Спартак», и слова восхищенья о брате.
Я скажу, что с министром финансов дружу
И еще как любитель играю во МХАТе.

У неё, у неё на окошке герань,
У неё занавески в цветастых разводах.
У меня, у меня на окне... ничего,
Только пыль, только толстая пыль на комодах.

Ничего! Я куплю лотерейный билет,
И тогда мне останется ждать так недолго.
И хотя справедливости в мире всё нет,
По нему обязательно выиграю «Волгу».

[1967]

ДЕРЕВЯННЫЕ КОСТЮМЫ

Как все мы веселы бываем и угрюмы,
Но если надо выбирать и выбор труден,
Мы выбираем деревянные костюмы,
Люди! Люди!

Нам будут долго предлагать — не прогадать.
— Ах! — скажут,— что вы, вы ещё не жили!
Вам надо только-только начинать...—
Ну, а потом предложат: или — или.

Или пляжи, вернисажи, или даже
Пароходы, в них наполненные трюмы,
Экипажи, скачки, рауты, вояжи,
Или просто — деревянные костюмы.

И будут веселы они или угрюмы,
И будут в роли злых шутов и добрых судей,
Но нам предложат деревянные костюмы,
Людям — люди.

Нам даже могут предложить и закурить.
— Ах! — вспомнят,— вы ведь долго не курили.
Да вы ещё не начинали жить...—
Ну, а потом предложат: или — или.

Дым папиросы навевает что-то.
Одна затяжка — веселее думы.
Курить охота, ох, как курить охота!
Но надо выбрать деревянные костюмы.

И будут вежливы и ласковы настолько —
Предложат жизнь счастливую на блюде.
Но мы откажемся. И бьют они жестоко,
Люди, люди!

[1967]

* * *

Марине

Если я богат, как царь морской,
Крикни только мне: «Лови блесну!» —
Мир подводный и надводный свой,
Не задумываясь, выплесну!

    Дом хрустальный на горе для неё.
    Сам, как пёс бы, так и рос в цепи.
    Родники мои серебряные,
    Золотые мои россыпи!

Если беден я, как пёс, один,
И в дому моём шаром кати —
Ведь поможешь Ты мне, Господи,
Не позволишь жизнь скомкати.

    Дом хрустальный на горе для неё.
    Сам, как пёс бы, так и рос в цепи.
    Родники мои серебряные,
    Золотые мои россыпи!

Не сравнил бы я любую с тобой,
Хоть казни меня, расстреливай.
Посмотри, как я любуюсь тобой, —
Как Мадонной Рафаэлевой!

    Дом хрустальный на горе для неё.
    Сам, как пёс бы, так и рос в цепи.
    Родники мои серебряные,
    Золотые мои россыпи!

[1967]

07

Людмиле Орловой

Для меня эта ночь вне закона.
Я пишу — по ночам больше тем.
Я хватаюсь за диск телефона,
Набираю вечное 07.

    Девушка, здравствуйте!
    Как вас звать? Тома.
    Семьдесят вторая! Жду! Дыханье затая!
    Быть не может, повторите, я уверен — дома!
    Вот! Уже ответили! Ну, здравствуй,— это я.

Эта ночь для меня вне закона.
Я не сплю, я прошу — поскорей!
Почему мне в кредит, по талону
Предлагают любимых людей?

    Девушка! Слушайте!
    Семьдесят вторая!
    Не могу держаться, нетерпенья не тая.
    К дьяволу все линии, я завтра улетаю!
    Вот! Уже ответили. Ну, здравствуй,— это я.

Телефон для меня как икона,
Телефонная книга — триптих.
Стала телефонистка мадонной,
Расстоянье на миг сократив.

    Девушка! Милая!
    Я прошу, продлите!
    Вы теперь как ангел — не сходите ж с алтаря!
    Самое главное — впереди, поймите.
    Вот уже ответили. Ну, здравствуй,— это я.

Что, опять повреждения на трассе?
Что реле там с ячейкой шалят?
Ничего, буду ждать, я согласен
Начинать каждый вечер с нуля.

07, здравствуйте!
Снова я. Что вам?
Нет! Уже не нужно. Нужен город Магадан.
Я даю вам слово, что звонить не буду снова.
Просто друг один — узнать, как он, бедняга, там.

Эта ночь для меня вне закона,
Ночи все у меня не для сна.
А усну — мне приснится мадонна,
На кого-то похожа она.

Девушка, милая!
Снова я, Тома!
Не могу дождаться, и часы мои стоят.
Да, меня, конечно,— я, да, я, конечно, дома!
— Вызываю. Отвечайте.— Здравствуй! — это я.

[1967]

МОЯ ЦЫГАНСКАЯ

В сон мне — жёлтые огни,
И хриплю во сне я:
— Повремени, повремени —
Утро мудренее!

Но и утром всё не так,
Нет того веселья:
Или куришь натощак,
Или пьёшь с похмелья.

В кабаках — зеленый штоф,
Белые салфетки.
Рай для нищих и шутов,
Мне ж — как птице в клетке.

В церкви смрад и полумрак,
Дьяки курят ладан.
Нет! И в церкви всё не так.
Всё не так, как надо.

Я — на гору впопыхах,
Чтоб чего не вышло.
На горе стоит ольха,
А под горою вишня.

Хоть бы склон увить плющом,
Мне б и то отрада!
Хоть бы что-нибудь еще...
Всё не так, как надо!

Я — по полю, вдоль реки.
Света — тьма, нет Бога!
В чистом поле васильки,
Дальняя дорога.

Вдоль дороги — лес густой
С Бабами-Ягами,
А в конце дороги той —
Плаха с топорами.

Где-то кони пляшут в такт,
Нехотя и плавно.
Вдоль дороги всё не так,
А в конце — подавно.

И ни церковь, ни кабак —
Ничего не свято!
Нет, ребята! Всё не так,
Всё не так, ребята!

[1968]

БАНЬКА ПО-БЕЛОМУ

Протопи ты мне баньку, хозяюшка,
Раскалю я себя, распалю,
На полóке, у самого краешка,
Я сомненья в себе истреблю.

Разомлею я до неприличности,
Ковш холодной — и всё позади.
И наколка времён культа личности
Засинеет на левой груди.

Протопи ты мне баньку по-белому —
Я от белого света отвык.
Угорю я, и мне, угорелому,
Пар горячий развяжет язык.

Сколько веры и леса повалено,
Сколь изведано горя и трасс,
А на левой груди — профиль Сталина,
А на правой — Маринка анфас.

Эх! За веру мою беззаветную
Сколько лет отдыхал я в раю!
Променял я на жизнь беспросветную
Несусветную глупость мою.

Протопи ты мне баньку по-белому —
Я от белого света отвык.
Угорю я, и мне, угорелому,
Пар горячий развяжет язык.

Вспоминаю, как утречком раненько
Брату крикнуть успел: «Пособи!»
И меня два красивых охранника
Повезли из Сибири в Сибирь.

Баньки.

Ш Протопи ты мне баньку по белому
Я от белого света отвык
Угорю я и мне угорелому
Пар горячий развяжет язык   } рефрен

I Протопи ты мне баньку, хозяюшка,
Раскалю я себя, распалю.
На полоке у самого краюшка
Я сомненья в себе истреблю.
        Разомлею я до непристойности,
        Ковш холодной - и всё позади,
        И наколка времён культа личности
        Засинеет на левой груди.
                рефрен

II Сколько веры и леса повалено,
Сколь изведано горя и трасе
А на левой груди профиль Сталина,
А на правой Маринка ан фас
        Эх! За веру мою беззаветную
        Сколько лет отдыхал я в раю
        Променял я на жизнь беспросветную
        Несусветную глупость мою
                рефрен

III Вспоминаю, как утречком раненько
Брату крикнуть успел „пособи!"
И меня 2 красивых охранника
Повезли из Сибири в Сибирь
        А потом на карьере ли, в топи ли
        Наглотавшись слезы и сырца
        Близко к сердцу кололи мы профили,
        Чтоб он слышал, как рвутся сердца
рефрен { Не топи ты мне.....

IV Эх! Знобит от рассказа дотошного
Пар мне мысли прогнал от ума
Из тумана холодного прошлого
Окунаюсь в горячий туман
        Застучали мне мысли под темячком,
        Получилось - я зря их клеймил,
        И хлещу я берёзовым веничком
        По наследию мрачных времён.
рефрен { Протопи.....
        Чтоб я к белому свету привык.

А потом на карьере ли, в топи ли,
Наглотавшись слезы и сырца,
Ближе к сердцу кололи мы профили,
Чтоб он слышал, как рвутся сердца.

Протопи ты мне баньку по-белому —
Я от белого света отвык.
Угорю я, и мне, угорелому,
Пар горячий развяжет язык.

Ох! Знобит от рассказа дотошного,
Пар мне мысли прогнал от ума.
Из тумана холодного прошлого
Окунаюсь в горячий туман.

Застучали мне мысли под темечком,
Получилось — я зря им клеймён,
И хлещу я берёзовым веничком
По наследию мрачных времён.

Протопи ты мне баньку по-белому,
Чтоб я к белому свету привык.
Угорю я, и мне, угорелому,
Пар горячий развяжет язык.

[1968]

ОХОТА НА ВОЛКОВ

Рвусь из сил и из всех сухожилий,
Но сегодня — опять, как вчера,—
Обложили меня. Обложили!
Гонят весело на номера!

Из-за елей хлопочут двустволки —
Там охотники прячутся в тень.
На снегу кувыркаются волки,
Превратившись в живую мишень.

    Идёт охота на волков. Идёт охота!
    На серых хищников — матёрых и щенков.
    Кричат загонщики, и лают псы до рвоты.
    Кровь на снегу и пятна красные флажков.

Не на равных играют с волками
Егеря, но не дрогнет рука!
Оградив нам свободу флажками,
Бьют уверенно, наверняка.

Волк не может нарушить традиций.
Видно, в детстве, слепые щенки,
Мы, волчата, сосали волчицу
И всосали — «Нельзя за флажки!».

    И вот — охота на волков. Идёт охота!
    На серых хищников — матёрых и щенков.
    Кричат загонщики, и лают псы до рвоты.
    Кровь на снегу и пятна красные флажков.

Наши ноги и челюсти быстры.
Почему же — вожак, дай ответ —
Мы затравленно мчимся на выстрел
И не пробуем через запрет?

Волк не может, не должен иначе.
Вот кончается время моё.
Тот, которому я предназначен,
Улыбнулся — и поднял ружьё...

      Идёт охота на волков. Идёт охота!
      На серых хищников — матёрых и щенков.
      Кричат загонщики, и лают псы до рвоты.
      Кровь на снегу и пятна красные флажков.

Я из повиновения вышел
За флажки — жажда жизни сильней!
Только сзади я радостно слышал
Удивлённые крики людей.

Рвусь из сил и из всех сухожилий,
Но сегодня — не так, как вчера!
Обложили меня! Обложили!
Но остались ни с чем егеря!

      Идёт охота на волков. Идёт охота!
      На серых хищников — матёрых и щенков!
      Кричат загонщики, и лают псы до рвоты.
      Кровь на снегу и пятна красные флажков.

[1968]

НОТЫ

Я изучил все ноты от и до,
Но кто мне на вопрос ответит прямо?
Ведь начинают гаммы с ноты «до»
И ею же заканчивают гаммы.

Пляшут ноты врозь и с толком.
Ждут до, ре, ми, фа, соль, ля и си, пока
Разбросает их по полкам
Чья-то дерзкая рука.

Известно музыкальной детворе,—
Я впасть в тенденциозность не рискую,—
Что занимает место нота «ре»
На целый такт и на одну восьмую.

Какую ты тональность ни возьми —
Неравенством от звуков так и пышет!
Одна и та же нота, скажем, «ми»,
Звучит сильней, чем та же нота — выше.

Пляшут ноты врозь и с толком.
Ждут до, ре, ми, фа, соль, ля и си, пока
Разбросает их по полкам
Чья-то дерзкая рука.

Выходит — всё у нот, как у людей,
Но парадокс имеется, да вот он:
Бывает, нота «фа» звучит сильней,
Чем высокопоставленная нота.

Вдруг затесался где-нибудь бемоль,
И в тот же миг, как влез он беспардонно,
Внушавшая доверье нота «соль»
Себе же изменяет на полтона.

Пляшут ноты врозь и с толком.
Ждут до, ре, ми, фа, соль, ля и си, пока
Разбросает их по полкам
Чья-то дерзкая рука.

Сел композитор, жажду утоля,
И грубым знаком музыку прорезал.
И нежная, как бархат, нота «ля»
Свой голос повышает до диеза.

И, наконец,— Бетховена спроси —
Без ноты «си» нет ни игры, ни пенья.
Возносится над всеми нота «си»
И с высоты взирает положенья.

    Пляшут ноты врозь и с толком.
    Ждут до, ре, ми, фа, соль, ля и си, пока
    Разбросает их по полкам
    Чья-то дерзкая рука.

Не стоит затевать о нотах спор,
Есть и у них тузы и секретарши.
Считается, что в си-бемоль минор
Звучат прекрасно траурные марши.

А кроме этих подневольных нот
Ещё бывают ноты-паразиты.
Кто их сыграет? Кто их пропоёт?..
Но с нами — Бог, а с ними — композитор!

    Пляшут ноты врозь и с толком.
    Ждут до, ре, ми, фа, соль, ля и си, пока
    Разбросает их по полкам
    Чья-то дерзкая рука.

[1967—1968]

ПРО МАНГУСТОВ И ЗМЕЙ

— Змеи, змеи кругом, будь им пусто! —
Человек в исступленьи кричал.
И позвал на подмогу мангуста,
Чтобы, значит, мангуст выручал.

И мангусты взялись за работу,
Не щадя ни себя, ни родных.
Выходили они на охоту
Без отгулов и без выходных.

И в пустынях, в степях и в пампасах
Дали люди наказ патрулям —
Игнорировать змей безопасных,
Но сводить ядовитых к нулям.

Приготовьтесь — сейчас будет грустно...
Человек появился тайком
И поставил силки на мангуста,
Объявив его вредным зверьком.

Он наутро пришёл, с ним — собака,
И мангуста упрятал в мешок.
А мангуст отбивался и плакал,
И кричал: — Я полезный зверёк!

Но зверьков в переломах и ранах
Всё швыряли в мешок, как грибы,—
Одуревших от боли в капканах,
Ну, и от поворота судьбы.

И гадали они — в чём же дело,
Почему их несут на убой?
И сказал им мангуст престарелый
С перебитой передней ногой:

— Козы в Бельгии съели капусту,
Воробьи — рис в Китае с полей,
А в Австралии злые мангусты
Истребили полезнейших змей.

Это вовсе не дивное диво:
Было плохо — позвали, но вдруг
Оказалось, что слишком ретиво
Истребляли мангусты гадюк.

Вот за это нам вышла награда
От расчётливых, умных людей.
Видно, люди не могут без яда,
Ну, а значит — не могут без змей.

[1967—1968]

ОЛОВЯННЫЕ СОЛДАТИКИ

Сыну Аркадию

Будут и стихи, и математика,
Почести, долги, неравный бой,
Нынче ж оловянные солдатики
Здесь, на старой карте, встали в строй.

Лучше бы уж он держал в казарме их!
Только — на войне как на войне —
Падают бойцы в обеих армиях
Поровну на каждой стороне.

И какая, к дьяволу, стратегия,
И какая тактика, к чертям!
Вот сдалась нейтральная Норвегия
Толпам оловянных египтян.

Левою рукою Скандинавия
Лишена престижа своего,
Но рука решительная правая
Вмиг восстановила статус-кво!

Может быть — пробелы в воспитании
И в образованьи слабина.
Но не может выиграть кампании
Та или другая сторона.

Сколько б ни предпринимали армии
Контратак, прорывов и бросков,
Всё равно на каждом полушарии
Поровну игрушечных бойцов.

Где вы, легкомысленные гении,
Или вам являться недосуг?
Где вы, проигравшие сражения
Просто, не испытывая мук?

Или вы, несущие в венце зарю
Битв, побед, триумфов и могил,
Где вы, уподобленные Цезарю,
Что пришел, увидел, победил?

Совести проблемы окаянные —
Как перед собой не согрешить?
Тут и там солдаты оловянные —
Как решить, кто должен победить?

Нервничает полководец маленький,
Непосильной ношей отягчён,
Вышедший в громадные начальники
Шестилетний мой Наполеон.

Чтобы прекратить его мучения,
Ровно половину всех солдат
Я покрасил синим — прочь сомнения!
Утром вижу — синие лежат.

Я горжусь успехами такими, но
Мысль одна с тех пор меня гнетёт:
Как решил он, чтоб погибли именно
Синие, а не наоборот?

[1968]

МЕТАТЕЛЬ МОЛОТА

Я раззудил плечо. Трибуны замерли,
Молчанье в ожидании храня.
Эх, что мне мой соперник — Джонс ли, Крамер ли! —
Рекорд уже в кармане у меня.

Замётано, заказано, заколото!
Мне кажется, я следом полечу,
Но мне нельзя — ведь я метатель молота.
Приказано метать — и я мечу.

Эх, жаль, что я мечу икру в Италии!
Я б дома кинул молот без труда
Ужасно далеко, куда подалее,
И лучше, если б раз — и навсегда!

Я был кузнец, ковал на наковальне я,
Сжимал свой молот и всегда мечтал
Закинуть бы его куда подалее,
Чтобы никто его не разыскал!

Я против восхищения повального,
Но я надеюсь, года не пройдёт,
Я всё же зашвырну в такую даль его,
Что и судья с ищейкой не найдёт.

А вот сейчас, как все и ожидали, я
Опять его метнул себе во вред
Ужасно далеко, куда подалее!..
Так в чём успеха моего секрет?

Сейчас кругом корреспонденты бесятся.
— Мне помогли,— им отвечаю я,—
Подняться по крутой спортивной лестнице
Мой коллектив, мой тренер и семья.

[1968]

УТРЕННЯЯ ГИМНАСТИКА

Вдох глубокий, руки шире.
Не спешите — три, четыре!
Бодрость духа, грация и пластика.
Общеукрепляющая,
Утром отрезвляющая —
Если жив пока ещё —
      гимнастика!

Если вы в своей квартире —
Лягте на пол, три, четыре!
Выполняйте правильно движения.
Прочь влияния извне —
Привыкайте к новизне!
Вдох глубокий до изне-
      можения.

Очень вырос в целом мире
Гриппа вирус — три, четыре! —
Ширится, растёт заболевание.
Если хилый — сразу в гроб!
Сохранить здоровье чтоб,
Применяйте, люди, об-
      тирания.

Если вы уже устали —
Сели-встали, сели-встали.
Не страшны вам Арктика с Антарктикой!
Главный академик Иоффе
Доказал — коньяк и кофе
Вам заменит спорта профи-
      лактика.

Разговаривать не надо —
Приседайте до упада,
Да не будьте мрачными и хмурыми!
Если очень вам неймётся —
Обтирайтесь, чем придётся,
Водными займитесь проце-
      дурами!

Не страшны дурные вести —
Мы в ответ бежим на месте.
В выигрыше даже начинающий.
Красота — среди бегущих
Первых нет и отстающих!
Бег на месте обще-
      примиряющий.

[1968]

ЕЩЁ НЕ ВЕЧЕР

Четыре года рыскал в море наш корсар.
В боях и штормах не поблекло наше знамя.
Мы научились штопать паруса
И затыкать пробоины телами.

За нами гонится эскадра по пятам.
На море штиль, и не избегнуть встречи.
Но нам сказал спокойно капитан:
— Ещё не вечер, ещё не вечер!

Вот развернулся боком флагманский фрегат,
И левый борт окрасился дымами.
Ответный залп — на глаз и наугад.
Вдали пожар и смерть. Удача с нами!

Из худших выбирались передряг,
Но с ветром худо, да и в трюме течи,
А капитан нам шлёт привычный знак:
— Ещё не вечер, ещё не вечер!

На нас глядят в бинокли, в трубы сотни глаз,
И видят нас, от дыма злых и серых,
Но никогда им не увидеть нас
Прикованными к вёслам на галерах!

Неравный бой. Корабль кренится наш.
Спасите наши души человечьи!
Но крикнул капитан: — На абордаж!
Ещё не вечер! Ещё не вечер!

Кто хочет жить, кто весел, кто не тля —
Готовьте ваши руки к рукопашной!
А крысы пусть уходят с корабля —
Они мешают схватке бесшабашной!

И крысы думали: «А чем не шутит чёрт?!»
И тупо прыгали, спасаясь от картечи.
А мы с фрегатом становились к борту борт.
Ещё не вечер. Ещё не вечер!

Лицо в лицо, ножи в ножи, глаза в глаза!
Чтоб не достаться спрутам или крабам,
Кто с кольтом, кто с кинжалом, кто в слезах, —
Мы покидали тонущий корабль.

Но нет! Им не послать его на дно —
Поможет океан, взвалив на плечи.
Ведь океан-то с нами заодно!
И прав был капитан — ещё не вечер!

[1968]

НА СУДНЕ БУНТ

На судне бунт. Над нами чайки реют.
Вчера из-за дублонов золотых
Двух негодяев вздернули на рею,
Но — мало. Нужно было четверых.

Катился ком по кораблю от бака.
Забыто всё — и честь, и кутежи.
И, подвывая, будто бы от страха,
Они достали длинные ножи.

Ловите ветер всеми парусами!
К чему гадать! Любой корабль — враг.
Удача — миф, но эту веру сами
Мы создали, поднявши чёрный флаг.

Вот двое в капитана пальцем тычут.
Достать его — и им не страшен чёрт.
Но капитан вчерашнюю добычу
При всей команде выбросил за борт.

И вот волна, подобная надгробью,
Всё скрыла — с горла сброшена рука.
Бросайте ж за борт всё, что пахнет кровью,—
Поверьте, что цена невысока!

Ловите ветер всеми парусами!
К чему гадать! Любой корабль — враг.
Удача — здесь! И эту веру сами
Мы создали, поднявши чёрный флаг.

[1968]

АКВАЛАНГИСТЫ

Нас тянет на дно, как балласты,
Мы цепки, легки, как фаланги,
А ноги закованы в ласты,
А наши тела — в акваланги.

В пучину не сдуру полезли,
Сжимаем до судорог скулы,
Боимся кессонной болезни
И, может, немного — акулы.

Замучила жажда, воды бы!..
Красиво здесь? Всё это сказки!
Здесь лишь пучеглазые рыбы
Глядят удивлённо нам в маски.

Понять ли лежащим в постели?
Изведать ли ищущим брода?
Нам нужно добраться до цели,
Где третий наш — без кислорода.

Мы плачем, пускай мы мужчины!
Застрял он в пещере кораллов.
Как истинный рыцарь пучины,
Он умер с открытым забралом.

Пусть рок оказался живучей —
Он сделал что мог и что должен.
Победу отпраздновал случай.
Ну что же, мы завтра продолжим!

[1968]

ПЕСНЯ ЛЁТЧИКА

Их восемь — нас двое. Расклад перед боем
Не наш, но мы будем играть!
Серёжа! Держись, нам не светит с тобою,
Но козыри надо равнять.

Я этот небесный квадрат не покину.
Мне цифры сейчас не важны,—
Сегодня мой друг защищает мне спину,
А значит, и шансы равны.

Мне в хвост вышел «мессер», но вот задымил он,
Надсадно завыли винты.
Им даже не надо крестов на могилы,
Сойдут и на крыльях кресты!

— Я — «Первый», я — «Первый»,— они под тобою,
Я вышел им наперерез.
Сбей пламя! Уйди в облака! Я прикрою!
В бою не бывает чудес!

Сергей! Ты горишь! Уповай, человече,
Теперь на надёжность строп!
Нет! Поздно — и мне вышел «мессер» навстречу.
Прощай! Я приму его в лоб.

Я знаю — другие сведут с ними счёты.
А по облакам скользя,
Взлетят наши души, как два самолёта,—
Ведь им друг без друга нельзя.

Архангел нам скажет: «В раю будет туго!»
Но только ворота — щёлк,
Мы Бога попросим: «Впишите нас с другом
В какой-нибудь ангельский полк!»

И я попрошу Бога, Духа и Сына,
Чтоб выполнил волю мою:
Пусть вечно мой друг защищает мне спину,
Как в этом последнем бою.

Мы крылья и стрелы попросим у Бога,
Ведь нужен им ангел — ас,
А если у них истребителей много,
Пусть пишут в хранители нас.

Хранить — это дело почётное тоже,
Удачу нести на крыле
Таким, как при жизни мы были с Серёжей
И в воздухе, и на земле.

[1968]

ПЕСНЯ САМОЛЕТА-ИСТРЕБИТЕЛЯ

Я — «ЯК»-истребитель, мотор мой звенит,
Небо — моя обитель,
Но тот, который во мне сидит,
Считает, что он — истребитель.

В этом бою мною «юнкерс» сбит,—
Я сделал с ним, что хотел.
А тот, который во мне сидит,
Изрядно мне надоел.

Я в прошлом бою навылет прошит,
Меня механик заштопал,
Но тот, который во мне сидит,
Опять заставляет — в «штопор».

Из бомбардировщика бомба несёт
Смерть аэродрому,
А кажется, стабилизатор поёт:
«Мир вашему дому!»

Вот сзади заходит ко мне «мессершмитт».
Уйду — я устал от ран,
Но тот, который во мне сидит,
Я вижу — решил на таран!

Что делает он? Вот сейчас будет взрыв!
Но мне не гореть на песке —
Запреты и скорости все перекрыв,
Я выхожу из пике.

Я — главный, а сзади, ну чтоб я сгорел! —
Где же он, мой ведомый?
Вот он задымился, кивнул и запел:
«Мир вашему дому!»

И тот, который в моем черепке,
Остался один и влип.
Меня в заблужденье он ввёл и в пике —
Прямо из «мертвой петли».

Он рвет на себя, и нагрузки — вдвойне.
Эх, тоже мне летчик-ас!
И снова приходится слушаться мне,
Но это в последний раз.

Я больше не буду покорным, клянусь!
Уж лучше лежать на земле.
Ну что ж он не слышит, как бесится пульс!
Бензин — моя кровь — на нуле.

Терпенью машины бывает предел,
И время его истекло.
И тот, который во мне сидел,
Вдруг ткнулся лицом в стекло.

Убит! Наконец-то лечу налегке,
Последние силы жгу.
Но... что это, что? Я в глубоком пике
И выйти никак не могу!

Досадно, что сам я немного успел,
Но пусть повезёт другому.
Выходит, и я напоследок спел:
«Мир вашему дому!»

[1968]

ТУМАН

Сколько чудес за туманами кроется.
Ни подойти, ни увидеть, ни взять.
Дважды пытались, но бог любит троицу,
Ладно, придётся ему подыграть.

Выучи намертво, не забывай
И повторяй, как заклинанье:
«Не потеряй веру в тумане,
Да и себя не потеряй!»

Было когда-то — тревожили беды нас,
Многих туман укрывал от врагов.
Нынче, туман, не нужна твоя преданность,
Хватит тайгу запирать на засов!

Выучи намертво, не забывай
И повторяй, как заклинанье:
«Не потеряй веру в тумане,
Да и себя не потеряй!»

Тайной покрыто, молчанием сколото,—
Заколдовала природа-шаман.
Чёрное золото, белое золото
Сторож седой охраняет — туман.

Выучи намертво, не забывай
И повторяй, как заклинанье:
«Не потеряй веру в тумане,
Да и себя не потеряй!»

Что же? Выходит — и пробовать нечего?
Перед туманом — ничто человек?
Но от тепла, от тепла человечьего
Даже туман поднимается вверх.

Выучи, вызубри, не забывай
И повторяй, как заклинанье:
«Не потеряй веру в тумане,
Да и себя не потеряй!»

[1968]

* * *

Ну вот, исчезла дрожь в руках —
    Теперь наверх.
Ну вот, сорвался в пропасть страх —
    Навек, навек.
Для остановки нет причин,
    Иду, скользя,
И в мире нет таких вершин,
    Что взять нельзя.

Среди нехоженых путей
    Один — пусть мой.
Среди невзятых рубежей
    Один — за мной.
А имена тех, кто здесь лёг,
    Снега таят.
Среди непройденных дорог
    Одна — моя.

Здесь голубым сияньем льдов
    Весь склон облит,
И тайну чьих-нибудь следов
    Гранит хранит,
А я гляжу в свою мечту
    Поверх голов
И свято верю в чистоту
    Снегов и слов.

И пусть пройдёт немалый срок —
    Мне не забыть,
Как здесь сомнения я смог
    В себе убить.
В тот день шептала мне вода:
    «Удач всегда...»
А день, какой был день тогда?
    Ах да — среда.

[1969]

Я НЕ ЛЮБЛЮ

Я не люблю фатального исхода,
От жизни никогда не устаю.
Я не люблю любое время года,
В которое болею или пью.

Я не люблю холодного цинизма,
В восторженность не верю, и ещё —
Когда чужой мои читает письма,
Заглядывая мне через плечо.

Я не люблю, когда наполовину,
Или когда прервали разговор.
Я не люблю, когда стреляют в спину,
Я также против выстрелов в упор.

Я ненавижу сплетни в виде версий,
Червей сомненья, почестей иглу,
Или — когда всё время против шерсти,
Или — когда железом по стеклу.

Я не люблю уверенности сытой,
Уж лучше пусть откажут тормоза.
Досадно мне, коль слово «честь» забыто
И коль в чести наветы за глаза.

Когда я вижу сломанные крылья —
Нет жалости во мне, и неспроста.
Я не люблю насилья и бессилья,
Вот только жаль распятого Христа.

Я не люблю себя, когда я трушу,
И не терплю, когда невинных бьют.
Я не люблю, когда мне лезут в душу,
Тем более — когда в неё плюют.

Я не люблю манежи и арены —
На них мильон меняют по рублю.
Пусть впереди большие перемены,
Я это никогда не полюблю!

[1969]

Я не люблю, когда читают письма,
Заглядывая мне через плечо!

Я не люблю фатального исхода
Поэтому об этом не пою (Или когда мутить
Я не люблю любое время года   (Я же люблю, когда мне
В которое болею или пью (когда весёлых   лезут в душу
                                     тем более, когда в неё плюют
      Я не люблю открытого цинизма
      В восторженность не верю и ещё   (Я не люблю, когда
      Когда чужой мой читают письма   стреляют
                                             в спину
      Заглядывая мне через плечо   Я также против
                                                    выстрелов
                                                       в упор

Цинизм я ненавижу и книжный (Я не люблю себя, когда я трушу
И знаю он уверенности - лгут
Я не люблю когда мне лезут в душу
Тем более, когда в неё плюют

              мне муторно, когда без смысла бьют

      Я не люблю себя, когда я трушу
Неладно Мне   когда без смысла бьют
      Я не люблю, когда мне лезут в душу
      Тем более, когда в неё плюют

      Я не люблю, когда наполовину,
      Или когда прервали разговор
      Я не терплю, когда стреляют в спину
      Я также против выстрелов в упор
                                              в виде
              Я ненавижу сплетни вершин
                                  первой сомненья дочерей ушат
                                   Или когда всё время против шерсти
      Или когда железо по стеклу

      Я не люблю манеры и арены
На них (где миллион)
  Когда миллион меняют на рубль
Пусть впереди большие перемены
  Я это никогда не полюблю

                    Я не люблю уверенности сытой
              Уж лучше пусть бы спокойней ушат себя
                    мне
      Не по душе   обидно что слово честь забыто
                    и что в чести наветы заглаза

        Когда я виню
        Я не приемлю
Не по душе мне связанные крылья
      Нет жалости во мне и неохоты
Я не люблю насилья и бессилья;
(и мне не жаль)
И потому распятого христа!

К ВЕРШИНЕ

Памяти Михаила Хергиани

Ты идёшь по кромке ледника,
Взгляд не отрывая от вершины.
Горы спят, вдыхая облака,
Выдыхая снежные лавины.

Но они с тебя не сводят глаз,
Будто бы тебе покой обещан,
Предостерегая всякий раз
Камнепадом и оскалом трещин.

Горы знают — к ним пришла беда.
Дымом затянуло перевалы.
Ты не отличал ещё тогда
От разрывов горные обвалы.

Если ты о помощи просил,
Громким эхом отзывались скалы,
Ветер по ущельям разносил
Эхо гор, как радиосигналы.

И когда шёл бой за перевал,—
Чтобы не был ты врагом замечен,—
Каждый камень грудью прикрывал,
Скалы сами подставляли плечи.

Ложь, что умный в гору не пойдёт!
Ты пошёл, ты не поверил слухам.
И мягчал гранит, и таял лёд,
И туман у ног стелился пухом.

Если в вечный снег навеки ты
Ляжешь — над тобою, как над близким,
Наклонятся горные хребты
Самым прочным в мире обелиском.

[1969]

ЧЕЛОВЕК ЗА БОРТОМ

Анатолию Гарагуле

Был шторм, канаты рвали кожу с рук,
И якорная цепь визжала чёртом,
Пел ветер песню дьявола, и вдруг
Раздался голос: — Человек за бортом!

И сразу: — Полный назад! Стоп машина!
Живо спасти и согреть!
Внутрь ему, если мужчина,
Если же нет — растереть!

Я пожалел, что обречён шагать
По суше — значит, мне не ждать подмоги.
Никто меня не бросится спасать
И не объявит шлюпочной тревоги.

А скажут: — Полный вперёд! Ветер в спину!
Будем в порту по часам.
Так ему, сукину сыну,
Пусть выбирается сам!

И мой корабль от меня уйдёт.
На нём, должно быть, люди выше сортом.
Вперёдсмотрящий смотрит лишь вперёд.
Ему плевать, что человек за бортом!

Я вижу: мимо суда проплывают,
Ждёт их приветливый порт.
Мало ли кто выпадает
С главной дороги за борт!

Пусть в море меня вынесет, а там —
Шторм девять баллов новыми деньгами!
За мною спустит шлюпку капитан,
И обрету я почву под ногами.

Они зацепят меня за одежду,
Падать одетому — плюс!
В шлюпочный борт, как в надежду,
Мёртвою хваткой вцеплюсь!

Здесь с бака можно плюнуть за корму.
Узлов немного — месяц на Гавану,
Но я хочу на палубу — к нему,
К вернувшему мне землю капитану!

Правда, с качкой у них — перебор там,
В штормы от вахт не вздохнуть,
Но человеку за бортом
Здесь не дадут утонуть!

Я на борту, курс прежний, прежний путь.
Мне тянут руки, души, папиросы.
И я уверен, если что-нибудь,—
Мне бросят круг спасательный матросы.

Давайте ж полный вперёд, что нам льдина!
Я теперь ваш, моряки!
Режь меня, сукина сына,
И разрывай на куски!

Когда пустым захлопнется капкан
И на земле забудутся потери,
Мне самый лучший в мире капитан
Опустит трап, и я сойду на берег.

Я затею такой разговор там
И научу кой-кого,
Как человека за бортом
Не оставлять одного.

[1969]

* * *

Марине

Здесь лапы у елей дрожат на весу,
Здесь птицы щебечут тревожно.
Живёшь в заколдованном диком лесу,
Откуда уйти невозможно.

Пусть черёмухи сохнут бельём на ветру,
Пусть дождём опадают сирени —
Всё равно я отсюда тебя заберу
Во дворец, где играют свирели.

Твой мир колдунами на тысячи лет
Укрыт от меня и от света,
И думаешь ты, что прекраснее нет,
Чем лес заколдованный этот!

Пусть на листьях не будет росы поутру,
Пусть луна с небом пасмурным в ссоре, —
Всё равно я отсюда тебя заберу
В светлый терем с балконом на море.

В какой день недели, в котором часу
Ты выйдешь ко мне осторожно...
Когда я тебя на руках унесу
Туда, где найти невозможно...

Украду, если кража тебе по душе, —
Зря ли я столько сил разбазарил?
Соглашайся хотя бы на рай в шалаше,
Если терем с дворцом кто-то занял!

[1969]

ПЕСНЯ О ДВУХ КРАСИВЫХ АВТОМОБИЛЯХ

Без запретов и следов,
Об асфальт сжигая шины,
Из кошмара городов
Рвутся за город машины.
И громоздкие, как танки,
«Форды», «линкольны», «селены»,
Элегантные «мустанги»,
«Мерседесы», «ситроены».

    Будто знают — игра стоит свеч.
    Это будет как кровная месть городам!
    Поскорей, только б свечи не сжечь,
    Карбюратор, и что у них есть ещё там.

И не видно полотна:
Лимузины, лимузины...
Среди них, как два пятна,
Две красивые машины,
Будто связанные тросом,
(А где тонко — там и рвётся).
Аксельраторам, подсосам
Больше дела не найдётся.

    Будто знают — игра стоит свеч,
    Только б вырваться — выплатят всё по счетам.
    Ну, а может, он скажет ей речь
    На клаксоне... и что у них есть ещё там.

Это скопище машин
На тебя таит обиду.
Светло-серый лимузин!
Не теряй её из виду!
Впереди — гляди — разъезд!
Больше риска, больше веры!
Опоздаешь! Так и есть!..
Ты промедлил, светло-серый!

Они знали — игра стоит свеч,
А теперь — что ж сигналить рекламным щитам?
Ну, а может, гора ему с плеч
Иль с капота, и что у них есть ещё там.

Нет, развилка как беда,
Стрелки врозь — и вот не здесь ты.
Неужели никогда
Не сближают нас разъезды?
Этот сходится, один,
И, врубив седьмую скорость,
Светло-серый лимузин
Позабыл нажать на тормоз.

Что ж, съезжаться — пустые мечты?
Или это как кровная месть городам?
Покатились колеса, мосты
И сердца... Или что у них есть ещё там.

[1969]

СЛУХИ

Сколько слухов наши уши поражает!
Сколько сплетен разъедает, словно моль!
Ходят слухи, будто всё подорожает, абсолютно,
А особенно — штаны и алкоголь.

    Словно мухи тут и там, ходят слухи по домам,
    А беззубые старухи их разносят по умам.

— Слушай! Слышал? — под землёю город строют.
Говорят, на случай ядерной войны.
— Вы слыхали? — скоро бани все закроют, повсеместно,
Навсегда! — и эти сведенья верны.

    Словно мухи тут и там, ходят слухи по домам,
    А беззубые старухи их разносят по умам.

— А вы знаете? — Мамыкина снимают!
За разврат его, за пьянство, за дебош!
— Кстати, вашего соседа забирают, негодяя,
Потому что он на Берию похож.

    Словно мухи тут и там, ходят слухи по домам,
    А беззубые старухи их разносят по умам.

— Ой, что деется! — вчера траншею рыли,
Откопали две коньячные струи!
— Говорят, шпионы воду отравили самогоном,
Ну, а хлеб теперь из рыбной чешуи.

    Словно мухи тут и там, ходят слухи по домам,
    А беззубые старухи их разносят по умам.

— Да, вы слышали? — теперь всё отменяют.
Отменили даже воинский парад.
— Говорят, что скоро всё позапрещают, в бога душу!
Скоро всех к чертям собачьим запретят.

    Словно мухи тут и там, ходят слухи по домам,
    А беззубые старухи их разносят по умам.

И поют друг другу шёпотом ли, в крик ли.
Слух дурной всегда звучит в устах кликуш.
А к хорошим слухам люди не привыкли, почему-то
Говорят, что это выдумки и чушь.

    Словно мухи тут и там, ходят слухи по домам,
    А беззубые старухи их разносят по умам.

Закалённые во многих заварухах,
Слухи ширятся, не ведая преград.
Ходят сплетни, что не будет больше слухов совершенно,
Ходят слухи, будто сплетни запретят.

    Но... словно мухи тут и там, ходят слухи по домам,
    А беззубые старухи их разносят по умам.

[1969]

* * *

Нет меня, я покинул Расею!
Мои девочки ходят в соплях.
Я теперь свои семечки сею
На чужих Елисейских полях.

Кто-то вякнул в трамвае на Пресне:
«Нет его, умотал наконец!
Вот и пусть свои чуждые песни
Пишет там про Версальский дворец!»

Слышу сзади обмен новостями:
«Да не тот, тот уехал — спроси...»
«Ах не тот?» — и толкают локтями,
И сидят на коленях в такси.

А с которым сидел в Магадане, —
Мой дружок по гражданской войне, —
Говорит, что пишу ему: «Ваня,
Я в Париже. Давай, брат, ко мне!»

Я уже попросился обратно,
Унижался, юлил, умолял...
Ерунда! Не вернусь, вероятно,
Потому что и не уезжал.

Кто поверил — тому по подарку,
Чтоб хороший конец, как в кино, —
Забирай Триумфальную арку!
Налетай на заводы Рено!

Я смеюсь, умираю от смеха.
Как поверили этому бреду?
Не волнуйтесь — я не уехал.
И не надейтесь — я не уеду!

[1970]

Нет он дома меня, ни с друзьями
Ни на улице

Кто-то видел своими глазами
Как я ~~ехал~~ на аэродром. Как я продал кому-то дело
Потому и толкают локтями
И сидят на коленях в метро.

Нет меня, я покинул Расею
Дали визу при вих удостоверя
Я теперь свои имени сею
На путях елисейских полях
                (ансамбль)
               банкет
     Кто-то вякнул в трамвае, на пьяне
     "С глаз гора - умотал наконец
     Ауа Аут и пусто теперь (сам) зачуемо веснА
     Пишет там про Версальский дворец"

Слышу сзади - обмен новостями:
А я не он! тот уехал - спрос!
Ах не он? - и толкают локтями
И сидят на коленях в такси:

     И какой-то мой доброжелатель
     Что ~~по курсочки со мной всегда~~ меня на Тринадцатой знавал
     Это ~~звер я в это свободно в~~ приятель
     Знавал ~~живал я таком доброй~~
     на Монмартре со мной вытивил

Сослужить со мной воин
Говорит по душу мой ~~Ансто~~
И ~~вбу~~ мой приятель колбаса

     А с которыми сидел в Магадане
     ~~И я бывал в этой войне~~ мой дружок во транцфранской
     Говори, что пишу ему, виан!   войне
     Я в Париже - давай брат, но мне
     мол скучно давайти ко ко мне!

Уберись мой доброжелатель
Тот, что вместе со мной всегда
~~А ты игуня, что общий приятель~~
Мне наконец я него пфедла
Прилетел мой откуда приятель
~~И прибыл~~
~~плохак~~ он меня окружал
~~За~~ теперь ~~форосили~~ обними
Уничтожил его и умотал
ерунда, не вернусь, вероятно
почему-то и не уезжал

Я теперь и сомневаюсь
~~Гинад Пивлэ~~ уезжал   Расею
                              Расею
                        расею

И, как прежде и
    я имени   ею
    на родные мои х
              русских полях.

ПОСЕЩЕНИЕ МУЗЫ

Сейчас взорвусь, как триста тонн тротила,—
Во мне заряд нетворческого зла.
Меня сегодня Муза посетила,
Немного посидела и ушла.

У ней имелись веские причины,
Я не имею права на нытьё.
Представьте — Муза ночью у мужчины!
Бог весть, что люди скажут про неё.

И всё же мне досадно, одиноко.
Ведь эта Муза, люди подтвердят,
Засиживалась сутками у Блока,
У Бальмонта жила не выходя.

Я бросился к столу — весь нетерпенье,
Но... господи, помилуй и спаси!
Она ушла — исчезло вдохновенье
И три рубля, наверно, на такси.

Я в бешенстве — мечусь как зверь по дому.
Но бог с ней, с Музой, я её простил.
Она ушла к кому-нибудь другому,
Я, видно, её плохо угостил.

Огромный торт, утыканный свечами,
Засох от горя, да и я иссяк.
С соседями я допил, сволочами,
Для Музы предназначенный коньяк.

Ушли года, как люди в чёрном списке.
Всё в прошлом — я зеваю от тоски.
Она ушла безмолвно, по-английски,
Но от неё остались две строки.

Вот две строки,— я гений, прочь сомненья!
Даёшь восторги, лавры и цветы:
«Я помню это чудное мгновенье,
Когда передо мной явилась ты».

[1969]

* * *

В жёлтой жаркой Африке —
В центральной её части —
Как-то вдруг вне графика
Случилося несчастье,
Слон сказал, не разобрав:
— Видно, быть потопу!.. —
В общем, так: один Жираф
Влюбился в Антилопу.

    Поднялся галдёж и лай,
    Только старый Попугай
    Громко крикнул из ветвей:
    — Жираф большой — ему видней!

— Что же, что рога у ней? —
Кричал Жираф любовно.—
Нынче в нашей фауне
Равны все пороговно!
Если вся моя родня
Будет ей не рада,—
Не пеняйте на меня —
Я уйду из стада!

    Поднялся галдёж и лай,
    Только старый Попугай
    Громко крикнул из ветвей:
    — Жираф большой — ему видней!

Папе антилопьему
Зачем такого сына?
Всё равно — что в лоб ему,
Что по лбу — всё едино.
И жирафов зять брюзжит:
— Видали остолопа? —
И ушли к бизонам жить
С Жирафом Антилопа.

Поднялся галдёж и лай,
Только старый Попугай
Громко крикнул из ветвей:
— Жираф большой — ему видней!

В жёлтой жаркой Африке
Не видать идиллий.
Льют Жираф с Жирафихой
Слёзы крокодильи.
Только горю не помочь —
Нет теперь закона.
У Жирафов вышла дочь
Замуж за Бизона.

Пусть Жираф был неправ,
Но виновен не Жираф,
А тот, кто крикнул из ветвей:
— Жираф большой — ему видней!

[1969]

ПОЕЗДКА В ГОРОД

Я самый непьющий из всех мужиков,
Во мне есть моральная сила.
И наша семья большинством голосов,
Снабдив меня списком на восемь листов,
В столицу меня снарядила,

Чтобы я привёз снохе
С ейным мужем по дохе,
Чтобы брату с бабой — кофе растворимый,
Двум невесткам по ковру,
Зятю чёрную икру,
Тестю — что-нибудь армянского разлива.

Я ранен, контужен, я малость боюсь
Забыть, что кому по порядку.
Я список вещей заучил наизусть,
А деньги зашил за подкладку.

Значит, брату — две дохи,
Сестрин муж,— ему духи,
Тесть сказал: — Давай бери что попадётся! —
Двум невесткам по ковру,
Зятю беличью икру,
Куму водки литра два,— пускай зальётся.

Я тыкался в спины, блуждал по ногам,
Шёл грудью к плащам и рубахам.
Чтоб список вещей не достался врагам,
Его проглотил я без страха.

Помню, шубу просит брат,
Куму с бабой — всё подряд,
Тестю — водки ереванского разлива,
Двум невесткам взять махру,
Зятю заячью нору,
А сестре — плевать чего, но чтоб красиво.

Да что ж мне, пустым возвращаться назад?
Но вот я набрёл на товары.
— Какая валюта у вас? — говорят.
— Не бойсь,— говорю,— не доллары.

Растворимой мне махры,
Зять подохнет без икры,
Тестю, мол, даёшь духи для опохмелки,
Двум невесткам — всё равно,
Мужу сестрину — вино,
Ну, а мне — вот это жёлтое в тарелке.

Не помню про фунты, про стерлинги слов,
Сражённый ужасной догадкой.
Зачем я тогда проливал свою кровь,
Зачем ел тот список на восемь листов,
Зачем мне рубли за подкладкой?

Всё же надо взять доху,
Зятю кофе на меху,
Куму — хрен, а тесть и пивом обойдётся,
Также взять коньяк в пуху,
Растворимую сноху,
Ну а брат и шерри-бренди перебьётся.

[1969]

СКАЖИ ЕЩЁ СПАСИБО, ЧТО ЖИВОЙ

Подумаешь — с женой не очень ладно.
Подумаешь — неважно с головой.
Подумаешь — ограбили в парадном.
Скажи ещё спасибо, что живой.

Ну что ж такого — мучает саркома.
Ну что ж такого — начался запой.
Ну что ж такого — выгнали из дома.
Скажи ещё спасибо, что живой.

Плевать — партнёр по покеру дал дуба.
Плевать, что снится ночью домовой.
Плевать — в «Софии» выбили два зуба.
Скажи ещё спасибо, что живой.

Да, ладно — ну, уснул вчера в опилках.
Да, ладно — в челюсть врезали ногой.
Да, ладно — потащили на носилках.
Скажи ещё спасибо, что живой.

Неважно, что не ты играл на скрипке.
Неважно, что ты бледный и худой.
Неважно, что побили по ошибке.
Скажи ещё спасибо, что живой.

Да, правда — тот, кто хочет — тот и может.
Да, правда — сам виновен, бог со мной!
Да, правда, но одно меня тревожит —
Кому сказать спасибо, что живой?

[1969]

* * *

Вагоны всякие,
Для всех пригодные.
Бывают мягкие,
Международные.

Вагон опрятненький,
В нём нету потненьких,
В нём всё десятники
И даже сотники.

Рубашки модные —
В международные,
Ну, а пикейные —
Так те в купейные.

Лежат на полочке
Мешки-баллончики.
У каждой сволочи —
Свои вагончики.

Многосемейные
И просто всякие
Войдут в купейные
И даже в мягкие.

Порвёшь животики
На аккуратненьких! —
Вон, едут сотники,
Да на десятниках!

На двери нулики —
Смердят вагончики.
В них едут жулики
И самогонщики.

А кто с мешком — иди
По шпалам в ватнике.
Как хошь, пешком иди,
А хошь — в телятнике.

А вот теплушка та —
Прекраснодушно в ней,—
На сорок туш скота
И нá сто душ людей.

Да в чём загвоздка-то?
Бей их дубиною!
За одного скота —
Двух с половиною.

Ах, степь колышется!
На ней — вагончики.
Из окон слышится:
«Мои лимончики!..»

А ну-ка, кончи-ка,
Гармонь хрипатая!
Вон в тех вагончиках
Голь перекатная.

Вестимо, тесно тут,
Из пор — сукровица.
...Вагоны с рельс сойдут
И остановятся.

[1969]

* * *

Бросьте скуку, как корку арбузную!
Небо ясное, лёгкие сны...
Парень лошадь имел и судьбу свою —
Интересную до войны.

Да! На войне как на войне,
А до войны как до войны —
Везде, во всей Вселенной.
Он лихо ездил на коне
В конце весны! В конце весны,
Последней, довоенной!

Но туманы уже по росе плелись,
Град прошёл по полям и мечтам.
Для того, чтобы тучи рассеялись,
Парень нужен был именно там.

Да! На войне как на войне,
А до войны как до войны —
Везде, во всей Вселенной.
Он лихо ездил на коне
В конце весны! В конце весны,
Последней, довоенной!

Из болот ли подуло, из камер ли?
Ураган, снег и град пополам.
Ветры сникли, разбились и замерли.
Ветры лижут ладони парням.

Да! На войне как на войне,
А до войны как до войны —
Везде, во всей Вселенной.
Он лихо ездил на коне
В конце весны! В конце весны,
Последней, довоенной.

[1969]

ПЕСНЯ О ЗЕМЛЕ

Кто сказал: «Всё сгорело дотла,
Больше в Землю не бросите семя»?!
Кто сказал, что Земля умерла?
Нет! — она затаилась на время.

Материнства не взять у Земли,
Не отнять, как не вычерпать моря.
Кто поверил, что Землю сожгли?
Нет! — она почернела от горя.

Как разрезы, траншеи легли,
И воронки, как раны, зияют.
Обнажённые нервы Земли
Неземное страдание знают.

Она вынесет всё, переждёт!
Не записывай Землю в калеки!
Кто сказал, что Земля не поёт,
Что она замолчала навеки?

Нет! Звенит она, стоны глуша,
Изо всех своих ран, из отдушин.
Ведь Земля — это наша душа,
Сапогами не вытоптать душу!

Кто поверил, что Землю сожгли?
Нет! — она затаилась на время.

[1969]

СЫНОВЬЯ УХОДЯТ В БОЙ

Сегодня не слышно биенья сердец —
Оно для аллей и беседок.
Я падаю, грудью хватая свинец,
Подумать успев напоследок:

«На этот раз мне не вернуться,
Я ухожу — придёт другой!»
Мы не успели оглянуться,
А сыновья уходят в бой.

Вот кто-то, решив: «После нас — хоть потоп»,
Как в пропасть, шагнул из окопа.
А я для того свой покинул окоп,
Чтоб не было вовсе потопа.

Сейчас глаза мои сомкнутся,
Я крепко обнимусь с землёй.
Мы не успели оглянуться,
А сыновья уходят в бой.

Кто сменит меня, кто в атаку пойдёт,
Кто выйдет к заветному мосту?
И мне захотелось: пусть будет вон тот,
Одетый во всё не по росту.

Я успеваю улыбнуться,
Я видел, кто придёт за мной.
Мы не успели оглянуться,
А сыновья уходят в бой.

Разрывы глушили биенье сердец,
Моё же — мне громко стучало,
Что всё же конец мой — ещё не конец:
Конец — это чьё-то начало.

Сейчас глаза мои сомкнутся,
Я ухожу — придёт другой.
Мы не успели оглянуться,
А сыновья уходят в бой.

[1969]

В ТЕМНОТЕ

Темнота впереди, подожди!
Там стеною — закаты багровые,
Встречный ветер, косые дожди
И дороги неровные.

  Там чужие слова,
  Там дурная молва,
  Там ненужные встречи случаются.
  Там сгорела, пожухла трава,
  И следы не читаются
    в темноте...

Там проверка на прочность — бои,
И туманы, и ветры с прибоями.
Сердце путает ритмы свои
И стучит с перебоями.

  Там чужие слова,
  Там дурная молва,
  Там ненужные встречи случаются.
  Там сгорела, пожухла трава,
  И следы не читаются
    в темноте...

Там и звуки, и краски не те,
Только мне выбирать не приходится —
Очень нужен я там, в темноте!
Ничего, распогодится.

  Там чужие слова,
  Там дурная молва,
  Там ненужные встречи случаются,
  Там сгорела, пожухла трава,
  И следы не читаются
    в темноте.

[1969]

ОН НЕ ВЕРНУЛСЯ ИЗ БОЯ

Почему всё не так, вроде всё, как всегда,
То же небо — опять голубое,
Тот же лес, тот же воздух и та же вода,
Только он не вернулся из боя.

Мне теперь не понять — кто же прав был из нас
В наших спорах без сна и покоя,
Мне не стало хватать его только сейчас,
Когда он не вернулся из боя.

Он молчал невпопад и не в такт подпевал,
Он всегда говорил про другое,
Он мне спать не давал, он с восходом вставал,
А вчера не вернулся из боя.

То, что пусто теперь,— не про то разговор,
Вдруг заметил я — нас было двое.
Для меня словно ветром задуло костёр,
Когда он не вернулся из боя.

Нынче вырвалась будто из плена весна.
По ошибке окликнул его я:
— Друг! Оставь покурить! — А в ответ — тишина:
Он вчера не вернулся из боя.

Наши мёртвые нас не оставят в беде,
Наши павшие — как часовые.
Отражается небо в лесу, как в воде,
И деревья стоят голубые.

Нам и места в землянке хватало вполне,
Нам и время текло для обоих,
Всё теперь — одному. Только кажется мне,
Это я не вернулся из боя.

[1969]

Почему мне
Просто   он не вернулся из боя

Почему всё не так, вроде всё как всегда
~~Небо то же~~ ~~все небо~~ опять ~~все~~ равно голубое
Тот же лес, тот же воздух и та же вода
Только он не вернулся из боя

Он ~~молчал невпопад~~ ~~и не~~ ~~в такт~~ подпевал
Он всегда говорил про другое
Он мне спать не давал, он ~~с восходом~~ вставал
А теперь не вернулся из боя
~~Мне~~ ~~это не изжить, но не их~~ ~~был близ нас~~
~~Друг~~ ~~много лишко~~ ~~без сна~~ ~~и~~ ~~токая~~
~~То он как будто замок~~ ~~хвойного~~ ~~только сейчас~~
Мне ~~не стало~~   он не вернулся из боя
Когда

То, что ~~сухо~~ теперь — не про то разговор
Вдруг заметил ~~я~~ ~~что~~ : нас было двое
А теперь ~~нимному разрешено~~ ~~нет огня~~
(А теперь)
Вал меня будто ветром ~~задуло~~ костёр
Когда он не вернулся из боя

Не забыть мне весь этой ночи без сна
Утром ~~однаж~~ окликнул его я
Друг! оставь покурить — а в ответ тишина
Друг ~~вчера~~ — не вернулся из боя

* * *

Реже, меньше ноют раны.
Четверть века — срок большой.
Но в виски, как в барабаны,
Бьётся память, рвётся в бой...

Москвичи писали письма,
Что Москвы врагу не взять.
Наконец разобрались мы,
Что назад уже нельзя.

Нашу почту почтальоны
Доставляли через час.
Слишком быстро, лучше б годы
Эти письма шли от нас.

Мы, как женщин, боя ждали,
Врывшись в землю и снега,
И виновных не искали,
Кроме общего врага.

Ждали часа, ждали мига
Наступленья — столько дней!
Чтоб потом писали в книгах:
«Беспримерно по своей...»

По своей громадной вере,
По желанью отомстить,
По таким своим потерям,
Что ни вспомнить, ни забыть.

Кто остался с похоронной —
Прочитал: «Ваш муж, наш друг...»
Долго будут по вагонам —
Кто без ног, а кто без рук.

И не находили места —
Ну, скорее, хоть в штыки,—
Отступавшие от Бреста
И сибирские полки.

Чем и как, с каких позиций
Оправдаешь тот поход?
Почему мы от границы
Шли назад, а не вперёд?

Может быть, считать маневром,
Может, тактикой какой?
Только лучше б в сорок первом
Нам не драться под Москвой.

...Помогите, хоть немного!
Оторвите от жены.
Дай вам бог поверить в бога,
Если это бог войны.

[1969]

* * *

Вот в набат забили:
Или праздник, или
Надвигается, как встарь,

                чума.

Заглушая лиру,
Звон идет по миру,—
Может быть, сошёл звонарь

                    с ума?

      Следом за тем погребальным набатом
      Страх овладеет сестрою и братом.
      Съёжимся мы под ногами чумы,
      Путь уступая гробам и солдатам.

Нет, звонарь не болен! —
Видно с колоколен,
Как печатает шаги

              судьба,

И чернеют угли
Там, где были джунгли,
Там, где топчут сапоги

                хлеба.

      Выход один беднякам и богатым —
      Смерть. Это самый бесстрастный анатом.
      Все мы равны перед ликом войны,
      Может, привычней чуть-чуть — азиатам.

Не во сне все это,
Это близко где-то —
Запах тленья, чёрный дым

                и гарь.

А когда остыла
Голая пустыня,
Стал от ужаса седым

              звонарь.

Всех нас зовут зазывалы из пекла
Выпить на празднике пыли и пепла,
Потанцевать с одноглазым циклопом,
Понаблюдать за Всемирным Потопом.

Бей же, звонарь, разбуди полусонных!
Предупреди беззаботных влюблённых,
Что хорошо будет в мире сожжённом
Лишь мертвецам и ещё нерождённым.

[1969]

* * *

Была пора — я рвался в первый ряд.
И это все от недопониманья.
Но с некоторых пор сажусь назад —
Там, впереди, как в спину автомат,
Тяжелый взгляд, недоброе дыханье.

    Может, сзади и не так красиво,
    Но намного шире кругозор,
    Больше и разбег, и перспектива,
    И ещё — надёжность и обзор.

Стволы глазищ, числом до десяти,
Как дула на мишень, но на живую.
Затылок мой от взглядов не спасти,
И сзади так удобно нанести
Обиду или рану ножевую.

    Может, сзади и не так красиво,
    Но намного шире кругозор,
    Больше и разбег, и перспектива,
    И ещё — надёжность и обзор.

Мне вреден первый ряд, и говорят
(От мыслей этих я в ненастье вою) —
Уж лучше — где темней, в последний ряд.
Отсюда больше нет пути назад
И за спиной стоит стена стеною.

    Может, сзади и не так красиво,
    Но намного шире кругозор,
    Больше и разбег, и перспектива,
    И ещё — надёжность и обзор.

И пусть хоть реки утекут воды,
Пусть будут в пух засалены перины —
До лысин, до седин, до бороды
Не выходите в первые ряды
И не стремитесь в примы-балерины.

Может, сзади и не так красиво,
Но намного шире кругозор,
Больше и разбег, и перспектива,
И ещё — надёжность и обзор.

Надёжно сзади, но бывают дни —
Я говорю себе, что выйду червой.
Не стоит вечно пребывать в тени.
С последним рядом долго не тяни,
А постепенно пробивайся в первый.

[1970]

ИНОХОДЕЦ

Я скачу, но я скачу иначе,
По камням, по лужам, по росе.
Бег мой назван иноходью, значит,—
По-другому, то есть не как все.

    Но наездник мой всегда на мне,—
    Стременами лупит мне под дых.
    Я согласен бегать в табуне,
    Но не под седлом и без узды.

Если не свободен нож от ножен,
Он опасен меньше, чем игла.
Вот и я осёдлан и стреножен,
Рот мой разрывают удила.

    Мне набили раны на спине,
    Я дрожу боками у воды.
    Я согласен бегать в табуне,
    Но не под седлом и без узды.

Мне сегодня предстоит бороться.
Скачки! Я сегодня — фаворит.
Знаю — ставят все на иноходца,
Но не я — жокей на мне хрипит!

    Он вонзает шпоры в рёбра мне,
    Зубоскалят первые ряды.
    Я согласен бегать в табуне,
    Но не под седлом и без узды.

Пляшут, пляшут скакуны на старте,
Друг на друга злобу затая,
В исступленьи, в бешенстве, в азарте,
И роняют пену, как и я.

    Мой наездник у трибун в цене,—
    Крупный мастер верховой езды.
    Ах! Как я бы бегал в табуне,
    Но не под седлом и без узды.

Нет! Не будут золотыми горы!
Я последним цель пересеку.
Я ему припомню эти шпоры,
Засбою, отстану на скаку.

Колокол! Жокей мой «на коне»,
Он смеётся в предвкушенье мзды.
Ах! Как я бы бегал в табуне,
Но не под седлом и без узды.

Что со мной, что делаю, как смею —
Потакаю своему врагу!
Я собою просто не владею,
Я придти не первым не могу.

Что же делать? Остаётся мне
Вышвырнуть жокея моего
И бежать, как будто в табуне,
Под седлом, в узде, но без него.

Я пришёл, а он в хвосте плетётся,
По камням, по лужам, по росе.
Я впервые не был иноходцем,
Я стремился выиграть, как все.

[1970]

ВЕС ВЗЯТ

Василию Алексееву

Как спорт, поднятье тяжестей не ново
В истории народов и держав.
Вы помните, как некий грек другого
Поднял и бросил, чуть попридержав.

Как шею жертвы, круглый гриф сжимаю.
Овации услышу или свист?
Я от земли Антея отрываю,
Как первый древнегреческий штангист.

Не отмечен грацией мустанга,
Скован я, в движениях не скор.
Штанга, перегруженная штанга —
Спутник мой, соперник и партнёр.

Такую неподъёмную громаду
Врагу не пожелаю своему.
Я подхожу к тяжёлому снаряду
С тяжёлым чувством нежности к нему:

Мы оба с ним как будто из металла,
Но только он — действительно металл.
И прежде, чем дойти до пьедестала,
Я вмятины в помосте протоптал.

Где стоять мне — в центре или с фланга?
Ждёт ли слава? Или ждёт позор?
Интересно, что решила штанга —
Этот мой единственный партнёр.

Лежит соперник, ты над ним — красиво!
Но крик «Вес взят!» у многих на слуху.
«Вес взят» — прекрасно, но несправедливо,
Ведь я — внизу, а штанга — наверху.

Такой триумф подобен пораженью,
А смысл победы до смешного прост:
Всё дело в том, чтоб, завершив движенье,
С размаха штангу бросить на помост.

Звон в ушах, как медленное танго.
Тороплюсь ему наперекор.
Как к магниту, вниз стремится штанга —
Верный, многолетний мой партнер.

Он ползёт, чем выше, тем безвольней,
Мне напоследок мышцы рвёт по швам,
И со своей высокой колокольни
Кричит мне зритель: «Брось его к чертям!»

«Вес взят! Держать!» — еще одно мгновенье,
И брошен наземь мой железный бог.
Я выполнял обычное движенье
С коротким злым названием: «рывок».

[1970]

* * *

Ю. А. Гагарину

Я первый смерил жизнь обратным счётом.
Я буду беспристрастен и правдив:
Сначала кожа выстрелила пóтом
И задымилась, поры разрядив.

Я затаился и затих, и замер.
Мне показалось, я вернулся вдруг
В бездушье безвоздушных барокамер
И в замкнутые петли центрифуг.

Сейчас я стану недвижим и грузен
И погружён в молчанье, а пока
Меха и горны всех газетных кузен
Раздуют это дело на века.

Хлестнула память мне кнутом по нервам,
В ней каждый образ был неповторим:
Вот мой дублёр, который мог быть первым,
Который смог впервые стать вторым.

Пока что на него не тратят шрифта —
Запас заглавных букв на одного.
Мы с ним вдвоём прошли весь путь до лифта,
Но дальше я поднялся без него.

Вот тот, который прочертил орбиту.
При мне его в лицо не знал никто.
Я знал: сейчас он в бункере закрытом
Бросает горсти мыслей в решето.

И словно из-за дымовой завесы
Друзей явились лица и семьи.
Они все скоро на страницах прессы
Расскажут биографии свои.

Их всех, с кем знал я доброе соседство,
Свидетелями выведут на суд.
Обычное моё, босое детство
Обуют и в скрижали занесут.

Чудное слово «Пуск» — подобье вопля —
Возникло и нависло надо мной.
Недобро, глухо заворчали сопла
И сплюнули расплавленной слюной.

И вихрем чувств пожар души задуло,
И я не смел или забыл дышать.
Планета напоследок притянула,
Прижала, не рискуя отпускать.

И килограммы превратились в тонны,
Глаза, казалось, вышли из орбит,
И правый глаз впервые, удивлённо
Взглянул на левый, веком не прикрыт.

Мне рот заткнул — не помню,— крик ли, кляп ли.
Я рос из кресла, как с корнями пень.
Вот сожрала всё топливо до капли
И отвалилась первая ступень.

Там, подо мной, сирены голосили,
Не знаю — хороня или храня.
А здесь надсадно двигатели взвыли
И из объятий вырвали меня.

Приборы на земле угомонились,
Вновь чередом своим пошла весна.
Глаза мои на место возвратились,
Исчезли перегрузки,— тишина.

Эксперимент вошел в другую фазу.
Пульс начал реже в датчики стучать.
Я в ночь влетел, минуя вечер, сразу
И получил команду отдыхать.

И стало тесно голосам в эфире,
Но Левитан ворвался, как в спортзал.
Он отчеканил громко: «Первый в мире!»
Он про меня хорошее сказал.

Я шлем скафандра положил на локоть,
Изрёк про самочувствие своё...
Пришла такая приторная лёгкость,
Что даже затошнило от неё.

Шнур микрофона словно в петлю свился,
Стучали в рёбра лёгкие, звеня.
Я на мгновенье сердцем подавился —
Оно застряло в горле у меня.

Я óтдал рапорт весело, на совесть,
Разборчиво и очень делово.
Я думал: вот она и невесомость,
Я вешу нуль, так мало — ничего!

Но я не ведал в этот час полёта,
Шутя над невесомостью чудной,
Что от нее кровавой будет рвота
И костный кальций вымоет с мочой.

*

Всё, что сумел запомнить, я сразу перечислил,
Надиктовал на ленту и даже записал.
Но надо мной парили разрозненные мысли
И стукались боками о вахтенный журнал.

Весомых, зримых мыслей я насчитал немало,
И мелкие сновали меж ними чуть плавней,
Но невесомость в весе их как-то уравняла —
Там после разберутся, которая важней.

А я ловил любую, какая попадалась,
Тянул её за тонкий невидимый канат.
Вот первая возникла и сразу оборвалась,
Осталось только слово одно: «Не виноват!»

Но слово «невиновен» — не значит «непричастен», —
Так на Руси ведётся уже с давнишних пор.
Мы не тянули жребий, — мне подмигнуло счастье,
И причастился к звёздам член партии, майор.

Между «нулём» и «пуском» кому-то показалось,
А может — оператор с испугу записал,
Что я довольно бодро, красуясь даже малость,
Раскованно и браво «Поехали!» сказал.

[1970]

ПЕСНЯ МИКРОФОНА

Я оглох от ударов ладоней,
Я ослеп от улыбок певиц.
Сколько лет я страдал от симфоний,
Потакал подражателям птиц.

Сквозь меня многократно просеясь,
Чистый звук в ваши души летел.
Стоп! Вот тот, на кого я надеюсь,
Для кого я все муки стерпел.

    Сколько раз в меня шептали про луну,
    Кто-то весело орал про тишину,
    На пиле один играл — шею спиливал,
    А я усиливал, я усиливал.

На низах его голос утробен,
На верхах он подобен ножу.
Он покажет, на что он способен,
Ну, и я кое-что покажу.

Он поёт задыхаясь, с натугой,
Он без сил, как солдат на плацу.
Я тянусь своей шеей упругой
К золотому от пота лицу.

    Сколько раз в меня шептали про луну,
    Кто-то весело орал про тишину.
    На пиле один играл — шею спиливал,
    А я усиливал, я усиливал.

Только вдруг... Человече! Опомнись!
Что поёшь? Отдохни, ты устал!
Это патока, сладкая помесь.
Зал! Скажи, чтобы он перестал!

Всё напрасно — чудес не бывает,
Я качаюсь, я еле стою.
Он бальзамом мне горечь вливает
В микрофонную глотку мою.

Я устал ... ... рук и кресел
Я оглох от ударов ладоней
От улыбок я осел от улыбок устал
Сколько ... я ... отмороженных
Потакал ... ...
    Только что в меня ... про любовь
    Кто-то весело орал про тишину
    На меня один ... — меня оживлял
    А я усиливал, я усиливал

Сквозь меня ... ...
    ... ... звук в ухо ... летел
    ... тот, кого я ... Стой! А вот тот на кого я ...
    был ... ... кого я вы ... губил

На низах его голос угрюм
Я ... Но я здесь, я его берегу На версия ... поёт ...
Он ... , ни что он способен
Ну и я как-то ...

    Брось, папа мой, микрофон
    ... жаль, но вам моих чувств не понять
    Он не клонялся — он был ...
    Он не пел — он молился в меня

    { И успех его нам и мне, микрофону
    { Не ... в эту ... вместе
    { Он не кланялся он был поклоны
    { Он не пел, он молился в меня

... ... Но напрасно
    ... ...
    ... — чудес не бывает
    Я вовсе не ... , не пою
    за ...
    Он бальзамом мне горечь вливает
    в микрофонную глотку мою

Готово ...

    Он поёт задыхаясь с натугой
    Он без сил, как солдат ни в плену
    Я тянусь своей шеей ...
    К золотому от ... лицу

    Только вдруг... человече, опомнись !
    Это воешь, отдохни ты устал
    Это патока — слюдяная помесь
    Зал ... кричи, чтобы он ...

    Но напрасно, чудес не бывает.
    Зал ... Я кажется, я сам пою
    Он бальзамом мне горечь вливает
    в микрофонную ... мою

В чём угодно меня обвините !
Но ... ...
И я профессия усилитель
    ...
Мы ... ...
Я пищит и ...
И ... ...
И они мне, ...
Я ... ...
...
... убрал ...
Как раз ... рубил это
... ... я
смолкну ...
заменён.

Сколько раз в меня шептали про луну,
Кто-то весело орал про тишину.
На пиле один играл — шею спиливал,
А я усиливал, я усиливал.

В чём угодно меня обвините,
Только против себя не пойдёшь.
По профессии я — усилитель.
Я страдал, но усиливал ложь.

Застонал я — динамики взвыли,
Он сдавил моё горло рукой.
Отвернули меня, умертвили,
Заменили меня на другой.

Тот, другой,— он всё стерпит и примет,
Он навинчен на шею мою.
Нас всегда заменяют другими,
Чтобы мы не мешали вранью.

Мы в чехле очень тесно лежали:
Я, штатив и другой микрофон.
И они мне, смеясь, рассказали,
Как он рад был, что я заменён.

[1971]

ГОРИЗОНТ

Чтоб не было следов — повсюду подмели.
Ругайте же меня, позорьте и трезвоньте!
Мой финиш — горизонт, а лента — край Земли,
Я должен первым быть на горизонте.

     Условия пари одобрили не все,
     И руки разбивали неохотно.
     Условье таково,— чтоб ехать по шоссе,
     И только по шоссе, бесповоротно.

          Наматывая мили на кардан,
          Я еду параллельно проводам,
          Но то и дело тень перед мотором —
          То чёрный кот, то кто-то в чём-то чёрном.

Я знаю, мне не раз в колёса палки ткнут.
Догадываюсь, в чём и как меня обманут.
Я знаю, где мой бег с ухмылкой пресекут
И где через дорогу трос натянут.

     Но стрелки я топлю. На этих скоростях
     Песчинка обретает силу пули.
     И я сжимаю руль до судорог в кистях —
     Успеть, пока болты не затянули!

          Наматывая мили на кардан,
          Я еду вертикально к проводам.
          Завинчивают гайки. Побыстрее!
          Не то поднимут трос, как раз где шея.

И плавится асфальт, протекторы кипят.
Под ложечкой сосёт от близости развязки.
Я голой грудью рву натянутый канат.
Я жив! Снимите чёрные повязки.

     Кто вынудил меня на жёсткое пари —
     Нечистоплотны в споре и расчетах.
     Азарт меня пьянит, но, как ни говори,
     Я торможу на скользких поворотах!

Наматываю мили на кардан
Назло канатам, тросам, проводам.
Вы только проигравших урезоньте,
Когда я появлюсь на горизонте!

Мой финиш — горизонт — по-прежнему далёк.
Я ленту не порвал, но я покончил с тросом.
Канат не пересёк мой шейный позвонок,
Но из кустов стреляют по колёсам.

Меня ведь не рубли на гонку завели,
Меня просили: — Миг не проворонь ты!
Узнай, а есть предел там, на краю Земли?
И можно ли раздвинуть горизонты?

Наматываю мили на кардан.
И пулю в скат влепить себе не дам.
Но тормоза отказывают. Кода!
Я горизонт промахиваю с хода.

[1971]

Конечно горизонт ~~я отвесно не смог~~
~~Никто не проторил и не видел никто, как вот-вот тот~~
~~Я не сорвал никто там финишную черту~~
~~Конечно не порвал ту финишную ленту~~
~~Я ли не ты первый обёг ту финишную ленту~~
~~Конечно грудью рвал ту финишную ленту~~
~~Но всё же я сохранил свой ~~живой~~ позвонок~~
~~что так ~~ ~~мой мой~~

Но трос не пересёк мой шейный позвонок
Хвала мотору, небам и моменту!

Что-нибудь ещё господь в меня вбил
~~И горизонт давали~~ ~~за что~~
Мой финиш - горизонт. ~~Ослепительно~~ край земли
~~вправе я вонзился~~
Им кажется, что я на горизонте

Что-нибудь ещё господь в меня вбил
Кто ~~дрогнет~~ за меня - того не тронете
~~Хоть дал~~ ~~сбил~~ я и - не на краю земли
~~Им кажется, что я на горизонте~~
Глядите на меня ~~я~~ на краю земли
Вы ~~видите~~ меня ~~на одни~~ на горизонте

С их ~~гожи~~ зрения я - там, на краю земли
Им мало видно - я на горизонте

Им нужно чтобы я был на краю земли
И в их глазах ~~там~~ там на горизонте

Наматывая мили на кардан,
Не обижать ли мне свои не дам
Ведь тем кто смел ~~дни~~
Лишь ~~да~~ тем кто к ~~крайней~~ доске ~~~~ подвозишься
Завышенный горизонты раздвигаешь.

Но кто-то тем, кто края достигаешь
Нарочно горизонты раздвигаешь

И вечно тем кто край достигаешь
Всевышний горизонт раздвигаешь

И только тем, кто края достигаешь
Всевышний горизонты раздвигаешь

{ Мотор уже предела достигаешь
{ И... кто-то горизонты раздвигаешь
И снова ~~край~~ ~~земля~~ раздвигаешь
И снова гридеж всё на приближение
Волжено быть это - вечное движение.
Так вот что это - вечное движение

* * *

Лошадей двадцать тысяч в машины зажаты —
И хрипят табуны, стервенея внизу.
На глазах от натуги худеют канаты,
Из себя на причал выжимая слезу.

И команды короткие, злые
Быстрый ветер уносит во тьму:
«Кранцы за борт!», «Отдать носовые!»
И «Буксир, подработать корму!»

Капитан, чуть улыбаясь,
Мол, всё верно — молодцы,
От земли освобождаясь,
Приказал рубить концы.

Только снова назад обращаются взоры —
Цепко держит земля, все и так и не так.
Почему слишком долго не сходятся створы,
Почему слишком часто моргает маяк?!

Все свободны, конец всем вопросам.
Кроме вахтенных — всем отдыхать!
Но пустуют каюты — матросам
На свободе не хочется спать.

Капитан, чуть улыбаясь,
Думал: «Верно, молодцы!»
От земли освобождаясь,
Нелегко рубить концы.

Переход — двадцать дней. Рассыхаются шлюпки.
Нынче утром последний отстал альбатрос.
Хоть бы шторм! Или лучше, чтоб в радиорубке
Обалдевший радист принял чей-нибудь SOS.

Так и есть! Трое месяц в корыте —
Яхту вдребезги кит разобрал.
Да за что вы нас благодарите?
Вам спасибо за этот аврал.

Капитан, чуть улыбаясь,
Кинул тихо: «Молодцы!» —
Тем, кто, с жизнью расставаясь,
Не хотел рубить концы.

А потом будут Фиджи и порт Кюрасау,
И ещё чёрта в ступе, и бог знает что,
И красивейший в мире фиорд Мильфорсаун —
Всё, куда я ногой не ступал, но зато —

Пришвартуетесь вы на Таити
И прокрутите запись мою.
Через самый большой усилитель
Я про вас на Таити спою.

Чтоб я знал — не зря стараюсь,
Чтоб концов не отдавал,
От земли не отрываясь,
Чтобы всюду побывал.

И опять, словно бой начиная на ринге,
По воде продвигается тень корабля.
В напряженьи матросы, ослаблены шпринги,
Руль полборта налево — и в прошлом земля.

[1971]

О ФАТАЛЬНЫХ ДАТАХ И ЦИФРАХ

Поэтам и прочим, но больше — поэтам

Кто кончил жизнь трагически — тот истинный поэт,
А если в точный срок — так в полной мере.
На цифре 26 один шагнул под пистолет,
Другой же — в петлю слазил в «Англетере».

А в тридцать три Христу... (Он был поэт, он говорил:
«Да не убий!» Убьёшь — везде найду, мол.)
Но — гвозди ему в руки, чтоб чего не сотворил,
Чтоб не писал и чтобы меньше думал.

С меня при цифре 37 в момент слетает хмель.
Вот и сейчас как холодом подуло:
Под эту цифру Пушкин подгадал себе дуэль
И Маяковский лёг виском на дуло.

Задержимся на цифре 37. Коварен Бог —
Ребром вопрос поставил: или — или.
На этом рубеже легли и Байрон, и Рембо,
А нынешние как-то проскочили.

Дуэль не состоялась или перенесена,
А в тридцать три распяли, но не сильно.
А в тридцать семь — не кровь, да что там кровь — и седина
Испачкала виски не так обильно.

Слабó стреляться? В пятки, мол, давно ушла душа?
Терпенье, психопаты и кликуши!
Поэты ходят пятками по лезвию ножа
И режут в кровь свои босые души.

На слово «длинношеее» в конце пришлось три «е».
Укоротить поэта! — вывод ясен.
И нож в него — но счастлив он висеть на острие,
Зарезанный за то, что был опасен.

Жалею вас, приверженцы фатальных дат и цифр!
Томитесь, как наложницы в гареме:
Срок жизни увеличился, и может быть, концы
Поэтов отодвинулись на время!

[1971]

* * *

Истома ящерицей ползает в костях,
И сердце с трезвой головой не на ножах.
И не захватывает дух на скоростях,
Не холодеет кровь на виражах.

И не прихватывает горло от любви,
И нервы больше не внатяжку, хочешь — рви,
Провисли нервы, как веревки от белья,
И не волнует, кто кого — он или я.

На коне — толкани — я с коня.
Только «не», только «ни» — у меня.

Не пью воды, чтоб стыли зубы, ключевой,
И ни событий, ни людей не тороплю.
Мой лук валяется со сгнившей тетивой,
Все стрелы сломаны, я ими печь топлю.

Не напрягаюсь и не рвусь, а как-то так.
Не вдохновляет даже самый факт атак.
Сорвиголов не принимаю и корю,
Про тех, кто в омут с головой,— не говорю.

На коне — толкани — я с коня.
Только «не», только «ни» — у меня.

И не хочу ни выяснять, ни изменять,
И ни вязать, и ни развязывать узлы.
Углы тупые можно и не огибать,
Ведь после острых — это не углы.

Любая нежность душу не разбередит,
И не внушит никто, и не разубедит.
А так как чужды всякой всячине мозги,
То ни предчувствия не жмут, ни сапоги.

На коне — толкани — я с коня.
Только «не», только «ни» — у меня.

О ФАТАЛЬНЫХ ДАТАХ И ЦИФРАХ

Поэтам и прочим, но больше — поэтам

Кто кончил жизнь трагически — тот истинный поэт,
А если в точный срок — так в полной мере.
На цифре 26 один шагнул под пистолет,
Другой же — в петлю слазил в «Англетере».

А в тридцать три Христу... (Он был поэт, он говорил:
«Да не убий!» Убьёшь — везде найду, мол.)
Но — гвозди ему в руки, чтоб чего не сотворил,
Чтоб не писал и чтобы меньше думал.

С меня при цифре 37 в момент слетает хмель.
Вот и сейчас как холодом подуло:
Под эту цифру Пушкин подгадал себе дуэль
И Маяковский лёг виском на дуло.

Задержимся на цифре 37. Коварен Бог —
Ребром вопрос поставил: или — или.
На этом рубеже легли и Байрон, и Рембо,
А нынешние как-то проскочили.

Дуэль не состоялась или перенесена,
А в тридцать три распяли, но не сильно.
А в тридцать семь — не кровь, да что там кровь — и седина
Испачкала виски не так обильно.

Слабо́ стреляться? В пятки, мол, давно ушла душа?
Терпенье, психопаты и кликуши!
Поэты ходят пятками по лезвию ножа
И режут в кровь свои босые души.

На слово «длинношеее» в конце пришлось три «е».
Укоротить поэта! — вывод ясен.
И нож в него — но счастлив он висеть на острие,
Зарезанный за то, что был опасен.

Капитан, чуть улыбаясь,
Кинул тихо: «Молодцы!» —
Тем, кто, с жизнью расставаясь,
Не хотел рубить концы.

А потом будут Фиджи и порт Кюрасау,
И ещё чёрта в ступе, и бог знает что,
И красивейший в мире фиорд Мильфорсаун —
Всё, куда я ногой не ступал, но зато —

Пришвартуетесь вы на Таити
И прокрутите запись мою.
Через самый большой усилитель
Я про вас на Таити спою.

Чтоб я знал — не зря стараюсь,
Чтоб концов не отдавал,
От земли не отрываясь,
Чтобы всюду побывал.

И опять, словно бой начиная на ринге,
По воде продвигается тень корабля.
В напряженьи матросы, ослаблены шпринги,
Руль полборта налево — и в прошлом земля.

[1971]

* * *

Лошадей двадцать тысяч в машины зажаты —
И хрипят табуны, стервенея внизу.
На глазах от натуги худеют канаты,
Из себя на причал выжимая слезу.

И команды короткие, злые
Быстрый ветер уносит во тьму:
«Кранцы за борт!», «Отдать носовые!»
И «Буксир, подработать корму!»

Капитан, чуть улыбаясь,
Мол, всё верно — молодцы,
От земли освобождаясь,
Приказал рубить концы.

Только снова назад обращаются взоры —
Цепко держит земля, все и так и не так.
Почему слишком долго не сходятся створы,
Почему слишком часто моргает маяк?!

Все свободны, конец всем вопросам.
Кроме вахтенных — всем отдыхать!
Но пустуют каюты — матросам
На свободе не хочется спать.

Капитан, чуть улыбаясь,
Думал: «Верно, молодцы!»
От земли освобождаясь,
Нелегко рубить концы.

Переход — двадцать дней. Рассыхаются шлюпки.
Нынче утром последний отстал альбатрос.
Хоть бы шторм! Или лучше, чтоб в радиорубке
Обалдевший радист принял чей-нибудь SOS.

Так и есть! Трое месяц в корыте —
Яхту вдребезги кит разобрал.
Да за что вы нас благодарите?
Вам спасибо за этот аврал.

158

Конечно горизонт ~~никто~~ я отвесно не смог

Никто не привозит ~~и не~~ ~~видел никто, как вот-вот~~

~~Я не~~ ~~одолел никто ~~ту финишную черту~~

А за ~~тем~~ мы не первые ~~бьёмся ту финишную ленту~~

Конечно ~~грудью~~ рвём за ~~ту финишную ленту~~

Но вот мы ~~не~~ ~~сорвали свой~~ ~~пьяный~~ разговор

~~Что~~ ~~так ~~любовным~~ ~~мотыльком~~

Но ~~трос не~~ ~~перебьёт мой милый разговор~~

Хвала мотору, небам и мосту!

Что - нибудь ещё господь в меня вбил

~~Я~~ город даровал ~~в~~ ~~буду~~ ~~на кроне~~ ~~как крокет~~

Мой финиш - горизонт. ~~Отсюда - край земли~~

~~брали я влюблёнь~~

И им ~~кажется~~, что я на горизонте

Что - нибудь ещё господь в меня вбил

Кто ~~едет~~ за меня - того не ~~кроме~~

~~Хоть для себя и и~~ - не на ~~краю земли~~

~~Им кажется, что я ни горизонте~~

Глядите на меня ~~я на краю земли~~

Вам ~~видно~~ мной на горизонте

С их точки зрения я - там, на краю земли

Им ~~мало~~ видно - я ни горизонте

Им нужно чтоб я был на краю земли

И в их глазах ~~там~~ там на горизонте

Наматывая мили на кардан,

Не обтянуть ни сбыть ~~сбы не дам~~

Веди тем кто смысл ~~дан~~

Лишь ~~да~~ тем кто ~~в крайней~~ доске ~~~~ подвезнесть

За ~~быстый~~ горизонты раздвигает

Но кто - то тем, кто края достигает

Нарочно горизонты раздвигает

И вечно тем кто края достигает

Всевышний горизонты раздвигает

И только тем, кто края достигает

Всевышний горизонты раздвигает

{Мотор уже предела достигает

И... кто-то горизонты раздвигает

И снова ~~граница~~ ~~лента~~ ~~отдвигает~~

И снова границ всё на приближение

Должно быть это - вечное движение.

Так вот что это - вечное движение

Наматываю мили на кардан
Назло канатам, тросам, проводам.
Вы только проигравших урезоньте,
Когда я появлюсь на горизонте!

Мой финиш — горизонт — по-прежнему далёк.
Я ленту не порвал, но я покончил с тросом.
Канат не пересёк мой шейный позвонок,
Но из кустов стреляют по колёсам.

Меня ведь не рубли на гонку завели,
Меня просили: — Миг не проворонь ты!
Узнай, а есть предел там, на краю Земли?
И можно ли раздвинуть горизонты?

Наматываю мили на кардан.
И пулю в скат влепить себе не дам.
Но тормоза отказывают. Кода!
Я горизонт промахиваю с хода.

[1971]

ГОРИЗОНТ

Чтоб не было следов — повсюду подмели.
Ругайте же меня, позорьте и трезвоньте!
Мой финиш — горизонт, .а лента — край Земли,
Я должен первым быть на горизонте.

    Условия пари одобрили не все,
    И руки разбивали неохотно.
    Условье таково,— чтоб ехать по шоссе,
    И только по шоссе, бесповоротно.

        Наматывая мили на кардан,
        Я еду параллельно проводам,
        Но то и дело тень перед мотором —
        То чёрный кот, то кто-то в чём-то чёрном.

Я знаю, мне не раз в колёса палки ткнут.
Догадываюсь, в чём и как меня обманут.
Я знаю, где мой бег с ухмылкой пресекут
И где через дорогу трос натянут.

    Но стрелки я топлю. На этих скоростях
    Песчинка обретает силу пули.
    И я сжимаю руль до судорог в кистях —
    Успеть, пока болты не затянули!

        Наматывая мили на кардан,
        Я еду вертикально к проводам.
        Завинчивают гайки. Побыстрее!
        Не то поднимут трос, как раз где шея.

И плавится асфальт, протекторы кипят.
Под ложечкой сосёт от близости развязки.
Я голой грудью рву натянутый канат.
Я жив! Снимите чёрные повязки.

    Кто вынудил меня на жёсткое пари —
    Нечистоплотны в споре и расчетах.
    Азарт меня пьянит, но, как ни говори,
    Я торможу на скользких поворотах!

Не ноют раны, да и шрамы не болят —
На них наложены стерильные бинты.
И не зудят, и не свербят, не теребят
Ни мысли, ни вопросы, ни мечты.

    Свободный ли, тугой ли пояс — мне-то что.
    Я пули в лоб не удостоюсь — не́ за что.
    Я весь прозрачен как раскрытое окно
    И неприметен как льняное полотно.

    На коне — толкани — я с коня.
    Только «не», только «ни» — у меня.

Ни философский камень больше не ищу,
Ни корень жизни,— ведь уже нашли женьшень.
Не посягаю, не стремлюсь, не трепещу
И не пытаюсь поразить мишень.

    Устал бороться с притяжением земли.
    Лежу — так больше расстоянье до петли.
    И сердце дёргается, словно не во мне.
    Пора туда, где только «ни» и только «не».

    Толка нет, толкани — и с коня.
    Только «не», только «ни» — у меня.

[1971]

МОИ ПОХОРОНА

Сон мне снится — вот те на:
Гроб среди квартиры.
На мои похорона
Съехались вампиры.

Стали речи говорить —
Всё про долголетие.
Кровь сосать решили погодить,
Вкусное — на третье.

В гроб вогнали кое-как,
Самый сильный вурдалак
Втискивал и всовывал,
Плотно утрамбовывал,
Сопел с натуги, сплевывал
И желтый клык высовывал.

Очень бойкий упырёк
Стукнул по колену,
Подогнал и под шумок
Надкусил мне вену.

Умудрённый кровосос
Встал у изголовия
И вдохновенно произнёс
Речь про полнокровие.

И почётный караул
Для приличия всплакнул,
Но чую взглядов серию
На сонную артерию.
А если кто пронзит артерию,
Мне это сна грозит потерею.

— Погодите, спрячьте крюк!
Да куда же, чёрт, вы?!
Я же слышу, что́ вокруг,—
Значит, я не мёртвый.

Яду капнули в вино,
Ну, а все набросились.
Опоить меня хотели, но
Опростоволосились.

Тот, кто в зелье губы клал,
В самом деле дуба дал,
Ну, а мне как рвотное
То зелье приворотное.
Здоровье у меня добротное,
И закусил отраву плотно я.

Почему же я лежу,
Дурака валяю?
Почему я не заржу,
Их не напугаю?

Я б их мог прогнать давно
Выходкою смелою.
Мне б пошевелиться, но...
Глупостей не делаю.

Безопасный, как червяк,
Я лежу, а вурдалак
Со стаканом носится —
Сейчас наверняка набросятся.
Ещё один на шею косится...
Ну, гад, он у меня допросится!

Кровожадно вопия,
Высунули жалы,
И кровиночка моя
Полилась в бокалы.

Погодите, сам налью.
Знаю сам, что вкусная.
Нате, пейте кровь мою,
Кровососы гнусные!

Я ни мышцы не напряг,
Не пытался сжать кулак,
Потому что кто не напрягается —
Тот никогда не просыпается,
Тот много меньше подвергается
И много дольше сохраняется.

Вот мурашки по спине
Смертные крадутся,
А всего делов-то мне
Было — шевельнуться.

Что? Сказать чего боюсь?
А сновиденья тянутся...
Да того, что я проснусь,
А они останутся.

Мне такая мысль страшна,
Что сейчас очнусь от сна
И станут в руку сном мои
Близкие знакомые,
Живые, зримые, весомые,
Мои любимые знакомые.

Вдруг они уже стоят,
Жала наготове.
Очень выпить норовят
По рюмашке крови.

Лучше я ещё посплю,—
Способ — не единственный,
Я во сне перетерплю,
Я во сне воинственный.

Пусть мне снится вурдалак —
Я вот как сожму кулак,
И в поддых, и в хрящ ему!
Да где уж мне, ледащему
И спокойно спящему
Бить по-настоящему.

[1969 — 1971]

ЖЕРТВА ТЕЛЕВИДЕНИЯ

Есть телевизор — подайте трибуну!
Так проору — разнесётся на мили.
Он — не окно, я в окно и не плюну.
Мне будто дверь в целый мир прорубили.

Всё на дому — самый полный обзор:
Отдых в Крыму, ураган и Кобзон,
Фильм — часть шестая, тут можно поспать —
Я не видал предыдущие пять.

Врубаю первую, а там — ныряют.
Ну, это так себе, а с десяти —
«А ну-ка, девушки!» — что вытворяют!
И все в передничках. С ума сойти!

Я у экрана, мне дом — не квартира.
Я всею скорбью скорблю мировою,
Грудью дышу я всем воздухом мира,
Никсона вижу с его госпожою.

Вот тебе раз! Иностранный глава —
Прямо глаз в глаз, к голове — голова.
Чуть пододвинул ногой табурет —
И оказался с главой тет-а-тет.

Потом ударники в хлебопекарне
Дают про выпечку до двадцати.
И вот — любимая: «А ну-ка, парни!»
Стреляют, прыгают. С ума сойти!

Если не смотришь, ну, пусть не болван ты,
Но уж, по крайности — богом убитый.
Ты же не знаешь, что ищут таланты!
Ты же не ведаешь, кто даровитый!

В восемь — футбол: СССР — ФРГ.
С Мюллером я — на короткой ноге.
Судорога, шок, но... уже — интервью.
Ох, хорошо, что с Указу не пью.

167

Там кто-то выехал на конкурс в Варне,
А мне квартал всего туда идти.
А ну-ка, девушки! А ну-ка, парни!..
Все лезут в первые — с ума сойти!

Как убедить мне упрямую Настю? —
Настя желает в кино, как суббота.
Настя твердит, что проникся я страстью
К глупому ящику для идиота.

      Да, я проникся! В квартиру зайду,
      Глядь — дома Никсон и Жорж Помпиду.
      Вот хорошо — я бутылочку взял.
      Жорж — посошок, Ричард, правда, не стал.

А дальше — весело, ещё кошмарней!
Врубил четвёртую — и на балкон!
А ну-ка, девушки а ну-ка, парням
Вручают премию в О-О-ООН.

Ну, а потом, на закрытой на даче,
Где, к сожаленью, навязчивый сервис,
Я и в бреду всё смотрел передачи,
Всё заступался за Анджелу Дэвис.

      Слышу: — Не плачь, всё в порядке в тайге,
      Выигран матч СССР — ФРГ,
      Сто негодяев захвачены в плен,
      И Магомаев поёт в КВН.

Ну, а действительность — ещё шикарней:
Два телевизора — крути-верти.
А ну-ка, девушки! А ну-ка, парни!
За них не боязно с ума сойти.

[1971]

ДИАЛОГ У ТЕЛЕВИЗОРА

— Ой, Вань! Смотри, какие клоуны!
Рот — хоть завязочки пришей...
Ой! До чего, Вань, размалёваны,
А голос, как у алкашей.

А тот похож — нет, правда, Вань,
На шурина,— такая ж пьянь.
Ну, нет,— ты глянь, нет-нет,— ты глянь,
Я правда, Вань.

— Послушай, Зин, не трогай шурина,
Какой ни есть, а он — родня.
Сама намазана, прокурена,
Гляди, дождёшься у меня!

А чем болтать, взяла бы, Зин,
В антракт сгоняла в магазин.
Что? Не пойдёшь? Ну — я один.
Подвинься, Зин!

— Ой! Вань! Смотри, какие карлики!
В жерси одеты, не в шевьёт...
На нашей пятой швейной фабрике
Такое вряд ли кто пошьёт!

А у тебя, ей-богу, Вань,
Ну, все друзья — такая рвань,
И пьют всегда в такую рань
Такую дрянь.

— Мои друзья хоть не в болонии,
Зато не тащат из семьи,
А гадость пьют из экономии,
Хоть поутру, да на свои.

А у тебя самой-то, Зин,
Приятель был с завода шин,
Так тот вообще хлебал бензин,
Ты вспомни, Зин!

— Ой, Вань, гляди-ка, попугайчики!
Нет! Я, ей-богу, закричу.
А это кто — в короткой маечке?
Я, Вань, такую же хочу.

В конце квартала, правда, Вань,
Ты мне такую же сваргань.
Ну, что «отстань», всегда «отстань»?
Обидно, Вань.

— Уж ты бы лучше помолчала бы!
Накрылась премия в квартал.
Кто мне писал на службу жалобы?
Не ты? Да я же их читал.

К тому же, эту майку, Зин,
Тебе напяль — позор один,
Тебе шитья пойдёт аршин,—
Где деньги, Зин?

— Ой! Вань! Умру от акробатиков!
Смотри! Как вертится, нахал!
Завцеха наш, товарищ Сатиков,
Недавно в клубе так скакал.

А ты придёшь домой, Иван,
Поешь — и сразу на диван,
Или кричишь, когда не пьян.
Ты что, Иван?

— Ты, Зин, на грубость нарываешься!
Всё, Зин, обидеть норовишь!
Тут за день так накувыркаешься,
Придёшь домой — там ты сидишь!

Ну, и меня, конечно, Зин,
Всё время тянет в магазин,
А там друзья, ведь я же, Зин,
Не пью один.

[1971]

МИЛИЦЕЙСКИЙ ПРОТОКОЛ

Считать по-нашему, мы выпили немного.
Не вру, ей-богу! Скажи, Серега!
И если б водку гнать не из опилок —
То что б нам было с пяти бутылок?

Вторую пили близ прилавка, в закуточке,
Но это были ещё цветочки!
Потом — в скверу, где детские грибочки,
Потом — не помню, дошёл до точки.

Я пил из горлышка, с устатку и не евши,
Но как стекло был — остекленевший.
А уж когда коляска подкатила,
Тогда в нас было семьсот на рыло.

Мы, правда, третьего насильно затащили,
Ну тут — промашка, переборщили.
А что очки товарищу разбили —
Так то портвейном усугубили.

Товарищ первый нам сказал, что, мол, уймитесь,
Что не буяньте, что разойдитесь!
На «разойтись» — я сразу согласился,
И разошелся. И расходился.

Но если я кого ругал — карайте строго!
Но это вряд ли — скажи, Серега!
А что упал — так то от помутненья,
Орал — не с горя, от отупенья.

Теперь дозвольте пару слов без протокола.
Чему нас учат семья и школа?
Что жизнь сама таких накажет строго!
Тут мы согласны — скажи, Серега!

Вот он проснётся утром — он, конечно, скажет:
— Пусть жизнь осудит, пусть жизнь накажет!
Так отпустите — вам же легче будет!
Чего возиться, коль жизнь осудит?

Вы не глядите, что Сережа всё кивает,—
Он соображает, всё понимает!
А что молчит, так это от волненья,
От осознанья и просветленья.

Не запирайте, люди! Плачут дома детки!
Ему же — в Химки, а мне — в Медведки!
А-а!... Всё равно — автобусы не ходют,
Метро закрыто, в такси не содют.

Приятно всё-таки, что нас тут уважают.
Гляди, подвозют! Гляди, сажают!
Разбудит утром не петух, прокукарекав,—
Сержант поднимет — как человеков.

Нас чуть не с музыкой проводят, как проспимся.
Я рупь заначил — опохмелимся!
Но всё же, брат, трудна у нас дорога.
Эх, бедолага! Ну, спи, Серега...

[1971]

ПРЫГУН В ВЫСОТУ

Разбег, толчок!— и стыдно подниматься.
Во рту опилки, слёзы из-под век.
На рубеже проклятом 2.12
Мне планка преградила путь наверх.

Я признаюсь вам как на духу —
Такова вся спортивная жизнь,
Лишь мгновение ты наверху —
И стремительно падаешь вниз.

Но съем плоды запретные с древа я,
И за хвост подёргаю славу я!
Ведь у всех толчковая — левая,
А у меня толчковая — правая.

Разбег, толчок!— свидетели паденья
Свистят и тянут за ноги ко дну.
Мне тренер мой сказал без сожаленья:
«Да ты же, парень, прыгаешь в длину!

У тебя растяженье в паху!
Прыгать с правой — дурацкий каприз!
Не удержишься ты наверху!
Ты стремительно катишься вниз!»

Но, задыхаясь словно от гнева, я
Объяснил толково я: «Главное,
Что у них толчковая — левая,
А у меня толчковая — правая».

Разбег, толчок — мне не догнать канадца,
Он мне в лицо смеётся на лету.
Я снова планку сбил на 2.12,
И тренер мне сказал напрямоту,

Что начальство в десятом ряду,
И что мне прополощут мозги,
Если враз сей же час не сойду
Я с неправильной правой ноги.

173

Но лучше выпью зелья с отравою,
Над собою что-нибудь сделаю,
Но свою неправую правую
Я не сменю на правую левую.

Трибуны дружно начали смеяться,
Но пыл мой от насмешек не ослаб:
Разбег, толчок, полёт... и 2.12
Теперь уже мой пройденный этап.

Пусть болит моя травма в паху,
Пусть допрыгался до хромоты,
Но я всё-таки был наверху,
И меня не спихнуть с высоты.

Съел плоды запретные с древа я,
И за хвост поймал-таки славу я.
Пусть у всех толчковая — левая,
Но у меня толчковая — правая!

[1971]

ЧЕСТЬ ШАХМАТНОЙ КОРОНЫ

1. ПОДГОТОВКА

Я кричал: «Вы что там — обалдели?
Уронили шахматный престиж!»
Ну, а мне сказали в спецотделе:
«Вот! Прекрасно, ты и защитишь!

Но учти, что Фишер очень ярок.
Даже спит с доскою, сила в нем,
Он играет чисто, без помарок».
Ничего, я тоже не подарок —
У меня в запасе ход конем.

Ох вы мускулы стальные,
Пальцы цепкие мои!
Эх, резные, расписные
Деревянные ладьи.

Друг мой, футболист, учил: «Не бойся!
Он к таким партнёрам не привык.
За тылы и центр не беспокойся,
А играй по краю напрямик».

Я налёг на бег на стометровки,
В бане вес согнал, отлично сплю,
Были по хоккею тренировки —
Словом, после этой подготовки
Я его без мата задавлю!

Ох вы сильные ладони,
Мышцы крепкие спины!
Эх вы кони мои, кони!
Ах вы, милые слоны!

175

«Не спеши и главное — не горбись! —
Так боксёр беседовал со мной. —
В ближний бой не лезь, работай в корпус:
Помни, что коронный твой — прямой».

Честь короны шахматной на карте!
Он от пораженья не уйдёт!
Мы сыграли с Талем десять партий —
В преферанс, в очко и на бильярде, —
Таль сказал: «Такой не подведет!»

Будет тихо всё и глухо.
А на всякий там цейтнот
Существует сила духа
И красивый аперкот.

И в буфете для других закрытом
Повар успокоил: «Не робей!
Да с таким прекрасным аппетитом
Ты проглотишь всех его коней!

Ты присядь перед дорогой дальней
И бери с питанием рюкзак.
На двоих готовь пирог пасхальный —
Этот Шифер хоть и гениальный,
А небось покушать не дурак!»

Ох мы крепкие орешки!
Мы корону привезем.
Спать ложимся вроде — пешки,
Просыпаемся ферзём.

2. ИГРА

Только прилетели — сразу сели.
Фишки все заранее стоят.
Фоторепортёры налетели —
И слепят, и с толку сбить хотят.

Но меня и дома — кто положит?
Репортёрам с ног меня не сбить!
Мне же неумение поможет —
Этот Шифер ни за что не сможет
Угадать, чем буду я ходить.

Выпало ходить ему, задире.
Говорят, он белыми мастак.
Сделал ход с е2 на е4 —
Что-то мне знакомое, так-так!

Ход за мной. Что делать — надо, Сева!
Наугад, как ночью по тайге.
Помню: всех главнее королева,
Ходит взад-вперед и вправо-влево.
Ну а кони — только буквой «Г».

Эх, спасибо заводскому другу —
Научил, как ходят, как сдают.
Выяснилось позже — я с испугу
Разыграл классический дебют.

Всё слежу, чтоб не было промашки,
Вспоминаю повара в тоске.
Эх! Сменить бы пешки на рюмашки —
Живо б прояснилось на доске!

Вижу — он нацеливает вилку,
Хочет есть. И я бы съел ферзя.
Под такой бы закусь — да бутылку!
Но во время матча пить нельзя.

Я голодный — посудите сами:
Здесь у них лишь кофе да омлет.
Клетки как круги перед глазами.
Королей я путаю с тузами
И с дебютом путаю дуплет.

Есть примета, вот я и рискую:
В первый раз всегда должно везти.
Я его замучу, зашахую —
Мне бы только дамку провести!

Не мычу, не телюсь. Весь как вата.
Надо что-то бить — уже пора.
Чем же бить? Ладьёю — страшновато,
Справа в челюсть — вроде рановато,
Неудобно — первая игра.

Он мою защиту разрушает —
Старую, индийскую — в момент!
Это смутно мне напоминает
Индо-пакистанский инцидент.

Только зря он шутит с нашим братом —
У меня есть мера, даже две.
Если он меня прикончит матом,
Я его — через бедро с захватом
Или ход конём по голове.

Я ещё чуток добавил прыти —
Всё не так уж сумрачно вблизи.
В мире шахмат пешка может выйти —
Если тренируется — в ферзи!

Шифер стал на хитрости пускаться —
Встанет, пробежится — и назад.
Предложил турами поменяться —
Ну, еще б меня не опасаться!—
Я же лёжа жму сто пятьдесят!

Я его фигурку смерил оком,
И когда он объявил мне шах,
Обнажил я бицепс ненароком,
Даже снял для верности пиджак.

И мгновенно в зале стало тише.
Он заметил, что я привстаю,
Видно, ему стало не до фишек,
И хвалёный пресловутый Фишер
Тут же согласился на ничью!

[1971]

* * *

Так дымно, что в зеркале нет отраженья
И даже напротив не видно лица.
И пары успели устать от круженья.
И всё-таки я допою до конца.

    Все нужные ноты давно сыграли.
    Сгорело, погасло вино в бокале.
    Минутный порыв говорить — пропал.
    И лучше мне молча допить бокал.

Полгода не балует солнцем погода.
И души застыли под коркою льда.
И, видно, напрасно я жду ледохода.
И память не в силах согреть в холода.

    Все нужные ноты давно сыграли.
    Сгорело, погасло вино в бокале.
    Минутный порыв говорить — пропал.
    И лучше мне молча допить бокал.

В оркестре играют устало, сбиваясь!
Смыкается круг, не порвать мне кольца!
Спокойно! Мне нужно уйти, улыбаясь.
И всё-таки я подожду до конца.

    Все нужные ноты давно сыграли.
    Сгорело, погасло вино в бокале.
    Тусклей, равнодушней оскал зеркал.
    Нет! Лучше мне просто разбить бокал.

[1971]

* * *

Я все вопросы освещу сполна,
Дам любопытству удовлетворенье.
Да! У меня француженка жена,
Но русского она происхожденья.
Нет! У меня сейчас любовниц нет.
А будут ли? Пока что не намерен.
Не пью примерно около двух лет.
Запью ли вновь? Не знаю, не уверен.

    Да нет! Живу не возле «Сокола»,
    В Париж пока что не проник...
    Да что вы всё вокруг да около!
    Да спрашивайте напрямик!

Я все вопросы освещу сполна,
Как на духу — попу в исповедальне.
В блокноты ваши капает слюна —
Вопросы будут, видимо, о спальне?
Да, так и есть! Вот густо покраснел
Интервьюер: «Вы изменяли жёнам?» —
Как будто за портьеру подсмотрел
Иль под кровать залёг с магнитофоном.

    Да нет! Живу не возле «Сокола»,
    В Париж пока что не проник...
    Да что вы всё вокруг да около!
    Да спрашивайте напрямик!

Теперь я к основному перейду.
Один, стоявший скромно в уголочке,
Спросил: — А что имели вы в виду
В такой-то песне и такой-то строчке? —
Ответ: — Во мне Эзоп не воскресал.
В кармане фиги нет, не суетитесь!
А что имел в виду, то написал.
Вот, вывернул карманы — убедитесь!

    Да нет! Живу не возле «Сокола»
    В Париж пока что не проник...
    Да что вы всё вокруг да около!
    Да спрашивайте напрямик!

[1971]

* * *

Зарыты в нашу память на века
И даты, и события, и лица.
А память, как колодец, глубока.
Попробуй заглянуть — наверняка
Лицо — и то неясно отразится.

Разглядеть, что истинно, что ложно,
Может только беспристрастный суд.
Осторожно с прошлым, осторожно,—
Не разбейте глиняный сосуд.

Одни его лениво ворошат,
Другие — неохотно вспоминают,
А третьи даже помнить не хотят,—
И прошлое лежит, как старый клад,
Который никогда не раскопают.

И поток годов унёс с границы
Стрелки — указатели пути.
Очень просто в прошлом заблудиться
И назад дороги не найти.

С налёта не вини — повремени!
Есть у людей на всё свои причины.
Не скрыть, а позабыть хотят они:
Ведь в толще лет ещё лежат в тени
Забытые заржавленные мины.

В минном поле прошлого копаться
Лучше без ошибок, потому,
Что на минном поле ошибаться...
Нет! Не удавалось никому.

Один толчок — и стрелки побегут,
А нервы у людей не из каната,
И будет взрыв, и перетрётся жгут...
Ах, если люди вовремя найдут
И извлекут до взрыва детонатор!

Спит Земля спокойно под цветами,
Но еще находят мины в ней.
Их берут умелыми руками
И взрывают дальше от людей.

[1971]

* * *

Так случилось — мужчины ушли,
Побросали посевы до срока.
Вот их больше не видно из окон —
Растворились в дорожной пыли.

Вытекают из колоса зерна —
Эти слёзы несжатых полей,
И холодные ветры проворно
Потекли из щелей.

Мы вас ждём — торопите коней!
В добрый час, в добрый час, в добрый час!
Пусть попутные ветры не бьют, а ласкают вам спины.
А потом возвращайтесь скорей!
Ивы плачут по вас,
И без ваших улыбок бледнеют и сохнут рябины.

Мы в высоких живём теремах,
Хода нет никому в эти зданья —
Одиночество и ожиданье
Вместо вас поселились в домах.

Потеряла и свежесть, и прелесть
Белизна ненадетых рубах,
Даже старые песни приелись
И навязли в зубах.

Мы вас ждем — торопите коней!
В добрый час, в добрый час, в добрый час!
Пусть попутные ветры не бьют, а ласкают вам спины.
А потом возвращайтесь скорей!
Ивы плачут по вас,
И без ваших улыбок бледнеют и сохнут рябины.

Всё единою болью болит,
И звучит с каждым днем непрестанней
Вековечный надрыв причитаний
Отголоском старинных молитв.

Мы вас встретим и пеших, и конных,
Утомленных, нецелых,— любых.
Только б не пустота похоронных,
Не предчувствие их.

Мы вас ждем — торопите коней!
В добрый час, в добрый час, в добрый час!
Пусть попутные ветры не бьют, а ласкают вам спины.
А потом возвращайтесь скорей!
Ибо плачут по вас
И без ваших улыбок бледнеют и сохнут рябины.

[1971]

О МОЁМ СТАРШИНЕ

Я помню райвоенкомат:
«В десант не годен. Так-то, брат!
Таким, как ты, там невпротык»,— и дальше смех,—
 Мол, из тебя какой солдат?
 Тебя хоть сразу в медсанбат.
 А из меня такой солдат, как изо всех.

А на войне как на войне.
А мне и вовсе — мне вдвойне,
Присохла к телу гимнастёрка на спине.
 Я отставал, сбоил в строю,
 Но как-то раз в одном бою,
 Не знаю чем, я приглянулся старшине.

Шумит окопная братва:
«Студент! А сколько — дважды два?
Эй, холостой, а правда, графом был Толстой?
 А кто у Гоголя жена?»
 Но тут встревал мой старшина:
 «Иди поспи, ты не святой, а утром бой».

И только раз, когда я встал
Под пули в рост, он закричал:
«Ложись!» — и дальше пару слов без падежей,—
 К чему, мол, дырка в голове?
 И вдруг спросил: «А что, в Москве
 Неужто вправду есть дома в пять этажей?»

Над нами шквал — он застонал,
И в нём осколок остывал.
И на вопрос его ответить я не смог.
 Он в землю лёг за пять шагов,
 За пять ночей и зá пять снов —
 Лицом на Запад и ногами на Восток.

[1971]

РАЗВЕДКА БОЕМ

Я стою, стою спиною к строю.
Только добровольцы — шаг вперёд.
Нужно провести разведку боем.
Для чего — да кто ж там разберёт.

    Кто со мной, с кем идти?
    Так — Борисов, так — Леонов,
    И еще один тип
    Из второго батальона.

Мы ползём, к ромашкам припадая.
Ну-ка, старшина, не отставай!
Ведь на фронте два передних края —
Наш, а вот он — их передний край.

    Кто со мной, с кем идти?
    Так — Борисов, здесь Леонов,
    И ещё этот тип
    Из второго батальона.

Проволоку грызли без опаски.
Ночь. Туман. И не видать ни зги.
В двадцати шагах чужие каски
С той же целью — защитить мозги.

    Кто со мной, с кем идти?
    Здесь Борисов, здесь Леонов.
    Ох, ещё этот тип
    Из второго батальона!..

Скоро будет «Надя с шоколадом»:
В шесть они подавят нас огнём.
Хорошо! Нам этого и надо.
С богом! Потихонечку начнём.

    Ну! Кому пофартит?
    Вот — Борисов, вот — Леонов.
    Да! Ещё этот тип
    Из второго батальона.

Я ай Виктора бросил
И кривого Славку
Об одно её просил –
Отпусти удавку!

Как заарканенный
Рядом приставленный
Трижды раненый
Дважды представленный

стою единою и строго
Я стою ~~единою~~ ~~перед~~ ~~строй~~
Только добровольцы – шаг вперёд
Нужно провести разведку боем
Для чего? А кто там разберёт?

Кто со мной? С кем идти
так Борисов, ~~командир~~ так, Леонов
И ещё – этот тип
Из второго батальона!

к ромашным пригадая
Мы ползём, ~~к~~ ~~роще~~ ромашки пахучие
Слышишь ты, сержант, не отставай
Ведь ~~на~~ фронте два передних края
Наш и сразу их передний край

Проволоку грызли без опаски
Ночь
~~Дымы~~ туман и не видать ни зги
В двадцати шагах чужие каски
с той же целью – защитить мозги
ну! Кому подфартит
Скоро будет надя с шоколадом
~~до обидного~~
~~Огнём они подавят на~~ В Б они подавят нас огнём
Хорошо, нам этого и надо
С богом! помаленечку начнём!
ну! Кому подфартит

~~Только дневи у~~
диски поменять не успеваю
Дзот накрыт и рассекречен дот
Этот тип, которого не знаю
Вроде хорошо себя ведёт
кто со мной, ~~нет~~ кто затих

Пулю для себя не оставляю!
Всё нормально, рассекречен дзот.
Этот тип, которого не знаю,
Очень хорошо себя ведёт.

С кем обратно ползти?
Где Борисов? Где Леонов?
Правда, жив этот тип
Из второго батальона.

На НП, наверное, в восторге,
Но фуражки сняли из-за нас.
Правильно, считай, что двое в морге,
Двое остаются про запас.

С кем ещё раз идти?
Где Борисов? Где Леонов?
Ранен в голову тип
Из второго батальона.

Я стою спокойно перед строем.
В этот раз стою к нему лицом.
Кажется, чего-то удостоен,
Награждён и назван молодцом.

С кем в другой раз идти?
Где Борисов, где Леонов?
И парнишка затих
Из второго батальона.

[1971]

ЧЁРНЫЕ БУШЛАТЫ

Евпаторийскому десанту

За нашей спиною
 остались
  паденья,
   закаты.
Ну, хоть бы ничтожный,
 ну, хоть бы
  невидимый
   взлёт!
Мне хочется верить,
 что чёрные
  наши
   бушлаты
Дадут нам возможность
 сегодня
  увидеть
   восход.
Сегодня на людях
 сказали:
  «Умрите
   геройски!»
Попробуем — ладно!
 Увидим,
  какой
   оборот.
Я только подумал,
 чужие
  куря
   папироски:
«Тут кто как сумеет,—
 мне важно
  увидеть
   восход».
Особая рота —
 особый
  почёт
   для сапёра.

Не прыгайте с финкой
    на спину
        мою
            из ветвей,
Напрасно стараться,—
    я и
        с перерезанным
            горлом
Сегодня увижу
    восход
        до развязки
            своей.
Прошли по тылам мы,
    держась,
        чтоб не резать их
            сонных,
И тут я заметил,
    когда
        прокусили
            проход,—
Еще несмышлёный,
    зелёный,
        но чуткий
            подсолнух
Уже повернулся
    верхушкой
        своей
            на восход.
За нашей спиною
    в 6.30
        остались —
            я знаю,—
Не только паденья,
    закаты,
        но взлёт
        и восход.
Два провода голых,
    зубами
        скрипя,
            зачищаю,—
Восхода не видел,
    но понял:
        вот-вот —
          и взойдёт.

...Уходит обратно
    на нас
        поредевшая
          рота.
Что было — неважно,
    а важен
        лишь взорванный
          форт.
Мне хочется верить,
    что грубая
        наша
          работа
Вам дарит возможность
    беспошлинно
        видеть
          восход.

[1972]

МЫ ВРАЩАЕМ ЗЕМЛЮ

От границы мы Землю вертели назад —
Было дело сначала.
Но обратно её закрутил наш комбат,
Оттолкнувшись ногой от Урала.

  Наконец-то нам дали приказ наступать,
  Отбирать наши пяди и крохи,
  Но мы помним, как солнце отправилось вспять
  И едва не зашло на Востоке.

    Мы не меряем Землю шагами,
    Понапрасну цветы теребя,
    Мы толкаем её сапогами —
    От себя! От себя.

И от ветра с Востока пригнулись стога,
Жмётся к скалам отара.
Ось земную мы сдвинули без рычага,
Изменив направленье удара.

  Не пугайтесь, когда не на месте закат.
  Судный день — это сказки для старших.
  Просто Землю вращают, куда захотят,
  Наши сменные роты на марше.

    Мы ползём, бугорки обнимаем,
    Кочки тискаем зло, не любя,
    И коленями Землю толкаем —
    От себя! От себя.

Не отыщет средь нас и Особый отдел
Руки кверху поднявших.
Всем живым — ощутимая польза от тел:
Как прикрытье используем павших.

  Этот глупый свинец всех ли сразу найдёт,
  Где настигнет — в упор или с тыла?
  Кто-то там впереди навалился на дот —
  И Земля на мгновенье застыла.

Я ступни свои сзади оставил,
Мимоходом по мёртвым скорбя,
Шар земной я вращаю локтями —
На себя! На себя.

Кто-то встал в полный рост и, отвесив поклон,
Принял пулю на вдохе,
Но на Запад, на Запад ползёт батальон,
Чтобы Солнце взошло на Востоке.

Животом — по грязи́, дышим смрадом болот,
Но глаза закрываем на запах.
Нынче по́ небу солнце нормально идёт,
Потому что мы рвёмся на Запад!

Руки, ноги — на месте ли? Нет ли?
Как на свадьбе росу пригубя,
Землю тянем зубами за стебли —
На себя! На себя!

[1972]

* * *

Я полмира почти через злые бои
Прошагал и прополз с батальоном,
А обратно меня за заслуги мои
Санитарным везли эшелоном.

Подвезли на родимый порог,
На полуторке к самому дому.
Я стоял — и немел, а над крышей дымок
Подымался не так — по-другому.

Окна словно боялись в глаза мне взглянуть.
И хозяйка не рада солдату —
Не припала в слезах на могучую грудь,
А руками всплеснула — и в хату.

И залаяли псы на цепях.
Я шагнул в полутёмные сени,
За чужое за что-то запнулся в сенях,
Дверь рванул — подкосились колени.

Там сидел за столом, да на месте моём,
Неприветливый новый хозяин.
И фуфайка на нём, и хозяйка при нём,
Потому я и псами облаян.

Это значит, пока под огнём
Я спешил, ни минуты не весел,
Он все вещи в дому переставил моём
И по-своему всё перевесил.

Мы ходили под богом — под богом войны,
Артиллерия нас накрывала,
Но смертельная пуля нашла со спины
И изменою в сердце застряла.

Я себя в пояснице согнул,
Силу-волю позвал на подмогу:
«Извините, товарищи, что завернул
По ошибке к чужому порогу».

194

Дескать, мир да любовь вам, да хлеба на стол,
Чтоб согласье по дому ходило,
Ну, а он даже ухом в ответ не повёл,
Вроде так и положено было.

Зашатался некрашеный пол,
Я не хлопнул дверьми, как когда-то.
Только окна раскрылись, когда я ушёл,
И взглянули мне вслед виновато.

[1972]

* * *

Как по Волге-матушке, по реке-кормилице,
Всё суда с товарами, струги да ладьи.
И не надорвалася, и не притомилася —
Ноша не тяжёлая, корабли свои.

Вниз по Волге плавая,
Прохожу пороги я
И гляжу на правые
Берега пологие.

Там камыш шевелится,
Поперёк ломается,
Справа берег стелется,
Слева — поднимается.

Волга песни слышала хлеще, чем «Дубинушка»,
В ней вода исхлёстана пулями врагов.
И плыла по матушке наша кровь-кровинушка,
Стыла бурой пеною возле берегов.

Долго в воды пресные
Лили слёзы строгие
Берега отвесные,
Берега пологие,

Плакали, измызганы
Острыми подковами,
Но теперь зализаны
Злые раны волнами.

Что-то с вами сделалось, города старинные?
Там, где стены древние, церкви да кремли,
Словно пробудилися молодцы былинные
И, числом несметные, встали из земли.

196

Лапами грабастая,
Корабли стараются,
Тянут баржи с Каспия,
Тянут, надрываются,

Тянут, не оглянутся,
И на вёрсты многие
За крутыми тянутся
Берега пологие.

[1972]

БЕДА

Я несла свою Беду
По весеннему по льду.
Обломился лёд — душа оборвáлася,
Камнем под воду пошла,
А Беда, хоть тяжела,—
А за острые края задержалася.

И Беда с того вот дня
Ищет пó свету меня.
Слухи ходят вместе с ней с Кривотолками.
А что я не умерла,
Знала голая ветла
Да ещё перепела с перепёлками.

Кто ж из них сказал ему,
Господину моему,—
Только выдали меня, проболталися.
И от страсти сам не свой
Он отправился за мной,
А за ним — Беда с Молвой увязалися.

Он настиг меня, догнал,
Обнял, на руки поднял,
Рядом с ним в седле Беда ухмылялася...
Но остаться он не мог —
Был всего один денёк,
А Беда на вечный срок задержалася.

[1972]

* * *

Проделав брешь в затишьи,
Весна идет в штыки,
И высунули крыши
Из снега языки.
Голодная до драки,
Оскалилась весна,—
Как с языка собаки,
Стекает с крыш слюна.

Весенние армии жаждут успеха,
Всё ясно, и стрелы на карте прямы,
И воины в лёгких небесных доспехах
Врубаются в белые рати зимы.

Но рано веселиться!
Сам зимний генерал
Никак своих позиций
Без боя не сдавал.
Тайком под белым флагом
Он собирал войска,
И вдруг ударил с фланга
Мороз исподтишка.

И битва идет с переменным успехом:
Где — свет и ручьи, где — позёмка и мгла.
И воины в легких небесных доспехах
С потерями вышли назад из котла.

Морозу удирать бы,
А он впадает в раж.
Играет с вьюгой свадьбу —
Не свадьбу, а шабаш.
Окно скрипит фрамугой —
То ветер перебрал.
Но он напрасно с вьюгой
Победу пировал.

А в зимнем тылу говорят об успехах,
И наглые сводки приходят из тьмы,
Но воины в легких небесных доспехах
Врубаются клиньями в царство зимы.

Откуда что берется,—
Сжимается без слов
Рука тепла и солнца
На горле холодов.
Не совершиться чуду —
Снег виден лишь в тылах.
Войска зимы повсюду
Бросают белый флаг.

И дальше на север идет наступленье,
Запела вода, пробуждаясь от сна.
Весна неизбежна, ну, как обновленье,
И необходима, как просто весна.

Кто сладко жил в морозы —
Тот ждёт и точит зуб
И проливает слезы
Из водосточных труб.
Но только грош им, нищим,
В базарный день цена —
На эту землю свыше
Ниспослана весна.

Два слова войскам — несмотря на успехи,
Не прячьте в чулан или старый комод
Небесные легкие ваши доспехи,—
Они пригодятся ещё через год.

[1972]

БЕЛОЕ БЕЗМОЛВИЕ

Все года и века и эпохи подряд
Всё стремится к теплу от морозов и вьюг.
Почему ж эти птицы на север летят,
Если птицам положено только на юг?

Слава им не нужна и величие.
Вот под крыльями кончится лед,
И найдут они счастие птичее,
Как награду за дерзкий полет.

Что же нам не жилось, что же нам не спалось?
Что нас выгнало в путь по высокой волне?
Нам сиянья пока наблюдать не пришлось.
Это редко бывает — сиянья в цене!

Тишина. Только чайки — как молнии.
Пустотой мы их кормим из рук.
Но наградою нам за безмолвие
Обязательно будет звук.

Как давно снятся нам только белые сны,
Все иные оттенки снега замели.
Мы ослепли давно от такой белизны,
Но прозреем от черной полоски земли.

Наше горло отпустит молчание,
Наша слабость растает как тень.
И наградой за ночи отчаянья
Будет вечный полярный день.

Север, воля, надежда,— страна без границ,
Снег без грязи, как долгая жизнь без вранья.
Вороньё нам не выклюет глаз из глазниц,
Потому что не водится здесь воронья.

Кто не верил в дурные пророчества,
В снег не лег ни на миг отдохнуть,
Тем наградою за одиночество
Должен встретиться кто-нибудь.

[1972]

* * *

В заповеднике, вот в каком — забыл,
Жил да был Козёл — ро́ги длинные.
Хоть с волками жил — не по-волчьи выл,
Блеял песенки всё козлиные.

И пощипывал он травку, и нагуливал бока,
Не услышишь от него худого слова.
Толку было с него, правда,— как с козла молока,
Но вреда, однако, тоже никакого.

Жил на выпасе, возле о́зерка,
Не вторгаясь в чужие владения,
Но заметили скромного козлика
И избрали в козлы отпущения.

Например, Медведь, баламут и плут,
Обхамит кого-нибудь по-медвежьему,—
Враз Козла найдут, приведут и бьют
По рогам ему, и промеж ему.

Не противился он, серенький, насилию со злом,
А сносил побои весело и гордо.
Сам Медведь сказал: — Ребята, я горжусь Козлом!
Героическая личность козья морда!

Берегли Козла, как наследника.
Вышло даже в лесу запрещение
С территории заповедника
Отпускать Козла отпущения.

А Козёл себе всё скакал козлом,
Но пошаливать он стал втихомолочку:
Как-то бороду завязал узлом,
Из кустов назвал Волка сволочью.

И когда очередное отпущенье получал,—
Всё за то, что волки лишку откусили,—
Он, как будто бы случайно, по-медвежьи зарычал,
Но внимания тогда не обратили.

202

Пока хищники меж собой дрались,
В заповеднике крепло мнение,
Что дороже всех медведей и лис —
Дорогой Козёл отпущения.

Услыхал Козёл, да и стал таков:
— Эй, вы, бурые,— кричит,— светло-пегие!
Отниму у вас рацион волков
И медвежие привилегии!

Покажу вам козью морду настоящую в лесу!
Распишу туда-сюда по трафарету!
Всех на ро́ги намотаю и по кочкам разнесу,
И ославлю по всему по белу свету!

Не один из вас будет землю жрать,
Все подохнете без прощения!
Отпускать грехи кому — это мне решать,
Это я — Козёл отпущения!

В заповеднике, вот в каком — забыл,
Правит бал Козёл не по-прежнему.
Он с волками жил и по-волчьи взвыл,
И рычит теперь по-медвежьему.

А козлятушки-ребятки засучили рукава
И пошли шерстить волчишек в пух и в клочья.
А чего теперь стесняться, если их глава
От лесного Льва имеет полномочья!

Ощутил он вдруг остроту рогов
И козлиное вдохновение —
Росомах и лис, медведей, волков
Превратил в козлов отпущения.

[1972]

* * *

Проложите, проложите
    Хоть тоннель по дну реки
И без страха приходите
    На вино и шашлыки,

И гитару приносите,
    Подтянув на ней колки.
Но не забудьте, затупите
    Ваши острые клыки!

А когда сообразите —
    Все пути приводят в Рим —
Вот тогда и приходите,
    Вот тогда поговорим.

Нож забросьте, камень выньте
    Из-за пазухи своей,
Перебросьте, перекиньте
    Вы хоть жердь через ручей!

За посев ли, за покос ли
    Надо взяться — поспешать!
А прохлопав, сами после
    Локти будете кусать.

Сами будете не рады,
    Утром вставши — вот те раз! —
Все мосты через преграды
    Переброшены без нас.

Так проложите, проложите
    Хоть тоннель по дну реки!
Но не забудьте, затупите
    Ваши острые клыки.

[1972]

204

КРУГОМ ПЯТЬСОТ

Я вышел ростом и лицом —
Спасибо матери с отцом.
С людьми в ладу — не понукал, не помыкал.
Спины не гнул — прямым ходил,
И в ус не дул, и жил как жил,
И голове своей руками помогал.

Но был донос и был навет.
Кругом пятьсот — и наших нет.
Был кабинет с табличкой «Время уважай!».
Там прямо бéз соли едят,
Там штемпель ставят наугад,
Кладут в конверт и посылают за Можай.

Потом — зачёт, потом — домой
С семью годами за спиной.
Висят года на мне — ни бросить, ни продать.
Но на начальника попал,
Который бойко вербовал,—
И за Урал машины стал перегонять.

Дорога, а в дороге «МАЗ»,
Который по уши увяз.
В кабине тьма, напарник третий час молчит.
Хоть бы кричал, аж зло берёт —
Назад пятьсот, пятьсот вперёд,—
А он зубами «Танец с саблями» стучит.

Мы оба знали про маршрут,
Что этот «МАЗ» на стройке ждут.
А наше дело — сел, поехал, ночь-полнóчь!
И надо ж так — под Новый год
Назад пятьсот, пятьсот вперёд,
Сигналим — зря: пурга и некому помочь.

— Глуши мотор,— он говорит,—
Пусть этот «МАЗ» огнём горит.
Мол, видишь сам,— тут больше нечего ловить,

Куда ни глянь — кругом пятьсот,
И к ночи точно занесёт,
Так заровняет, что не надо хоронить!

Я отвечаю: — Не канючь!
А он — за гаечный за ключ
И волком смотрит, он вообще бывает крут.
А что ему — кругом пятьсот,
И кто кого переживёт,
Тот и докажет, кто был прав, когда припрут.

Он был мне больше чем родня,—
Он ел с ладони у меня,
А тут глядит в глаза — и холодно спине.
И понял я — кругом пятьсот,
И кто там после разберет,
Что он забыл, кто я ему и кто он мне.

И он ушел куда-то вбок,
Я отпустил, а сам прилёг.
Мне снился сон про наш весёлый наворот,
Что будто вновь кругом пятьсот,
Ищу я выход из ворот,
Но нет его, есть только вход — и то не тот.

Конец простой — пришёл тягач,
И там был трос, и там был врач,
И «МАЗ» попал, куда положено ему.
И он пришёл — трясётся весь,
А тут опять далёкий рейс.
Я зла не помню, я опять его возьму.

[1972]

БАЛЛАДА О ГИПСЕ

Всеволоду Абдулову

Нет острых ощущений. Всё — старьё, гнильё и хлам.
Того гляди, с тоски сыграю в ящик.
Балкон бы, что ли, сверху, иль автобус пополам —
Вот это боле-мене подходяще.

    Повезло! Наконец, повезло!
    Видел бог, что дошёл я до точки.
    Самосвал в тридцать тысяч кило
    Мне скелет раздробил на кусочки.

И лежу я на спине,
            загипсованный.
Каждый член у мене —
            расфасованный.
По отдельности до исправности
Всё будет в цельности
            и в сохранности.

Жаль, был коротким миг, когда наехал грузовик,
Потом я год в беспамятстве валялся,
И в новых интересных ощущениях своих
Я, к сожаленью, слабо разобрался.

    Всё отдельно — спасибо врачам,
    Всё подвязано к разным канатам,
    И, клянусь, иногда по ночам
    Ощущаю себя космонавтом.

И лежу я на спине,
            загипсованный.
Каждый член у мене —
            расфасованный.
По отдельности до исправности
Всё будет в цельности
            и в сохранности.

Эх, жаль, что не роняли вам на череп утюгов.
Скорблю о вас — как мало вы успели!
Ах, это просто прелесть — сотрясение мозгов,
Да это ж наслажденье — гипс на теле!

      Как броня на груди у меня.
      На руках моих — крепкие латы.
      Так и хочется крикнуть: — Коня мне! Коня! —
      И верхом ускакать из палаты.

Но лежу я на спине,
            загипсованный.
Каждый член у мене —
            расфасованный.
По отдельности до исправности
Всё будет в цельности
            и в сохранности.

Задавлены все чувства, лишь для боли нет преград.
Ну, что ж, мы часто сами чувство губим.
Зато я как ребёнок, весь спелёнутый до пят
И окружённый человеколюбьем.

      Под влияньем сестрички ночной
      Я любовию к людям проникся.
      И клянусь, до доски гробовой
      Я б остался невольником гипса.

Вот лежу я на спине,
            загипсованный.
Каждый член у мене —
            расфасованный.
По отдельности до исправности
Всё будет в цельности
            и в сохранности.

Вот хорошо б ещё, чтоб мне не видеть прежних снов,—
Они как острый нож для инвалида.
Во сне я рвусь наружу из-под гипсовых оков,
Мне снятся драки, рифмы и коррида...

      Ох, надёжна ты, гипса броня,
      От того, кто намерен кусаться!
      Лишь одно угнетает меня —
      Что никак не могу почесаться,

Что вот лежу я на спине,
                    загипсованный.
Каждый член у мене —
                    расфасованный.
По отдельности до исправности
Всё будет в цельности
                    и в сохранности.

Вот я давно здоров, но не намерен гипс снимать.
Пусть руки стали чем-то вроде бивней,
Пусть ноги истончали,— мне на это наплевать! —
Зато кажусь значительней, массивней.

Я под гипсом хожу ходуном,
Наступаю на пятки прохожим.
Мне удобней казаться слоном
И себя ощущать толстокожим.

И по жизни я иду
                    загипсованный.
Каждый член у меня —
                    расфасованный.
По отдельности до исправности
Всё будет в цельности
                    и в сохранности.

[1972]

БАЛЛАДА О БРОШЕННОМ КОРАБЛЕ

Капитана в тот день называли на «ты»,
Шкипер с юнгой сравнялись в талантах.
Распрямляя хребты и срывая бинты,
Бесновались матросы на вантах.

    Двери наших мозгов посрывало с петель
    В миражи берегов, в покрывала земель —
    Этих обетованных, желанных,
    И колумбовых, и магелланных!

        Только мне берегов не видать и земель —
        С хода в девять узлов сел по горло на мель.
        А у всех молодцов — благородная цель...
        И в конце-то концов — я ведь сам сел на мель.

И ушли корабли — мои братья, мой флот.
Кто чувствительней — брызги сглотнули.
Без меня продолжался великий поход,
На меня ж парусами махнули.

    И погоду, и случай безбожно кляня,
    Мои пасынки кучей бросали меня.
    Вот со шлюпок два залпа — и ладно!
    От Колумба и от Магеллана.

        Я пью пену — волна не доходит до рта.
        И от палуб до дна обнажились борта.
        А бока мои грязны — таи не таи —
        Так любуйтесь на язвы и раны мои!

Вот дыра у ребра — это след от ядра,
Вот рубцы от тарана, и даже
Видно шрамы от крючьев — какой-то пират
Мне хребет перебил в абордаже.

    Киль — как старый неровный гитаровый гриф.
    Это брюхо вспорол мне коралловый риф.
    Задыхаюсь, гнию — так бывает:
    И просоленное загнивает.

Ветры кровь мою пьют и сквозь щели снуют
Прямо с бака на ют, меня ветры добьют.
Я под ними стою от утра до утра,
Гвозди в душу мою забивают ветра.

И гулякой шальным всё швыряют вверх дном
Эти ветры — незваные гости.
Захлебнуться бы им в моих трюмах вином
Или с мели сорвать меня в злости!

Я уверовал в это, как загнанный зверь,
Но не злобные ветры нужны мне теперь!
Мои мачты — как дряблые руки,
Паруса — словно груди старухи.

Будет чудо восьмое! И добрый прибой
Моё тело омоет живою водой.
Море — божья роса — с меня снимет табу,
Вздует мне паруса, будто жилы на лбу.

Догоню я своих, догоню — и прощу
Позабывшую помнить армаду.
И команду свою я обратно пущу —
Я ведь зла не держу на команду.

Только, кажется, нет больше места в строю.
Плохо шутишь, корвет! Потеснись — раскрою!
Как же так — я ваш брат! Я ушел от беды!
Полевее, фрегат, всем нам хватит воды!

До чего ж вы дошли? Значит, что — мне уйти?
Если был на мели — дальше нету пути?
Разомкните ряды, всё же мы — корабли,
Всем нам хватит воды, всем нам хватит земли —
Этой обетованной, желанной,
И колумбовой, и магелланной...

[1972]

ЗАПОВЕДНИК

Бегают по́ лесу стаи зверей,
Не за добычей, не на водопой —
Денно и нощно они егерей
Ищут весёлой толпой.

Звери, забыв вековечные страхи,
С твердою верой, что всё по плечу,
Шкуры рванув на груди, как рубахи,
Падают навзничь: бери — не хочу!

Сколько их в кущах — столько их в чащах,
Рёвом ревущих, рыком рычащих.
Сколько бегущих — столько лежащих
В дебрях и кущах, в рощах и чащах.

Рыбы пошли косяком против волн —
Черпай руками, иди по ним вброд!
Столько желающих прямо на стол,
Сразу на блюдо — и в рот.

Рыба не мясо — она хладнокровней:
В сеть норовит, на крючок, в невода.
Рыба погреться желает в жаровне, —
Море по жабры, вода — не вода.

Сколько их в кущах — столько их в чащах,
Скопом плывущих, кишмя кишащих,
Друг друга жрущих, тучных и тощих
В дебрях и кущах, в чащах и рощах.

Птица на дробь устремляет полёт,
Птица на выдумки стала хитра:
Чтобы им яблоки всунуть в живот —
Гуси не ели с утра.

Сильная птица сама на охоте
Хилым собратьям кричит: — Сторонись! —
Жизнь прекращает в зените, на взлёте,
Даже без выстрела падая вниз.

212

Сколько их в кущах — столько их в чащах,
Выстрела ждущих, в силки летящих.
Сколько плывущих — столько парящих
В дебрях и кущах, в рощах и чащах.

Шкуры не хочет пушнина носить,
Так и стремится в капкан и в загон.
Чтобы людей приодеть, утеплить,
Рвётся из кожи вон.

В ваши силки — призадумайтесь, люди! —
Прут добровольно в отменных мехах
Тысячи сот в иностранной валюте,
Тысячи тысячей в наших деньгах.

Сколько их в кущах — столько их в чащах,
Дань отдающих, даром дарящих,
Шкур настоящих, нежных и прочных
В дебрях и чащах, в кущах и рощах.
В сумрачных чащах, дебрях и кущах
Сколько рычащих — столько ревущих,
Сколько пасущихся — столько кишащих,
Мечущих, рвущихся, живородящих,
Серых, обычных, в перьях нарядных,
Сколько их, хищных и травоядных,
Шерстью линяющих, шкуру меняющих,
Блеющих, лающих млекопитающих.
Сколько летящих, бегущих, ползущих —
Столько непьющих в рощах и кущах,
И некурящих в дебрях и чащах!
И пресмыкающихся, и парящих,
И подчинённых, и руководящих,
Вещих и вящих, врущих и рвущих
В дебрях и чащах, в рощах и кущах!

Шкуры не порчены, рыба — живьём,
Мясо без дроби — зубов не сломать.
Ловко, продуманно, просто, с умом,
Мирно — зачем же стрелять?

Каждому егерю — белый передник,
В руки — таблички: «Не бей! Не губи!»
Всё это вместе зовут — заповедник,
Заповедь только одна — «Не убий!».

Но... сколько в чащах, рощах и кущах
И сторожащих, и стерегущих,
И загоняющих — в меру азартных,
Плохо стреляющих и предынфарктных,
Травящих, лающих, конных и пеших,
И отдыхающих — с внешностью леших,
Сколько их — знающих и искушённых,
Не попадающих в цель,— разозлённых,
Сколько бегущих, ползущих, орущих
В дебрях и чащах, в рощах и кущах!
Сколько дрожащих, портящих шкуры,
Сколько ловящих на самодуры!
Сколько их язвенных — столько всеядных,
Сетью повязанных и кровожадных,
Полных и тучных, тощих, ледащих
В рощах и кущах, в дебрях и чащах!

[1972]

* * *

Я весь в свету, доступен всем глазам.
Я приступил к привычной процедуре.
Я к микрофону встал, как к образам.
Нет! Нет! Сегодня — точно к амбразуре.

И микрофону я не по нутру.
Да! Голос мой любому опостылит.
Уверен, если где-то я совру —
Он ложь мою безжалостно усилит.

       Бьют лучи от рампы мне под рёбра,
       Светят фонари в лицо недобро,
       И слепят с боков прожектора,
          И жара, жара...

Он, бестия, потоньше острия.
Слух безотказен, слышит фальшь до йоты.
Ему плевать, что не в ударе я,
Но пусть я верно выпеваю ноты.

Сегодня я особенно хриплю,
Но изменить тональность не рискую.
Ведь если я душою покривлю —
Он ни за что не выпрямит кривую.

       Бьют лучи от рампы мне под ребра,
       Светят фонари в лицо недобро,
       И слепят с боков прожектора,
          И жара, жара...

На шее гибкой этот микрофон
Своей змеиной головою вертит.
Лишь только замолчу — ужалит он.
Я должен петь до одури, до смерти.

Не шевелись, не двигайся, не смей!
Я видел жало — ты змея, я знаю!
А я сегодня заклинатель змей,
Я не пою — я кобру заклинаю!

Бьют лучи от рампы мне под рёбра,
Светят фонари в лицо недобро,
И слепят с боков прожектора,
И жара, жара...

Прожорлив он, и с жадностью птенца
Он изо рта выхватывает звуки.
Он в лоб мне влепит девять грамм свинца.
Рук не поднять,— гитара вяжет руки.

Опять!!! Не будет этому конца!
Чтó есть мой микрофон, кто мне ответит?
Теперь он — как лампада у лица,
Но я не свят, и микрофон не светит.

Бьют лучи от рампы мне под рёбра,
Светят фонари в лицо недобро,
И слепят с боков прожектора,
И жара, жара...

Мелодии мои попроще гамм,
Но лишь сбиваюсь с искреннего тона,
Мне сразу больно хлещет по щекам
Недвижимая тень от микрофона.

Я освещён, доступен всем глазам.
Чего мне ждать — затишья или бури?
Я к микрофону встал, как к образам.
Нет! Нет! Сегодня точно — к амбразуре.

Бьют лучи от рампы мне под рёбра,
Светят фонари в лицо недобро,
И слепят с боков прожектора,
И жара, жара...

[1972]

* * *

Прошла пора вступлений и прелюдий.
Всё хорошо, не вру, без дураков.
Меня к себе зовут большие люди,
Чтоб я им пел «Охоту на волков».

Быть может, запись слышал из окóн,
А может быть — с детьми ухи не сваришь,
Как знать? Но приобрел магнитофон
Какой- нибудь ответственный товарищ.

И, предаваясь будничной беседе
В кругу семьи, где свет торшера тускл,
Тихонько, чтоб не слышали соседи,
Он взял да и нажал на кнопку «пуск».

И там, не разобрав последних слов
(Прескверный дубль достали на работе),
Услышал он «Охоту на волков»
И кое-что ещё на обороте.

И всё прослушав до последней ноты,
И разозлясь, что слов последних нет,
Он поднял трубку: «Автора «Охоты»
Ко мне пришлите завтра в кабинет».

Я не хлебнул для храбрости винца,
И, подавляя частую икоту,
С порога от начала до конца
Я проорал ту самую «Охоту».

Его просили дети безусловно,
Чтобы была улыбка на лице.
Но он меня прослушал благосклонно
И даже аплодировал в конце.

И об стакан бутылкою звеня
С нарзаном, что извлек из книжной полки,
Он выпалил: «Да это ж про меня!
Про нас про всех! Какие к чёрту волки?!»

Ну всё,— теперь, конечно, что-то будет.
Уже три года в день по пять звонков.
Меня к себе зовут большие люди,
Чтоб я им пел «Охоту на волков».

[1972]

* * *

Мосты сгорели, углубились броды,
И тесно — видим только черепа,
И перекрыты выходы и входы,
И путь один — туда, куда толпа.

И парами коней, привыкших к цугу,
Наглядно доказав, как тесен мир,
Толпа идёт по замкнутому кругу.
И круг велик, и сбит ориентир.

Течёт
        под дождь попавшая палитра,
Врываются галопы в полонез,
Нет запахов, цветов, тонов и ритмов,
И кислород из воздуха исчез.

Ничьё безумье или вдохновенье
Круговращенье это не прервёт.

Не есть ли это вечное движенье —
Тот самый бесконечный путь вперёд?

[1972]

КОНИ ПРИВЕРЕДЛИВЫЕ

Вдоль обрыва, по-над пропастью, по самому по краю
Я коней своих нагайкою стегаю — погоняю,—
Что-то воздуху мне мало, ветер пью, туман глотаю,
Чую с гибельным восторгом — пропадаю! Пропадаю!

Чуть помедленнее, кони, чуть помедленнее!
Вы тугую не слушайте плеть!
Но что-то кони мне попались привередливые,
И дожить не успел, мне допеть не успеть.

Я коней напою,
Я куплет допою,—
Хоть немного ещё постою на краю?

Сгину я, меня пушинкой ураган сметёт с ладони,
И в санях меня галопом повлекут по снегу утром.
Вы на шаг неторопливый перейдите, мои кони!
Хоть немного, но продлите путь к последнему приюту!

Чуть помедленнее, кони, чуть помедленнее!
Не указчики вам кнут и плеть.
Но что-то кони мне попались привередливые,
И дожить я не смог, мне допеть не успеть.

Я коней напою,
Я куплет допою,—
Хоть немного ещё постою на краю?

Мы успели — в гости к богу не бывает опозданий.
Что ж там ангелы поют такими злыми голосами?
Или это колокольчик весь зашёлся от рыданий?
Или я кричу коням, чтоб не несли так быстро сани?

В. Высоцкий
(текст, музыка)

Кони привередливые

I Вдоль обрыва, по над пропастью, по самому
по краю
Я коней своих нагайкою стегаю-погоняю, —
Что-то воздуху мне мало, ветер пью,
туман глотаю,
Чую с гибельным восторгом: Пропадаю! Пропадаю!
* Чуть помедленнее, кони, чуть помедленнее!
Вы тугую не слушайте плеть!
Но что-то кони мне попались привередливые,
** И дожить не успел, мне допеть не успеть
Я коней напою
Я куплет допою
Хоть немного ещё постою на краю.

II Сгину я, меня пушинкой ураган сметёт
с ладони,
И в санях меня галопом повлекут по
снегу утром.
Вы на шаг неторопливый перейдите
мои кони!
Хоть немного, но продлите путь к последнему приюту!

III Мы успели — в гости к богу не бывает опозданий,
Что же там ангелы поют такими злыми голосами
Или это колокольчик весь зашёлся от
рыданий?
Или я кричу коням, чтоб не несли так бы-
стро сани

* Не указчики Вам кнут и плеть
* Умоляю Вас вскачь не лететь
** Коль дожить не успел, так хотя бы допеть!

Чуть помедленнее, кони, чуть помедленнее!
Умоляю вас вскачь не лететь!
Но что-то кони мне попались привередливые,
Коль дожить не успел, так хотя бы допеть!

Я коней напою,
Я куплет допою, —
Хоть мгновенье ещё постою на краю...

[1972]

КАНАТОХОДЕЦ

Он не вышел ни званьем, ни ростом.
Не за славу, не за плату,
На свой необычный манер,
Он по жизни шагал над помостом
По канату, по канату,
Натянутому, как нерв.

Посмотрите,— вот он
Без страховки идет,
Чуть левее наклон,—
Упадёт, пропадёт,
Чуть правее наклон,—
Все равно не спасти,
Но, должно быть, ему очень нужно пройти
Четыре четверти пути.

И лучи его с шага сбивали,
И кололи, словно лавры.
Труба надрывалась, как две.
Крики «браво!» его оглушали,
А литавры, а литавры —
Как обухом по голове.

Посмотрите,— вот он
Без страховки идет.
Чуть левее наклон,—
Упадёт, пропадёт,
Чуть правее наклон,—
Все равно не спасти.
Но теперь ему меньше осталось пройти —
Уже три четверти пути.

«Ах, как жутко, как смело, как мило!
Бой со смертью три минуты!»
Раскрыв в ожидании рты,
Из партера глядели уныло.
Лилипуты, лилипуты,—
Казалось ему с высоты.

Посмотрите,— вот он
    Без страховки идет.
Чуть правее наклон —
    Упадёт, пропадёт.
Чуть левее наклон —
    Все равно не спасти,
Но спокойно,— ему остаётся пройти
    Всего две четверти пути.

Он смеялся над славою бренной,
    Но хотел быть только первым.
        Такого попробуй угробь!
Не по проволоке над ареной,
    Он по нервам, нам по нервам
        Шёл под барабанную дробь.

Посмотрите,— вот он
    Без страховки идёт.
Чуть правее наклон —
    Упадёт, пропадёт.
Чуть левее наклон —
    Все равно не спасти.
Но замрите,— ему остаётся пройти
    Не больше четверти пути.

Закричал дрессировщик, и звери
    Клали лапы на носилки,
        Но прост приговор и суров.
Был растерян он или уверен —
    Но в опилки, но в опилки
        Он пролил досаду и кровь.

И сегодня другой
    Без страховки идёт.
Тонкий шнур под ногой —
    Упадёт, пропадёт.
Вправо, влево наклон —
    И его не спасти.
Но зачем-то ему тоже нужно пройти
    Четыре четверти пути.

[1972]

ЕНГИБАРОВУ — КЛОУНУ ОТ ЗРИТЕЛЕЙ

Шут был вор, он воровал минуты,
Грустные минуты тут и там.
Грим, парик, другие атрибуты
Этот шут дарил другим шутам.

В светлом цирке, между номерами,
Незаметно, тихо, налегке
Появлялся клоун между нами
В шутовском дурацком колпаке.

Зритель наш шутами избалован.
Жаждет смеха он, тряхнув мошной,
И кричит: «Да разве это клоун?
Если клоун — должен быть смешной!»

Вот и мы... Пока мы вслух ворчали:
«Вышел на арену, так смеши!» —
Он у нас тем временем печали
Вынимал тихонько из души.

Мы опять в сомненье — век двадцатый,
Цирк у нас, конечно, мировой,
Клоун, правда, слишком мрачноватый,
Невесёлый клоун, несмешной.

Ну, а он, как будто в воду канув,
Вдруг при свете, нагло, в две руки
Крал тоску из внутренних карманов
Наших душ, одетых в пиджаки.

Мы потом смеялись обалдело,
Хлопали, ладони раздробя.
Он смешного ничего не делал —
Горе наше брал он на себя.

Только, балагуря, тараторя,
Всё грустнее становился мим,
Потому что груз чужого горя
Из упрямства он считал своим.

Тяжелы печали, ощутимы...
Шут сгибался в световом кольце,
Горше становились пантомимы,
И морщины — глубже на лице.

Но тревоги наши и невзгоды
Он горстями выгребал из нас,
Нам давая видимость свободы,
А себе защиты не припас.

Мы теперь без боли хохотали,
Весело, по нашим временам:
«Ах! Как нас приятно обокрали —
Взяли то, что так мешало нам!»

Время! И, разбив себе колени,
Уходил он, думая своё.
Рыжий воцарялся на арене,
Да и за пределами её.

Злое наше вынес добрый гений
За кулисы, вот нам и смешно.
Тысячи украденных мгновений
В нём сосредоточились в одно.

В сотнях тысяч ламп погасли свечи,
Барабана дробь... и тишина.
Слишком много он взвалил на плечи
Нашего. И сломана спина.

Зрители, и люди между ними,
Думали: вот пьяница упал.
Шут в своей последней пантомиме
Заигрался — и переиграл.

Он застыл не где-то, не за морем,—
Возле нас, как бы прилёг, устав.
Первый клоун захлебнулся горем,
Просто сил своих не рассчитав.

[1973—1974]

НЕ ДО...

Кто-то высмотрел плод, что неспел,
Потрусили за ствол — он упал.
Вот вам песня о том, кто не спел
И что голос имел — не узнал.

Может, были с судьбой нелады,
И со случаем плохи дела,
А тугая струна на лады
С незаметным изъяном легла.

Он начал робко — с ноты «до»,
Но не допел её, не до...

Не дозвучал его аккорд
И никого не вдохновил.
Собака лаяла, а кот
Мышей ловил, мышей ловил.

Смешно, не правда ли,— смешно?
А он шутил — не дошутил,
Недораспробовал вино,
И даже недопригубил.

Он пока лишь затеивал спор,
Неуверенно и не спеша,
Словно капельки пота из пор,
Из-под кожи сочилась душа.

Только начал дуэль на ковре,
Еле-еле, едва приступил.
Лишь чуть-чуть осмотрелся в игре,
И судья еще счет не открыл.

Он знать хотел всё от и до,
Но не добрался он, не до...

Ни до догадки, ни до дна,
Не докопался до глубин,
И ту, которая одна,
Недолюбил, недолюбил!

Смешно, не правда ли, смешно,
Что он спешил — недоспешил?
Осталось недорешено
Всё то, что он недорешил.

Ни единою буквой не лгу.
Он был чистого слога слуга,
Он писал ей стихи на снегу,—
К сожалению, тают снега.

Но тогда еще был снегопад
И свобода писать на снегу.
И большие снежинки, и град
Он губами хватал на бегу.

Но к ней в серебряном ландо
Он не добрался и не до...

Не добежал, бегун-беглец,
Не долетел, не доскакал,
А звездный знак его — Телец —
Холодный Млечный Путь лакал.

Смешно, не правда ли, смешно,
Когда секунд недостает,—
Недостающее звено —
И недолёт, и недолёт?

Смешно, не правда ли? Ну, вот,—
И вам смешно, и даже мне.
Конь на скаку и птица влёт,—
По чьей вине, по чьей вине?

[1973]

ЧУЖАЯ КОЛЕЯ

Сам виноват — и слёзы лью,
И охаю —
Попал в чужую колею
    Глубокую.
Я цели намечал свои
    На выбор сам,
А вот теперь из колеи
    Не выбраться.

    Крутые скользкие края
    Имеет эта колея.

Я кляну проложивших её, —
Скоро лопнет терпенье моё,
И склоняю, как школьник плохой,
Колею — в колее, с колеёй...

Но почему неймётся мне?
    Нахальный я!
Условья, в общем, в колее
    Нормальные.
Никто не стукнет, не притрёт —
    Не жалуйся.
Желаешь двигаться вперёд?
    Пожалуйста.

    Отказа нет в еде-питье
    В уютной этой колее,

И я живо себя убедил —
Не один я в неё угодил.
Так держать! Колесо в колесе!
И доеду туда, куда все.

229

Вот кто-то крикнул сам не свой:
— А ну, пусти!—
И начал спорить с колеёй
По глупости.
Он в споре сжёг запас до дна
Тепла души,
И полетели клапана
И вкладыши.

Но покорёжил он края,
И шире стала колея.

Вдруг его обрывается след —
Чудака оттащили в кювет,
Чтоб не мог он нам, задним, мешать
По чужой колее проезжать.

Вот и ко мне пришла беда —
Стартёр заел.
Теперь уж это не езда,
А ёрзанье.
И надо б выйти, подтолкнуть,
Да прыти нет —
Авось подъедет кто-нибудь —
И вытянет...

Напрасно жду подмоги я,—
Чужая эта колея.

Расплеваться бы глиной и ржой
С колеёй этой самой, чужой,—
Тем, что я её сам углубил,
Я у задних надежду убил.

Прошиб меня холодный пот
До косточки,
И я прошёлся чуть вперёд
По досточке.
Гляжу — размыли край ручьи
Весенние,
Там выезд есть из колеи —
Спасение!

Я грязью из-под шин плюю
В чужую эту колею.

Эй, вы! Задние! Делай как я.
Это значит — не надо за мной.
Колея эта — только моя!
Выбирайтесь своей колеёй.

[1973]

* * *

Я скачу позади на полслова
На нерезвом коне, без щита.
Я похож не на ратника злого,
А скорее — на злого шута.

Бывало, вырывался я на корпус
Уверенно, как сам великий князь,
Клонясь вперёд,— не падая, не горбясь,
А именно — намеренно клонясь.

Но из седла меня однажды выбили —
Копьём поддели, сбоку подскакав,—
И надо мной, лежащим, лошадь вздыбили
И засмеялись, плетью приласкав.

Рядом всадники с гиканьем диким
Копья целили в месиво тел.
Ах, дурак я, что с князем великим
Поравняться в осанке хотел!

Меня на поле битвы не ищите,
Я отстранён от всяких ратных дел.
Кольчугу унесли — я беззащитен
Для зуботычин, дротиков и стрел.

Зазубрен мой топор, и руки скручены.
Я брошен в хлев вонючий на настил,
Пожизненно до битвы не допущенный
За то, что раз оплошность допустил.

Назван я перед ратью двуликим —
И топтать меня можно, и сечь.
Но взойдёт и над князем великим
Окровавленный кованый меч!

Встаю я, отряхаюсь от навоза,
Худые руки сторожу кручу,
Беру коня плохого из обоза,
Кромсаю рёбра — и вперёд скачу!

Влечу я в битву звонкую да манкую —
Я не могу, чтоб это без меня,—
И поступлюсь я княжеской осанкою,
И если надо — то сойду с коня!

[Начало 1970-х]

* * *

Водой наполненные горсти
Ко рту спешили поднести —
Впрок пили воду черногорцы
И жили впрок — до тридцати.

А умирать почётно было
Средь пуль и матовых клинков
И уносить с собой в могилу
Двух-трёх врагов, двух-трёх врагов.

Пока курок в ружье не стёрся,
Стрелял и с сёдел и с колен.
И в плен не брали черногорца —
Он просто не сдавался в плен.

А им прожить хотелось до́ ста,
До жизни жадным — век с лихвой,
В краю, где гор и неба вдосталь,
И моря тоже — с головой.

Шесть сотен тысяч равных порций
Воды живой в одной горсти.
Но проживали черногорцы
Свой долгий век до тридцати.

И жёны их водой помянут
И спрячут их детей в горах
До той поры, пока не станут
Держать оружие в руках.

Беззвучно надевали траур,
И заливали очаги,
И молча лили слёзы в тра́ву,
Чтоб не услышали враги.

Чернели женщины от горя,
Как плодородная земля.
За ними вслед чернели горы,
Себя огнём испепеля.

То было истинное мщенье,—
Бессмысленно себя не жгут! —
Людей и гор самосожженье,
Как несогласие и бунт.

И пять веков, как божьи кары,
Как мести сына за отца,
Пылали горные пожары
И черногорские сердца.

Цари менялись, царедворцы,
Но смерть в бою всегда в чести —
Не уважали черногорцы
Проживших больше тридцати.

Мне одного рожденья мало,
Расти бы мне из двух корней.
Жаль, Черногория не стала
Второю родиной моей!

[1973]

* * *

В дорогу живо — или в гроб ложись.
Да! Выбор небогатый перед нами.
Нас обрекли на медленную жизнь,
Мы к ней для верности прикованы цепями.

И кое-кто поверил второпях,
Поверил без оглядки, бестолково.
Но разве это жизнь — когда в цепях?
Но разве это выбор — если скован?

Коварна нам оказанная милость,
Как зелье полоумных ворожих.
Смерть от своих за камнем притаилась,
И сзади — тоже смерть, но от чужих.

Душа застыла, тело затекло,
И мы молчим, как подставные пешки.
А в лобовое грязное стекло
Глядит и скалится позор в кривой усмешке.

А если бы оковы разломать,
Тогда бы мы и горло перегрызли
Тому, кто догадался приковать
Нас узами цепей к хвалёной жизни.

Неужто мы надеемся на что-то?
А может быть, нам цепь не по зубам?
Зачем стучимся в райские ворота
Костяшками по кованым скобам?

Нам предложили выход из войны,
Но вот какую заломили цену:
Мы к долгой жизни приговорены
Через вину, через позор, через измену.

236

Но стоит ли и жизнь такой цены?
Дорога не окончена — спокойно! —
И в стороне от той большой войны
Ещё возможно умереть достойно.

И рано нас равнять с болотной слизью —
Мы гнёзд себе на гнили не совьём!
Мы не умрем мучительною жизнью —
Мы лучше верной смертью оживём!

[1973]

ТОТ, КОТОРЫЙ НЕ СТРЕЛЯЛ

Я вам мозги не пудрю —
    уже не тот завод.
В меня стрелял поутру
    из ружей целый взвод.
За что мне эта злая,
    нелепая стезя,—
Не то чтобы не знаю,—
    рассказывать нельзя.

Мой командир меня почти что спас,
Но кто-то на расстреле настоял.
И взвод отлично выполнил приказ,
Но был один, который не стрелял.

Судьба моя лихая —
    давно наперекос,—
Однажды «языка» я
    добыл, да не донес.
И «особист» Суэтин,
    неутомимый наш,
Еще тогда приметил
    и взял на карандаш.

Он выволок на свет и приволок
Подколотый, подшитый матерьял,
Никто поделать ничего не смог.
Нет. Смог... один, который не стрелял.

Рука упала в пропасть
    с дурацким звуком: «Пли!»
И залп мне выдал пропуск
    в ту сторону земли.
Но слышу:— Жив, зараза!
    Тащите в медсанбат!
Расстреливать два раза
    уставы не велят.

А врач потом все цокал языком
И, удивляясь, пули удалял,
А я в бреду беседовал тайком
С тем пареньком, который не стрелял.

Я раны, как собака,
        лизал, а не лечил.
В госпиталях, однако,
        в большом почете был.
Ходил в меня влюблённый
        весь слабый женский пол:
— Эй, ты, недострелённый!
        Давай-ка на укол!

Наш батальон геройствовал в Крыму,
И я туда глюкозу посылал,
Чтоб было слаще воевать ему.
Кому? Тому, который не стрелял.

Я пил чаёк из блюдца,
        со спиртиком бывал.
Мне не пришлось загнуться,
        и я довоевал.
В свой полк определили.
        — Воюй,— сказал комбат,—
А что недострелили,
        так я, брат, даже рад!..

Мне быть бы радым, но, присев у пня,
Я выл белугой и судьбину клял,—
Немецкий снайпер дострелил меня,
Убив того, который не стрелял.

[1973]

РАССТРЕЛ ГОРНОГО ЭХА

В тиши перевала, где скалы ветрам не помеха,
На кручах таких, на какие никто не проник,
Жило-поживало весёлое горное эхо,
Оно отзывалось на крик — человеческий крик.

Когда одиночество комом подкатит под горло
И сдавленный стон еле слышно в обрыв упадёт —
Крик этот о помощи эхо подхватит проворно,
Усилит — и бережно в руки своих донесёт.

Должно быть, не люди, напившись дурмана и зелья,
Чтоб не был услышан никем громкий топот и храп,—
Пришли умертвить, обеззвучить живое ущелье —
И эхо связали, и в рот ему всунули кляп.

Всю ночь продолжалась кровавая злая потеха,
И эхо топтали, но звука никто не слыхал.
К утру расстреляли притихшее горное эхо,
И брызнули слёзы, как камни, из раненых скал.

[1973]

ИЗ ДОРОЖНОГО ДНЕВНИКА

1

Ожидание длилось,
                    а проводы были недолги —
Пожелали друзья:
            «В добрый путь! Чтобы всё — без помех!»
И четыре страны
            предо мной расстелили дороги,
И четыре границы
            шлагбаумы подняли вверх.
Тени голых берез
            добровольно легли под колеса,
Залоснилось шоссе
            и штыком заострилось вдали.
Вечный смертник — комар —
                    разбивался у самого носа,
Лобовое стекло
            превращая в картину Дали.
Сколько смелых мазков
                    на причудливом мёртвом покрове,
Сколько серых мозгов
                    и комарьих раздавленных плевр!
Вот взорвался один,
            до отвала напившийся крови,
Ярко-красным пятном
                    завершая дорожный шедевр.
И сумбурные мысли,
            лениво стучавшие в темя,
Устремились в пробой —
                    ну,
                    попробуй-ка, останови!
И в машину ко мне
            постучало просительно время.
Я впустил это время,
            замешенное на крови.
И сейчас же в кабину
            глаза сквозь бинты заглянули
И спросили: «Куда ты?
                    На Запад?
                            Вертайся назад!»

Я ответить не смог:

            по обшивке царапнули пули.

Я услышал: «Ложись!

          Берегись!

              Проскочили!

                    Бомбят!»

Этот первый налёт

             оказался не так чтобы очень:

Схоронили кого-то,

             прикрыв его кипой газет,

Вышли чьи-то фигуры

            назад на шоссе из обочин,

Как лет тридцать спустя,

               на машину мою поглазеть.

И исчезло шоссе —

            мой единственно верный фарватер.

Только — елей стволы

            без обрубленных минами крон.

Бестелесый поток

           обтекал не спеша радиатор.

Я за сутки пути

          не продвинулся ни на микрон.

Я уснул за рулем:

          я давно разомлел до зевоты.

Ущипнуть себя за ухо

            или глаза протереть?

Вдруг в машине моей

           я увидел сержанта пехоты:

«Ишь, трофейная пакость, —

             сказал он, — удобно сидеть».

Мы поели с сержантом

          домашних котлет и редиски.

Он опять удивился:

            откуда такое — в войну?

«Я, браток, — говорит, —

          восемь дней как позавтракал в Минске.

Ну, спасибо! Езжай!

           Будет время — опять загляну».

Он ушёл на восток

          со своим поредевшим отрядом.

Снова мирное время
          пробилось ко мне сквозь броню.
Это время глядело
        единственной женщиной
               рядом.
И она мне сказала:
        «Устал? Отдохни — я сменю».
Всё в порядке. На месте.
         Мы едем к границе. Нас двое.
Тридцать лет отделяет
        от только что виденных встреч.
Вот забегали щётки —
        отмыли стекло лобовое.
Мы увидели знаки,
        что призваны предостеречь.
Кроме редких ухабов
         ничто на войну не похоже.
Только лес — молодой,
         да сквозь снова налипшую грязь
Два огромных штыка
        полоснули морозом по коже
Остриями —
      по-мирному —
          кверху,
             а не накренясь.
Здесь, на трассе прямой,
        мне, не знавшему пуль,
             показалось,
Что и я где-то здесь
        довоёвывал невдалеке.
Потому для меня
        и шоссе, словно штык, заострялось,
И лохмотия свастик
        болтались на этом штыке...

2

Ах, дороги узкие —
Вкось, наперерез!
Версты белорусские
С ухабами и без.
Как орехи грецкие,
Щелкаю я их.
Говорят, немецкие —
Гладко, напрямик.

Там, говорят, дороги — ряда по три,
И нет табличек «Ахтунг!» или «Хальт!».
Ну что же, мы прокатимся, посмотрим,
Понюхаем не порох, а асфальт.

Горочки пологие,
Я их — щелк да щелк!
Но в душе, как в логове,
Затаился волк.
Ату, колеса гончие!
Целюсь под обрез,—
С волком этим кончу я
На отметке «Брест».

Я там напьюсь водички из колодца
И покажу отметки в паспортах.
Потом мне пограничник улыбнется,
Узнав, должно быть, или просто так.

После всякой зауми
Вроде: «Кто таков?»
Поднялись шлагбаумы
Выше облаков.
Взял товарищ в кителе
Снимок для жены —
И... только нас и видели
С нашей стороны!

Я попаду в Париж, в Варшаву, в Ниццу.
Они — рукой подать! — наискосок.
Так я впервые пересек границу —
И чьи-то там сомнения пресек.

Ах, дороги скользкие —
Вот и ваш черед!
Деревеньки польские —
Стрелочки вперед.
Телеги под навесами,
Булыжник — чешуя.
По-польски — ни бельмеса мы,
Ни жена, ни я.

Потосковав о ломте, о стакане,
Остановились где-то наугад,
И я сказал по-русски: — Прошу, пани! —
И получилось точно и впопад.

Ах, еда дорожная
Из немногих блюд!
Ем неосторожно я
Всё, что подают.
Напоследок — сладкое:
Стало быть, — кончай!
И на их хербатку я
Дую, как на чай.

А панночка пощелкала на счетах,
И я, прикинув разницу валют,
Ей отсчитал не помню сколько злотых
И проворчал: «По-божески дерут!»

Где же песни-здравицы?
Ну-ка, подавай!
Польские красавицы —
Для туристов рай.
Рядом на поляночке
С граблями в руках
Веселились панночки —
Души нараспах.

— Да, побывала Польша в самом пекле!—
Сказал старик и лошадей распряг,—
Красавицы полячки не поблекли,
А сгинули в немецких лагерях.

Лемеха въедаются
В землю, как каблук,
Пеплы попадаются
До сих пор под плуг.
Память вдруг разрытая,—
Не живой укор:
Жизни недожитые —
Для колосьев корм.

В мозгу моем, который вдруг сдавило
Как обручем,— но так его! дави! —
Варшавское восстание кровило,
Захлебываясь в собственной крови...

...Дрались худо бедно ли,
А наши корпуса
В пригороде медлили
Целых два часа.
В марш-бросок, в атаку ли
Рвались как один,
И танкисты плакали
На броню машин...

Военный эпизод — давно преданье,
В историю ушел, порос быльём.
Но не забыто это опозданье,
Коль скоро мы заспорили о нём.

Почему же медлили
Наши корпуса?
Почему обедали
Эти два часа?
Говорят, что танками,
Мокрыми от слез,
Англичанам с янками
Мы утёрли нос.

А может быть, разведка оплошала —
Не доложила. Что теперь гадать!
Но вот сейчас читаю я: «Варшава»—
И еду, и хочу не опоздать.

3

Лес ушёл, и обзор расширяется,
Вот и здания проявляются,
Тени нам под колёса кидаются
И остаться в живых ухитряются.
Перекрёсточки — скорость сбрасывайте!
Паны, здравствуйте! Пани, здравствуйте!
И такие, кому не до братства, те
Тоже здравствуйте, тоже здравствуйте!

Я клоню свою голову шалую
Пред Варшавою, пред Варшавою.
К центру — «просто» — стремлюсь, поспешаю я,
Понимаю, дивлюсь, что в Варшаве я.
Вот она, многопослевоенная,
Несравнимая, несравненная,—
Не сровняли с землёй, оглашенные,
Потому она и несравненная.

И порядочек здесь караулится:
Указатели — скоро улица.
Пред старушкой пришлось мне ссутулиться —
Выясняю, чтоб не обмишулиться,
А по-польски — познания хилые,
А старушка мне:— Прямо, милые! —
И по-прежнему засеменила и
Повторяла всё: — Прямо, милые...

Хитрованская Речь Посполитая,
Польша панская, Польша битая,
Не единожды кровью умытая,
На Восток и на Запад сердитая,
И Варшава — мечта моя давняя,—
Осквернённая, многострадальная,
Перешедшая в область предания,—
До свидания, до свидания...

4. СОЛНЕЧНЫЕ ПЯТНА, ИЛИ ПЯТНА НА СОЛНЦЕ

Шар огненный всё просквозил,
Всё перепёк, перепалил,
И, как гружёный лимузин,
За полдень он перевалил.

Но где-то там в зените был —
Он для того и плыл туда,
Другие головы кружил,
Сжигал другие города.

Ещё асфальт не растопило
И не позолотило крыш,
Ещё светило солнце лишь
В одну худую светосилу,

Ещё стыдились нищеты
Поля без всходов, лес без тени,
Ещё тумана лоскуты
Ложились сыростью в колени,

    Но диск на тонкую черту
    От горизонта отделило.
    Меня же фраза посетила:
    Не ясен свет, пока светило
    Лишь набирает высоту!

Пока гигант ещё на взлёте,
Пока лишь начат марафон,
Пока он только устремлён
К зениту, к пику, к верхней ноте,

    И вряд ли астроном-старик
    Определит: — На солнце — буря.—
    Мы можем всласть глазеть на лик,
    Разинув рты и глаз не щуря.

    И нам, разиням, на потребу
    Уверенно восходит он —
    Зачем спешить к зениту Фебу,
    Ведь он один бежит по небу —
    Без конкурентов марафон.

Но вот — зенит,— глядеть противно
И больно, и нельзя без слёз.
Но мы — очки себе на нос
И смотрим, смотрим неотрывно,

    Задравши головы, как псы,
    Всё больше жмурясь, скаля зубы,
    И нам мерещатся усы,
    И мы пугаемся — грозу бы!

    Должно быть, древний гунн — Аттила
    Был тоже солнышком палим,
    И вот при взгляде на светило
    Его внезапно осенило,
    И он избрал похожий грим.

Всем нам известные уроды
(Уродам имя — легион)
С доисторических времён
Уроки брали у природы.

Им апогеи не претили,
И, глядя вверх, до слепоты
Они искали на светиле
Себе подобные черты.

И если б ведало светило,
Кому в пример встаёт оно,
Оно б затмилось и застыло,
Оно бы бег остановило
Внезапно, как стоп-кадр в кино.

Вон, наблюдая втихомолку
Сквозь закопчённое стекло,
Когда особо припекло,
Один узрел на лике чёлку.

А там другой пустился в пляс,
На солнечном кровоподтёке
Увидев щели узких глаз
И никотиновые щёки...

Взошла луна — вы крепко спите,
Для вас светило тоже спит,
Но где-нибудь оно в зените
(Круговорот, как ни пляшите)
И там палит, и там слепит!

[1973]

* * *

Неправда, над нами не бездна, не мрак,—
Каталог наград и возмездий.
Любуемся мы на ночной зодиак,
На вечное танго созвездий.

Глядим, запрокинули головы вверх,
В безмолвие, в тайну и вечность —
Там трассы судеб и мгновенный наш век
Отмечены в виде невидимых вех,
Что могут хранить и беречь нас.

Горячий нектар в холода февралей,—
Как сладкий елей вместо грога,—
Льёт звёздную воду чудак Водолей
В бездонную пасть Козерога.

Вселенский поток и извилист, и крут,
Окрашен то ртутью, то кровью,
Но, вырвавшись мартовской мглою из пут,
Могучие Рыбы на нерест плывут
По Млечным протокам к верховью.

Декабрьский Стрелец отстрелялся вконец,
Он мается, копья ломая.
И может без страха резвиться Телец
На светлых урочищах мая.

Из августа изголодавшийся Лев
Глядит на Овена в апреле.
В июнь, к Близнецам свои руки воздев,
Нежнейшие девы созвездия Дев
Весы превратили в качели.

Лучи световые пробились сквозь мрак,
Как нить Ариадны конкретны,
Но злой Скорпион и таинственный Рак
От нас далеки и безвредны.

На свой зодиак человек не роптал,—
Да звёздам страшна ли опала?
Он эти созвездия с неба достал,
Оправил он их в благородный металл,
И тайна доступною стала.

[1973]

ВОЗЬМИТЕ МЕНЯ В МОРЕ

Морякам теплохода «Шота Руставели»

Когда я спотыкаюсь на стихах,
Когда не до размеров, не до рифм,
Тогда друзьям пою о моряках,
До белых пальцев стискивая гриф.

Всем делам моим на суше вопреки
И назло моим заботам на земле,
Вы за мной пришлите шлюпку, моряки,
Поднесите рюмку водки на весле.

Любая тварь по морю — знай плывет,
Под винт попасть не каждый норовит,
А здесь, на суше, встречный пешеход
Наступит, оттолкнет и убежит.

Всем делам моим на суше вопреки
И назло моим заботам на земле
Вы меня возьмите в море, моряки,
Я все вахты отстою на корабле!

Известно вам — мир не на трёх китах,
А мне известно — он не на троих.
Вам вольничать нельзя в чужих портах,
А я забыл, как вольничать в своих.

Всем делам моим на суше вопреки
И назло моим заботам на земле
Вы за мной пришлите шлюпку, моряки,
Поднесите кружку рома на весле.

[1973]

Я К ВАМ ПИШУ

Спасибо вам, мои корреспонденты,
Все те, кому ответить я не смог,—
Рабочие, узбеки и студенты —
Все, кто писал мне письма — дай вам бог!

Дай бог вам жизни две,
И друга одного,
И света в голове,
И доброго всего.

Найдя стократно вытертые ленты,
Вы хрип мой разбирали по слогам.
Так дай же бог, мои корреспонденты,
И сил в руках, да и удачи вам.

Вот пишут: голос мой неодинаков —
То хриплый, то надрывный, то глухой.
И просит население бараков:
«Володя! Ты не пой заупокой!»

Но что поделать, я и впрямь не звонок —
Звенят другие, я — хриплю слова.
Обилие некачественных плёнок
Вредит мне даже больше, чем молва.

Вот спрашивают: — Попадал ли в плен ты? —
Нет, не бывал — не воевал ни дня!
Спасибо вам, мои корреспонденты,
Что вы неверно поняли меня.

Друзья мои,— жаль, что не боевые,—
От моря, от станка и от сохи,
Спасибо вам за присланные злые
И даже неудачные стихи.

Вот я читаю: «Вышел ты из моды.
Сгинь, сатана, изыди, хриплый бес!
Как глупо, что не месяцы, а годы
Тебя превозносили до небес!»

Ещё письмо: «Вы умерли от водки!»
Да, правда — умер, но потом воскрес.
«А каковы доходы ваши всё-таки?
За песню — трёшник, вы же просто Крез!»

За письма высочайшего пошиба —
Идите, мол, на Темзу и на Нил —
Спасибо, люди добрые, спасибо,
Что не жалели ночи и чернил.

Но только я уже бывал на Темзе,
Собакою на Сене восседал.
Я не грублю, но отвечаю тем же.
А писем до конца не дочитал.

И ваши похвалы и комплименты —
Авансы мне — не отфутболю я.
От ваших строк, мои корреспонденты,
Прямеет путь и сохнет колея.

Сержанты, моряки, интеллигенты —
Простите, что не каждому ответ.
Я вам пишу, мои корреспонденты,
Ночами песни вот уж 10 лет.

[1973]

ДВА СУДНА

Всему на свете выходят сроки,
А соль морская въедлива, как черт,
Два мрачных судна стояли в доке,
Стояли рядом, просто к борту борт.

Та, что поменьше, вбок кривила трубы
И пожимала баком и кормой:
— Какого типа этот тип? Какой он грубый!
Корявый, ржавый,— просто никакой.

В упор не видели друг друга
                              оба
                                    судна.

И ненавидели друг друга
                              обо-
                                 юдно.

Он в аварийном был состояньи,
Но и она — не новая отнюдь.
Так что увидишь на расстояньи —
С испугу можно взять и затонуть.

Тот, что побольше, мёрз от отвращенья,
Хоть был железный малый с крепким дном.
Все двадцать тысяч водоизмещенья
От возмущенья содрогались в нем.

И так обидели друг друга
                              оба
                                    судна,

Что ненавидели друг друга
                              обо-
                                 юдно.

Прошли недели, их подлатали,
По ржавым швам шпаклёвщики прошли
И ватерлинией вдоль талий
Перевязали корабли,

И медь надраили, и краску наложили,
Пар развели, в салонах свет зажгли.
И палубы, и плечи распрямили
К концу ремонта эти корабли.

И в гладкий борт узрели
       оба
         судна,
Что так похорошели —
       обо-
        юдно.

Тот, что побольше, той, что поменьше,
Сказал, вздохнув: — Мы оба не правы!
И никогда я не видел женщин
И кораблей прекраснее, чем вы!

Та, что поменьше,— в том же состояньи,
Шепнула, что и он неотразим:
— Большое видится на расстояньи,
Но лучше, если все-таки вблизи.

Кругом конструкции толпились,
        было
         людно,
Но оба судна объяснились
       обо-
        юдно.

Хотя какой-то портовый дока
Их приписал не в тот же самый порт,
Два корабля так и ушли из дока,
Как и стояли,— вместе, к борту борт.

До горизонта шли в молчаньи рядом,
Не подчиняясь ни теченьям, ни рулям.
Махала ласково ремонтная бригада
Двум не желающим расстаться кораблям.

Что с ними? Может быть, взбесились
оба
судна,

А может, попросту влюбились
обо-
юдно!

[1973]

* * *

Мажорный светофор, трёхцветье, трио,
Палитра — партитура цветоног.
Но где же он, мой «голубой период»?
Был? Не был? Канул иль грядёт?

Представьте, чёрный цвет невидим глазу,
Всё то, что мы считаем чёрным,— серо.
Мы черноты не видели ни разу —
Лишь серость пробивает атмосферу.

И ультрафиолет, и инфракрасный —
Ну, словом, всё, что чересчур,— не видно.
Они, как правосудье, беспристрастны,
В них все равны, прозрачны, стекловидны.

И только красный, жёлтый цвет бесспорен,
Зелёный тоже, зелень — в хлорофилле.
Поэтому трёхцветны светофоры
Для тех, кто пеш и кто в автомобиле.

Три этих цвета — в каждом организме,
В любом мозгу, как яркий отпечаток.
Есть, правда, отклоненье в дальтонизме,
Но дальтонизм — порок и недостаток.

Трёхцветны музы, но как будто серы,
А инфра, ультра — как всегда, в загоне.
Гуляют на свободе полумеры,
И «псевдо» ходят, как воры «в законе».

Всё в трёх цветах нашло отображенье,
Лишь изредка меняется порядок.
Три цвета избавляют от броженья,
Незыблемы, как три ряда́ трёхрядок.

[1973]

* * *

Если где-то в чужой, неспокойной ночи
Ты споткнулся и ходишь по краю,
Не таись, не молчи, до меня докричи —
Я твой голос услышу, узнаю.

Может, с пулей в груди — ты лежишь в спелой ржи.
Потерпи! — я спешу, и усталости ноги не чуют.
Мы вернемся туда, где и воздух, и травы врачуют,
Только ты не умри, только кровь удержи.

Если ж конь под тобой — ты домчи, доскачи,—
Конь дорогу отыщет, буланый,
В те края, где всегда бьют живые ключи,
И они исцелят твои раны.

Где же ты? — взаперти или в долгом пути,
На развилках каких, перепутиях и перекрестках?
Может быть, ты устал, приуныл, заблудился в трех соснах
И не можешь обратно дорогу найти?

Здесь такой чистоты из-под снега ручьи —
Не найдешь, не придумаешь краше.
Здесь цветы, и кусты, и деревья ничьи,
Стоит нам захотеть — будут наши.

Если трудно идешь, по колено в грязи,
Да по острым камням, босиком по воде по студеной,
Постаревший, обветренный, дымный, огнем опаленный,
Хоть какой,— доберись, добреди, доползи.

[1973]

* * *

М. В.

Люблю тебя сейчас,
Не тайно — напоказ.
Не «после» и не «до» в лучах твоих сгораю.
Навзрыд или смеясь,
Но я люблю сейчас,
А в прошлом — не хочу, а в будущем — не знаю.

В прошедшем — «я любил» —
Печальнее могил,—
Всё нежное во мне бескрылит и стреножит.
Хотя поэт поэтов говорил:
«Я вас любил: любовь ещё, быть может...»

Так говорят о брошенном, отцветшем —
И в этом жалость есть и снисходительность,
Как к свергнутому с трона королю.
Есть в этом сожаленье об ушедшем
Стремленьи, где утеряна стремительность,
И как бы недоверье к «я люблю».

Люблю тебя теперь,
Без обещаний: «Верь!»
Мой век стоит сейчас — я вен не перережу!
Во время, в продолжении, теперь
Я прошлым не дышу и будущим не брежу.

Приду и вброд и вплавь
К тебе — хоть обезглавь! —
С цепями на ногах и с гирями по пуду.
Ты только по ошибке не заставь,
Чтоб после «я люблю» добавил я «и буду».

Есть горечь в этом «буду», как ни странно,
Подделанная подпись, червоточина
И лаз для отступленья, про запас,

Бесцветный яд на самом дне стакана
И, словно настоящему пощёчина,—
Сомненье в том, что я люблю сейчас.

Смотрю французский сон
С обилием времён,
Где в будущем — не так, и в прошлом — по-другому.
К позорному столбу я пригвождён,
К барьеру вызван я — языковому.

Ах, разность в языках!
Не положенье — крах.
Но выход мы вдвоём поищем и обрящем.
Люблю тебя и в сложных временах —
И в будущем, и в прошлом настоящем!

[1973]

СМОТРИНЫ

Там у соседа пир горой
И гость солидный, налитой.
Ну, а хозяйка — хвост трубой —
    Идёт к подвалам.
В замок врезаются ключи,
И вынимаются харчи,
И с тягой ладится в печи,
    И с поддувалом.

А у меня сплошные передряги —
То в огороде недород, то скот падёт,
То печь чадит от нехорошей тяги,
А то щеку́ на сторону ведёт.

Там у соседа мясо в щах,
На всю деревню хруст в хрящах.
И дочь-невеста вся в прыщах —
    Дозрела, значит.
Смотрины, стало быть, у них,—
На сто рублей гостей одних,
И даже тощенький жених
    Поёт и скачет.

А у меня цепные псы взбесились,—
Средь ночи с лая перешли на вой.
И на ногах мозоли прохудились
От топотни по комнате пустой.

Ох! У соседа быстро пьют.
А что не пить, когда дают?
А что не петь, когда уют
    И не накладно?
А тут вон — баба на сносях,
Гусей некормленых косяк,
Да дело, в общем, не в гусях,
    А всё неладно.

Тут у меня постены появились,
Я их гоню и так, и сяк — они опять.
Да в неудобном месте чирей вылез,
Пора пахать, а тут — ни сесть, ни встать.

Сосед малёночка прислал —
Он от щедрот меня позвал.
Ну, я, понятно, отказал,
        А он — сначала.
Должно, литровую огрел,
Ну, и, конечно, подобрел.
И я пошел — попил, поел, —
        Не полегчало.

И посредине этого разгула
Я пошептал на ухо жениху.
И жениха как будто ветром сдуло,
Невеста вся рыдает наверху.

Сосед орёт, что он — народ,
Что основной закон блюдёт,
Мол, кто не ест, тот и не пьёт, —
        И выпил, кстати.
Все сразу повскакали с мест...
Но тут малец с поправкой влез:
«Кто не работает — не ест, —
        Ты спутал, батя!»

А я сидел с засаленною трёшкой,
Чтоб завтра гнать похмелие моё,
В обнимочку с обшарпанной гармошкой, —
Меня и пригласили за неё.

Сосед другую литру съел —
И осовел, и опсовел.
Он захотел, чтоб я попел, —
        Зря, что ль, поили?
Меня схватили за бока
Два здоровенных паренька:
«Играй, паскуда, пой, пока
        Не удавили!»

Уже дошло веселие до точки,
Уже невеста брагу пьёт тайком,
И я запел про светлые денёчки,
Когда служил на почте ямщиком.

Потом у них была уха
И заливные потроха,
Потом поймали жениха
          И долго били.
Потом пошли плясать в избе,
Потом дрались не по злобе
И всё хорошее в себе
          Доистребили.

А я стонал в углу болотной выпью,
Набычась, а потом и подбочась,
И думал я: а с кем я завтра выпью
Из тех, с которыми я пью сейчас?

Наутро там всегда покой
И хлебный мякиш за щекой,
И без похмелья перепой,
          Еды навалом.
Никто не лается в сердцах,
Собачка мается в сенцах,
И печка — в синих изразцах
          И с поддувалом.

А у меня и в ясную погоду
Хмарь на душе, которая горит.
Хлебаю я колодезную воду,
Чиню гармошку, а жена корит.

[1973]

ТОВАРИЩИ УЧЁНЫЕ

— Товарищи учёные! Доценты с кандидатами!
Замучились вы с иксами, запутались в нулях!
Сидите, разлагаете молекулы на атомы,
Забыв, что разлагается картофель на полях.

Из гнили да из плесени бальзам извлечь пытаетесь
И корни извлекаете по десять раз на дню.
Ох, вы там добалуетесь! Ох, вы доизвлекаетесь,
Пока сгниёт, заплесневет картофель на корню!

    Автобусом до Сходни доезжаем,
    А там — рысцой, и не стонать!
    Небось, картошку все мы уважаем,
    Когда с сольцой её намять!

Вы можете прославиться почти на всю Европу, коль
С лопатами проявите здесь свой патриотизм.
А то вы всем кагалом там набросились на опухоль,
Собак ножами режете, а это — бандитизм.

Товарищи учёные, кончайте поножовщину,
Бросайте ваши опыты, гидрит и ангидрит!
Садитесь вон в полуторки, валяйте к нам, в Тамбовщину,
А гамма-излучение денёк повременит.

    Автобусом к Тамбову подъезжаем,
    А там — рысцой, и не стонать!
    Небось, картошку все мы уважаем,
    Когда с сольцой её намять!

К нам можно даже с семьями, с друзьями и знакомыми.
Мы славно здесь разместимся, и скажете потом,
Что бог, мол, с ними, с генами! Бог с ними, с хромосомами!
Мы славно поработали и славно отдохнём.

Товарищи учёные, Эйнштейны драгоценные,
Ньютоны ненаглядные, любимые до слёз!
Ведь лягут в землю общую останки наши бренные,
Земле — ей всё едино: апатиты и навоз.

    Автобусом до Сходни доезжаем,
    А там — рысцой, и не стонать!
    Небось, картошку все мы уважаем,
    Когда с сольцой её намять!

Так приезжайте, милые, рядами и колоннами.
Хотя вы все там химики и нет на вас креста,
Но вы же там задо́хнетесь за синхрофазотронами —
А здесь места отменные, воздушные места!

Товарищи учёные! Не сумлевайтесь, милые:
Коль что у вас не ладится — ну, там, не тот аффект,—
Мы мигом к вам заявимся с лопатами и вилами,
Денёчек покумекаем — и выправим дефект.

[1973]

* * *

Зря ты, Ванечка, бредёшь
       Вдоль оврага.
На пути — каменья сплошь,
Резвы ножки обобьёшь,
       Бедолага!

       Тело в эдакой ходьбе
              Ты измучил,
       И похоже, что себе
              Сам наскучил.

              Стал на беглого похож
                     Аль на странничка.
              Может, сядешь, отдохнёшь,
                     Ваня-Ванечка?!

Что, Ванюша, путь трудней?
       Хворь напала?
Вьётся тропка меж корней, —
До конца пройти по ней —
       Жизни мало.

       Славно, коль судьбу узнал
              Распрекрасну,
       Ну, а вдруг коней загнал
              Понапрасну?!

              Али вольное жильё
                     Слаще пряничка?
              Ах, ты горюшко моё,
                     Ваня-Ванечка!

Ходют слухи, будто сник
       Да бедуешь.
Кудри сбросил, как без них?
Сыт ли ты, или привык —
       Голодуешь?

Хорошо ли бобылём
Да без крова?
Это, Ваня, не путём, —
Непутёво!

Горемычный мой, дошел
Ты до краешка!
Тополь твой уже отцвёл,
Ваня-Ванюшка!

[1973]

АГЕНТ 07

Себя от надоевшей славы спрятав
В одном из их соединенных штатов,
В глуши и в дебрях чуждых нам систем
Жил-был — известный больше, чем Иуда,
Живое порожденье Голливуда —
Артист, шпион, Джеймс Бонд, агент 07.

Был этот самый парень —
Звезда, ни дать ни взять.
Настолько популярен,
Что страшно рассказать.

Да шуточное ль дело —
Почти что полубог.
Известный всем Марчелло
В сравненьи с ним — щенок.

Он на своей на загородной вилле
Скрывался, чтоб его не подловили,
И умирал от скуки и тоски.
А то, бывало, встретят у квартиры,
Набросятся — и рвут на сувениры
Последние штаны и пиджаки.

Вот так и жил, как в клетке,
Ну, а в кино — потел,
Различные разведки
Дурачил как хотел:

То ходит в чьей-то шкуре,
То в пепельнице спит,
А то на абажуре
Кого-то соблазнит.

И вот артиста этого, Джеймс Бонда,
Товарищи из Госа-фильмо-фонда
В совместную картину к нам зовут.

Чтоб граждане его не узнавали,
Он к нам решил приехать в одеяле —
Мол, все равно на клочья разорвут.

Вы посудите сами:
На проводах в ЮСА
Все хиппи с волосами
Побрили волоса.

С него сорвали свитер,
Отгрызли вмиг часы
И растащили плиты
Со взлётной полосы.

И вот в Москве нисходит он по трапу,
Даёт доллáр носильщику на лапу
И прикрывает личность на ходу.
Вдруг кто-то — шасть на газике к агенту!
И — киноленту, вместо документу,
Что, мол, свои, мол, хау-ду-ю-ду.

Огромная колонна
Стоит сама в себе —
Встречает чемпиона
По стендовой стрельбе.

Попал во все, что было,
Он выстрелом с руки.
Бабьё с ума сходило
И даже мужики.

Довольный, что его не узнавали,
Он одеяло снял в «Национале»,
Но, несмотря на личность и акцент,
Его там обозвали оборванцем,
Который притворялся иностранцем
И заявлял, что, дескать, он — агент.

Швейцар его — за ворот.
Решил открыться он:
— 07 — я!
— Вам межгород?
Так надо взять талон!

Во рту скопилась пена
И горькая слюна,
Он в позе супермена
Уселся у окна.

Но тут киношестёрки прибежали
И недоразумение замяли,
И разменяли фунты на рубли.
Уборщица ворчала: — Вот же пройда!
Подумаешь — агентишка какой-то!
У нас в десятом — принц из Сомали!

[1973]

* * *

Штормит весь вечер, и, пока
Заплаты пенные латают
Разорванные швы песка,
Я наблюдаю свысока,
Как волны головы ломают.

И я сочувствую — слегка —
Погибшим, но издалека.

Я слышу хрип и смертный стон,
И ярость, что не уцелели.
Ещё бы! Взять такой разгон,
Набраться сил, пробить заслон —
И голову сломать у цели!

И я сочувствую — слегка —
Погибшим, но издалека.

Ах, гривы белые судьбы!
Пред смертью, словно хорошея,
По зову боевой трубы
Взлетают волны на дыбы,
Ломают выгнутые шеи.

И мы сочувствуем — слегка —
Погибшим, им, издалека.

А ветер снова в гребни бьёт
И гривы пенные ерошит.
Волна барьера не возьмёт,
Ей кто-то ноги подсечёт —
И рухнет взмыленная лошадь.

И посочувствуют — слегка —
Погибшей, ей, издалека.

Придёт и мой черёд вослед.
Мне дуют в спину, гонят к краю.
В душе предчувствие, как бред,
Что надломлю себе хребет
И тоже голову сломаю.

        Мне посочувствуют — слегка —
        Погибшему — издалека.

Так многие сидят в веках
На берегах и наблюдают,
Внимательно и зорко, как
Другие рядом на камнях
Хребты и головы ломают.

        Они сочувствуют — слегка —
        Погибшим. Но издалека.

Но в сумерках морского дна,
В глубинах тайных, кашалотьих,
Родится и взойдёт одна
Неимоверная волна...
На берег ринется она
И наблюдающих поглотит!

        Я посочувствую — слегка —
        Погибшим, им, издалека.

[1973]

* * *

Дурацкий сон, как кистенём,
  Избил нещадно.
Невнятно выглядел я в нём
  И неприглядно.

Во сне я лгал и предавал,
  И льстил легко я...
А я и не подозревал
  В себе такое.

Ещё сжимал я кулаки
  И бил с натугой,
Но мягкой кистию руки,
  А не упругой.

Тускнело сновиденье, но
  Опять являлось.
Смыкались веки, и оно
  Возобновлялось.

Я не шагал, а семенил
  На ровном брусе,
Ни разу ногу не сменил,—
  Трусил и трусил.

Я перед сильным лебезил,
  Пред злобным гнулся.
И сам себе я мерзок был,
  Но не проснулся.

Да это бред — я свой же стон
  Слыхал сквозь дрёму.
Но это мне приснился сон,
  А не другому.

Очнулся я и разобрал
  Обрывок стона,
И с болью веки разодрал,
  Но облегченно.

И сон повис на потолке
И распластался.
Сон в руку ли? И вот в руке
Вопрос остался.

Я вымыл руки — он в спине
Холодной дрожью.
Что было правдою во сне,
Что было ложью?

Коль это сновиденье — мне
Ещё везенье.
Но если было мне во сне
Ясновиденье?

Сон — отраженье мыслей дня?
Нет! Быть не может!
Но вспомню — и всего меня
Перекорёжит.

А вдруг — в костёр?! И нет во мне
Шагнуть к костру сил.
Мне будет стыдно, как во сне,
В котором струсил.

Но скажут мне: — Пой в унисон!
Жми что есть духу! —
И я пойму: вот это сон,
Который в руку.

[1973]

* * *

Я из дела ушёл, из такого хорошего дела.
Ничего не унёс, отвалился в чём мать родила.
Не затем, что приспичило мне, просто время приспело,
Из-за синей горы понагнало другие дела.

    Мы многое из книжек узнаём,
    А истины передают изустно:
    — Пророков нет в отечестве своём,
    Да и в других отечествах не густо...

Я не продал друзей, без меня даже выиграл кто-то.
Лишь подвёл одного, ненадолго, сочтёмся потом.
Я из дела исчез, не оставил ни крови, ни пота,
И оно без меня покатилось своим чередом.

    Незаменимых нет, и пропоём
    Заупокой ушедшим — будь им пусто,
    Пророков нет в отечестве своём,
    Да и в других отечествах не густо...

Растащили меня, но я счастлив, что львиную долю
Получили лишь те, кому я б её отдал и так.
Я по скользкому полу иду, каблуки канифолю,
Поднимаюсь по лестнице и прохожу на чердак.

    Пророков нет — не сыщешь днём с огнём,
    Ушли и Магомет, и Заратустра.
    Пророков нет в отечестве своём,
    Да и в других отечествах не густо...

А внизу говорят — от добра ли, от зла ли, не знаю:
— Хорошо, что ушёл! Без него стало дело верней.—
Паутину в углу с образов я ногтями сдираю,
Тороплюсь, потому что за домом седлают коней.

    Открылся Лик — я встал к нему лицом,
    И Он поведал мне светло и грустно:
    — Пророков нет в отечестве своём,
    Но и в других отечествах не густо...

Я взлетаю в седло, я врастаю в коня, тело в тело,
Конь падёт подо мной, но и я закусил удила.
Я из дела ушёл, из такого хорошего дела!
Из-за синей горы понагнало другие дела.

Скачу, хрустят колосья под конём,
Но ясно различаю из-за хруста:
— Пророков нет в отечестве своём,
Но и в других отечествах не густо.

[1973]

* * *

Я бодрствую, но вещий сон мне снится.
Пилюли пью, надеюсь, что усну.
Не привыкать глотать мне горькую слюну —
Организации, инстанции и лица
Мне объявили явную войну
За то, что я нарушил тишину,
За то, что я хриплю на всю страну,
Чтоб доказать — я в колесе не спица.
За то, что мне неймётся и не спится,
За то, что в передачах заграница
Передаёт мою блатную старину,
Считая своим долгом извиниться:
— Мы сами, без согласья...— Ну и ну!
За что ещё? Быть может, за жену —
Что, мол, не мог на нашей подданной жениться?
Что, мол, упрямо лезу в капстрану
И очень не хочу идти ко дну,
Что песню написал, и не одну,
Про то, как мы когда-то били фрица,
Про рядового, что на дзот валится,
А сам — ни сном ни духом про войну.
Кричат, что я у них украл луну
И что-нибудь ещё украсть не премину.
И небылицу догоняет небылица.
Не спится мне... Ну, как же мне не спиться?!
Нет! Не сопьюсь! Я руку протяну
И завещание крестом перечеркну,
И сам я не забуду осениться,
И песню напишу, и не одну,
И в песне той кого-то прокляну,
Но в пояс не забуду поклониться
Всем тем, кто написал, чтоб я не смел ложиться!
Пусть чаша горькая — я их не обману.

[1973]

ОЧИ ЧЁРНЫЕ

Погоня

Во хмелю слегка лесом правил я.
Не устал пока — пел за здравие.
А умел я петь песни вздорные,
Как любил я вас, очи чёрные.

То плелись, то неслись, то трусили рысцой,
И болотную слизь конь швырял мне в лицо.
Только я проглочу вместе с грязью слюну,
Штофу горло скручу и опять затяну:

— Очи чёрные, как любил я вас!..
Но... прикончил я то, что впрок припас,
Головой тряхнул, чтоб слетела блажь,
И вокруг взглянул, и присвистнул аж:

Лес стеной впереди — не пускает стена,
Кони прядут ушами — назад подают,
Где просвет, где прогал — не видать ни рожна,
Колют иглы меня — до костей достают.

Коренной ты мой, выручай же, брат!
Ты куда, родной, почему назад?!
Дождь, как яд с ветвей,— недобром пропах.
Пристяжной моей волк нырнул под пах!

Вот же пьяный дурак, вот же налил глаза!
Ведь погибель пришла, а бежать — не суметь!
Из колоды моей утащили туза,
Да такого туза, без которого — смерть!

Я ору волкам: «Побери вас прах!..»
А коней моих подгоняет страх.
Шевелю кнутом — бью кручёные,
И пою притом: «Очи чёрные!..»

Храп, да цокот, да лязг, да лихой перепляс!
Бубенцы плясовую играют с дуги.
Ах, вы кони мои, погублю же я вас!
Выносите, друзья, выносите, враги!..

От погони той вовсе хмель иссяк.
Мы на кряж крутой — на одних осях!
В хлопьях пены мы — струи в кряж лились.
Отдышались, отхрипелись, да откашлялись.

Я лошадкам забитым, что не подвели,
Поклонился в копыта до самой земли,
Сбросил с воза манатки, повёл в поводу.
Спаси бог вас, лошадки, что целым иду.

Дом

Что за дом притих, погружён во мрак,
На семи лихих продувных ветрах,
Всеми окнами обратясь в овраг,
А воротами — на проезжий тракт?

Хоть устать я устал, а лошадок распряг.
— Эй! Живой кто-нибудь — выходи — помоги! —
Никого — только тень промелькнула в сенях
Да стервятник спустился и сузил круги.

В дом заходишь как всё равно в кабак,
А народишко — каждый третий — враг.
Своротят скулу — гость непрошеный.
Образа в углу — и те перекошены.

И затеялся смутный, чудной разговор,
Кто-то песню стонал и гитару терзал,
А припадочный малый — придурок и вор —
Мне тайком из-под скатерти нож показал.

Кто ответит мне, что за дом такой?
Почему во тьме, как барак чумной?
Свет лампад погас, воздух вылился.
Али жить у вас разучилися?

Двери настежь у вас, а душа взаперти!
Кто хозяином здесь — напоил бы вином!
А в ответ мне: — Видать, был ты долго в пути
И людей позабыл — мы всегда так живём.

Очи   чёрные

V   Во хмелю слегка лесом правил я
Не устал пока - пел заздравие
А ушёл я в степь - песни вздорные
Как любил я вас - очи чёрные

То сплись, то мелись, то трусили рысцой
И болотную слизь конь швырял мне в лицо
Только я проглочу вместе с грязью слюну
Штофу горло скручу и опять затяну

II   Очи чёрные - как любил я вас
Но... прикончил я - то, что ворон пробас
Головой тряхнул, чтоб слетела блажь
И вокруг взглянул и обидно аж

Лес стеной впереди - не пускает стена
Кони прядут ушами - назад подают
Где просвет, где прогал - всё видать ни рожна
Колют иглы меня - до костей достают

III   Коренной ты мой - выручай же, брат!
Ты - куда родной?! Почему назад
Доведь, как ты с ветвей - недоброй тропах
Пристяжной моей - волк нагнул под пах
Вот же пьяный дурак, вот же налил глаза!
Вот погибель моя, а бежать не поместь
Из колоды моей утащил туза
Да такого туза, без которого смерть!
Да такого туза, побери вас прах!

IV   Я ору волкам - побери вас прах
А коней моих - бью кручённые
Шевелю кнутом - очи чёрные!
Храп да черту на глаз - лихой пристяжке!
Да будь ты звонка играет с дуги
Ах! Вы кони мои - погублю ни я вас
Выносите, друзья, выносите враги!

V   6) погони той - хмель песяк совсем
Мы на кряже крутой - на одних осях
В хлопьях пены мы - сердца в кряже слились
отдышались мы (откричались) да откашлялись
Я лошадям забитым, что не подвели
Поклонился в копыта, до самой земли
Сбросил с воза монатки, повёл в поводу
Спаси бог вас, лошади, что целым иду

HOTEL Sv.Stefan SVETI STEFAN - JUGOSLAVIJA
TELEFON 80-213, TELEX YU STEFAN 61106

Тра́ву кушаем, век на щавеле,
Скисли душами — опрыщавели,
Да ещё вином много тешились,
Разоряли дом — дрались, вешались...

    — Я коней заморил, от волков ускакал,
    Укажите мне край, где светло от лампад!
    Укажите мне место, какое искал, —
    Где поют, а не стонут, где пол не покат!

    — О таких домах не слыхали мы.
Долго жить впотьмах привыкали мы.
Испокону мы в зле да шёпоте
Под иконами в чёрной копоти!

    И из смрада, где косо висят образа,
    Я, башку очертя, гнал, забросивши кнут,
    Куда кони несли да глядели глаза,
    И где люди живут и как люди живут...

Сколько кануло, сколько схлынуло!
Жизнь кидала меня — не докинула.
Может, спел про вас неумело я,
Очи чёрные, скатерть белая!

[1973]

* * *

Когда я отпою и отыграю,
Чем кончу я, на чём — не угадать.
Но лишь одно наверняка я знаю —
Мне будет не хотеться умирать!

Посажен на литую цепь почёта,
И звенья славы мне не по зубам...
Эй! Кто стучит в дубовые ворота
Костяшками по кованым скобам?!

Ответа нет. Но там стоят, я знаю,
Кому не так страшны цепные псы,—
И вот над изгородью замечаю
Знакомый серп отточенной косы.

...Я перетру серебряный ошейник
И золотую цепь перегрызу,
Перемахну забор, ворвусь в репейник,
Порву бока — и выбегу в грозу!

[1973]

ПАМЯТНИК

Я при жизни был рослым и стройным,
Не боялся ни слова, ни пули
И в привычные рамки не лез.
Но с тех пор, как считаюсь покойным,
Охромили меня и согнули,
К пьедесталу прибив ахиллес.

Не стряхнуть мне гранитного мяса
И не вытащить из постамента
Ахиллесову эту пяту,
И железные рёбра каркаса
Мёртво схвачены слоем цемента —
Только судороги по хребту.

Я хвалился косою саженью:
Нате, смерьте!
Я не знал, что подвергнусь суженью
После смерти.
Но в привычные рамки я всажен,—
На́ спор вбили,
А косую неровную сажень
Распрямили.

И с меня, когда взял я да умер,
Живо маску посмертную сняли
Расторопные члены семьи.
И не знаю, кто их надоумил,
Только с гипса вчистую стесали
Азиатские скулы мои.

Мне такое не мнилось, не снилось,
И считал я, что мне не грозило
Оказаться всех мёртвых мертвей,
Но поверхность на слепке лоснилась,
И могильною скукой сквозило
Из беззубой улыбки моей.

Я при жизни не клал тем, кто хищный,
    В пасти палец.
Подойти ко мне с меркой обычной —
    Опасались.
Но по снятии мерки посмертной —
    Тут же, в ванной,
Гробовщик подошел ко мне с меркой
    Деревянной.

А потом, по прошествии года,
Как венец моего исправленья
Крепко сбитый, литой монумент
При огромном скопленьи народа
Открывали под бодрое пенье,
Под моё — с намагниченных лент.

    Тишина надо мной раскололась,
    Из динамиков хлынули звуки,
    С крыш ударил направленный свет,
    Мой отчаяньем сорванный голос,
    Современные средства науки
    Превратили в приятный фальцет.

    Я немел, в покрывало упрятан,—
        Все там будем!
    Я орал в то же время кастратом
        В уши людям!
    Саван сдёрнули — как я обужен! —
        Нате, смерьте!
    Неужели такой я вам нужен
        После смерти?

Командора шаги злы и гулки!
Я решил: как во времени оном,
Не пройтись ли по плитам, звеня? —
И шарахнулись толпы в проулки,
Когда вырвал я ногу со стоном
И осыпались камни с меня.

    Накренился я — гол, безобразен,—
    Но и падая, вылез из кожи,
    Дотянулся железной клюкой,
    И когда уже грохнулся наземь,
    Из разодранных рупоров всё же
    Прохрипел я: «Похоже — живой!»

И паденье меня и согнуло,
        И сломало,
Но торчат мои острые скулы
        Из металла!
Не сумел я, как было угодно —
        Шито-крыто.
Я, напротив, ушел всенародно
        Из гранита.

[1973]

Убрав его — он был навеселе,—
Арену занял сонм эквилибристов.
Ну, всё, пора кончать парад-алле
Ковёрных. Дайте туш, даёшь артистов.

[1970-е]

СЛУЧАИ

Мы все живём как будто, но не будоражат нас давно
Ни паровозные свистки, ни пароходные гудки.
Иные — те, кому дано,— стремятся вглубь и видят дно,
Но — как навозные жуки и мелководные мальки.

  А рядом случаи летают, словно пули,
  Шальные, запоздалые, слепые, на излёте,
  Одни под них подставиться рискнули,
  И сразу — кто в могиле, кто в почёте,

  Другие — не заметили, а мы — так увернулись:
  Нарочно ль, по примете ли — на правую споткнулись.

Средь суеты и кутерьмы, ах, как давно мы не прямы!
То гнемся бить поклоны впрок, а то — завязывать шнурок.
Стремимся вдаль проникнуть мы, но даже светлые умы
Всё излагают между строк — у них расчёт на долгий срок.

  А рядом случаи летают, словно пули,
  Шальные, запоздалые, слепые, на излёте.
  Одни под них подставиться рискнули,
  И сразу — кто в могиле, кто в почёте,

  Другие — не заметили, а мы — так увернулись:
  Нарочно ль, по примете ли — на правую споткнулись.

Стремимся мы подняться ввысь,— ведь думы наши
           поднялись,
И там парят они, легки, свободны, вечны, высоки.
И так нам захотелось ввысь, что мы вчера перепились,
И, горьким думам вопреки, мы ели сладкие куски.

  А рядом случаи летают, словно пули,
  Шальные, запоздалые, слепые, на излёте,
  Одни под них подставиться рискнули,
  И сразу — кто в могиле, кто в почёте,

  Другие — не заметили, а мы — так увернулись:
  Нарочно ль, по примете ли — на правую споткнулись.

Открытым взломом, без ключа, навзрыд об ужасах крича,
Мы вскрыть хотим подвал чумной, рискуя даже головой.
И трезво, а не сгоряча, мы рубим прошлое сплеча,
Но бьем расслабленной рукой, холодной, дряблой, никакой.

    А рядом случаи летают, словно пули,
    Шальные, запоздалые, слепые, на излёте.
    Одни под них подставиться рискнули,
    И сразу — кто в могиле, кто в почёте,

    Другие — не заметили, а мы — так увернулись:
    Нарочно ль, по примете ли — на правую споткнулись.

Приятно сбросить гору с плеч и всё на Божий суд извлечь,
И руку выпростать, дрожа, и показать — в ней нет ножа,
Не опасаясь, что картечь и безоружных будет сечь!
Но нас, железных, точит ржа и психология ужа.

    А рядом случаи летают, словно пули,
    Шальные, запоздалые, слепые, на излёте.
    Одни под них подставиться рискнули,
    И сразу — кто в могиле, кто в почёте,

    Другие — не заметили, а мы — так увернулись:
    Нарочно ль, по примете ли — на правую споткнулись.

[1974]

* * *

Парад-алле! Не видно кресел, мест.
Оркестр шпарил марш, и вдруг, весь в чёрном,
Эффектно появился шпрехшталмейстер
И крикнул о сегодняшнем ковёрном.

Вот на манеже мощный чёрный слон,
Он показал им свой нерусский норов.
Я раньше был уверен, будто он —
Главою у зверей и у жонглёров.

Я был неправ, — с ним шёл холуй с кнутом,
Кормил его, ласкал, лез целоваться
И на ухо шептал ему... О чём?!
В слоне я сразу начал сомневаться.

Потом слон сделал что-то вроде па
С презреньем, и уведен был куда-то.
И всякая полезла шантрапа
С повадками заправских акробатов.

Вот выскочили трое молодцов,
Одновременно всех подвергли мукам,
Но вышел мужичок из наглецов
И их убрал со сцены ловким трюком.

Потом, когда там кто-то выжимал
Людей ногами, грудью и руками,
Тот мужичок весь цирк увеселял
Своими непонятными делами.

Он всё за что-то брался, что-то клал,
Хватал за всё... Я понял — вот работа.
Весь трюк был в том, что он не то хватал —
И дохватался — на весь цирк икота.

ИНСТРУКЦИЯ ПЕРЕД ПОЕЗДКОЙ ЗА РУБЕЖ

Я вчера закончил ковку,
Я два плана залудил,—
И в загранкомандировку
От завода угодил.

Копоть, сажу смыл под душем,
Съел холодного язя
И инструктора послушал,
Что там можно, что нельзя.

Там, у них, пока что лучше бытово.
Так чтоб я не отчебучил не того,
Он мне дал прочесть брошюру — как наказ,
Чтоб не вздумал жить там сдуру как у нас.

Говорил со мной, как с братом,
Про коварный зарубеж,
Про поездку к демократам
В польский город Будапешт:

«Там, у них, уклад особый,—
Нам — так сразу не понять.
Ты уж их, браток, попробуй
Хоть немного уважать.

Будут с водкою дебаты — отвечай:
«Нет, ребяты-демократы! Только чай».
От подарков их сурово отвернись,—
«У самих добра такого — завались».

Он сказал: «Живя в комфорте —
Экономь, но не дури.
И, гляди, не выкинь фортель,
С сухомятки не помри!

В этом чешском Будапеште,—
Уж такие времена,—
Может, скажут «пейте-ешьте»,
Ну, а может,— ни хрена».

Ох, я в Венгрии на рынок похожу,
На немецких на румынок погляжу!
«Демократки, — уверяли кореша, —
Не берут с советских граждан ни гроша».

   «Буржуазная зараза
   Всюду ходит по пятам.
   Опасайся пуще глаза
   Ты внебрачных связей там.

      Там шпионки с крепким телом.
      Ты их в дверь — они в окно!
      Говори, что с этим делом
      Мы покончили давно.

Могут действовать они не прямиком:
Шасть в купе — и притворится мужиком,
А сама наложит тола под корсет.
Проверяй, какого пола твой сосед!»

   Тут давай его пытать я:
   «Опасаюсь — маху дам!
   Как проверить — лезть под платье?
   Так схлопочешь по мордам...»

      Но инструктор — парень дока,
      Деловой — попробуй срежь!
      И опять пошла морока
      Про коварный зарубеж.

Популярно объясняю для невежд:
Я к болгарам уезжаю — в Будапешт.
Если темы там возникнут — сразу снять.
Бить не нужно, а не вникнут — разъяснять!

   Я ж по-ихнему ни слова,
   Ни в дугу и ни в тую!
   Молот мне — так я любого
   В своего перекую.

      Но ведь я не агитатор,
      Я — потомственный кузнец.
      Я к полякам в Улан-Батор
      Не поеду, наконец!

Сплю с женой, а мне не спится: «Дусь, а Дусь...
Может, я без заграницы обойдусь?
Я ж не ихнего замеса — я сбегу.
Я на ихнем ни бельмеса, ни гугу!»

Дуся дремлет, как ребёнок,
Накрутивши бигуди.
Отвечает мне спросонок:
«Знаешь, Коля,— не зуди.

Что ты, Коля, больно робок —
Я с тобою разведусь.
Двадцать лет живём бок о́ бок —
И всё время: «Дусь, а Дусь...»

Обещал,— забыл ты, нешто? Ох, хорош!..—
Что клеёнку с Бангладешта привезёшь.
Сбереги там пару рупий, не бузи.
Мне хоть чё! — хоть чёрта в ступе привези».

Я уснул, обняв супругу,
Дусю нежную мою.
Снилось мне, что я кольчугу,
Щит и меч себе кую.

Там у них другие мерки,
Не поймёшь — съедят живьем...
И все снились мне венгерки
С бородами и с ружьём,

Снились дусины клеёнки цвета беж
И нахальные шпиёнки в Бангладеш,—
Поживу я, воля божья, у румын.
Говорят, они с Поволжья,— как и мы.

Вот же женские замашки!
Провожала — стала петь,
Отутюжила рубашки —
Любо-дорого смотреть.

До свиданья, цех кузнечный,
Аж до гвоздика родной,
До свиданья, план мой встречный,
Перевыполненный мной!

293

Пили мы — мне спирт в аорту проникал,
Я весь путь к аэропорту проикал.
К трапу я — а сзади в спину будто лай:
«На кого ж ты нас покинул, Николай?!»

[1973—1974]

* * *

На дистанции — четвёрка первачей.
Каждый думает, что он-то побойчей,
Каждый думает, что меньше всех устал,
Каждый хочет на высокий пьедестал.

Кто-то кровью холодней, кто — горячей,
Все наслушались напутственных речей,
Каждый съел примерно поровну харчей,
Но судья не зафиксирует ничьей.

А борьба на всём пути,
В общем, равная почти.
— Расскажите, как идут,
        бога ради, а?
Телевидение тут
        вместе с радио.
— Нет особых новостей —
        всё ровнёхонько,
Но зато накал страстей —
        о-хо-хо какой!

Номер первый рвёт подмётки как герой,
Как под гору катит,— хочет под горой
Он в победном ореоле и в пылу
Твёрдой поступью приблизиться к котлу.

Почему высоких мыслей не имел?
Потому что в детстве мало каши ел.
Голодал он в этом детстве, не дерзал,
Успевал переодеться — и в спортзал.

Что ж, идеи нам близки:
Первым — лучшие куски,
А вторым — чего уж тут,
        он всё выверил —
В утешение дадут
        кости с ливером.

Номер два далёк от плотских тех утех.
Он из сытых, он из этих, он из тех,
Он надеется на славу, на успех,
И уж ноги задирает выше всех!

Ох, наклон на вираже! — бетон у щёк,
Краше некуда уже, а он — ещё.
Он стратег, он даже тактик, словом — спец,—
Сила, воля плюс характер — молодец!

Чёток, собран, напряжён
И не лезет на рожон.
Этот будет выступать
           на Салониках,
И детишек поучать
           в кинохрониках,
И соперничать с Пеле
           в закалённости,
И являть пример целе-
устремленности.

Номер третий убелён и умудрён,—
Он всегда второй надёжный эшелон.
Вероятно, кто-то в первом заболел,
Ну, а может, его тренер пожалел.

И назойливо в ушах звенит струна:
У тебя последний шанс, эх, старина!
Он в азарте как мальчишка, как шпана,
Нужен спурт — иначе крышка и хана!

Переходит сразу он
В задний старенький вагон,
Где былые имена —
           предынфарктные,
Где местам одна цена —
           все плацкартные.

А четвёртый — тот, что крайний, боковой,—
Так бежит — ни для чего, ни для кого:
То приблизится — мол, пятки оттопчу,
То отстанет, постоит — мол, так хочу.
(Не проглотит первый лакомый кусок,
Не надеть второму лавровый венок,

Ну, а третьему — ползти
На запа́сные пути.)
...Сколько всё-таки систем
          в беге нынешнем,—
Он вдруг взял да сбавил темп
          перед финишем,
Майку сбросил — вот те на! —
          Не противно ли?
Поведенье бегуна —
          неспортивное.

На дистанции — четвёрка первачей,
Злых и добрых, бескорыстных и рвачей.
Кто из них что исповедует, кто чей?
...Отделяются лопатки от плечей —
И летит уже четвёрка первачей.

[1974]

* * *

Сначала было слово печали и тоски.
Рождалась в муках творчества планета.
Рвались от суши в никуда огромные куски
И островами становились где-то.

И странствуя по свету без фрахта и без флага,
Сквозь миллионолетья, эпохи и века,
Менял свой облик остров — отшельник и бродяга,
Но сохранял природу и дух материка.

Сначала было слово, но кончились слова.
Уже матросы землю населяли.
И ринулись они по сходням вверх на острова,
Для простоты назвав их кораблями.

Но цепко держит берег,— надёжней мёртвой хватки,
И острова вернутся назад наверняка.
На них царят морские особые порядки,
На них хранят законы и честь материка.

Простит ли нас наука за эту параллель,
За вольность в толковании теорий,
Но если уж сначала было слово на земле,
То это, безусловно, слово — «море».

[1974]

МОЙ ГАМЛЕТ

Я только малость объясню в стихе,
На всё я не имею полномочий...
Я был зачат, как нужно, во грехе, —
В поту и в нервах первой брачной ночи.

Я знал, что, отрываясь от земли,
Чем выше мы — тем жёстче и суровей.
Я шёл спокойно прямо в короли
И вёл себя наследным принцем крови.

Я знал — всё будет так, как я хочу.
Я не бывал внакладе и в уроне.
Мои друзья по школе и мечу
Служили мне, как их отцы — короне.

Не думал я над тем, что говорю,
И с легкостью слова бросал на ветер.
Мне верили и так, как главарю,
Все высокопоставленные дети.

Пугались нас ночные сторожа,
Как оспою, болело время нами.
Я спал на кожах, мясо ел с ножа
И злую лошадь мучил стременами.

Я знал, мне будет сказано: «Царуй!» —
Клеймо на лбу мне рок с рожденья выжег,
И я пьянел среди чеканных сбруй,
Был терпелив к насилью слов и книжек.

Я улыбаться мог одним лишь ртом,
А тайный взгляд, когда он зол и горек,
Умел скрывать, воспитанный шутом.
Шут мёртв теперь: «Аминь!» Бедняга Йорик!

Но отказался я от дележа
Наград, добычи, славы, привилегий.
Вдруг стало жаль мне мёртвого пажа.
Я объезжал зелёные побеги.

Я позабыл охотничий азарт,
Возненавидел и борзых, и гончих.
Я от подранка гнал коня назад
И плетью бил загонщиков и ловчих.

Я видел — наши игры с каждым днём
Всё больше походили на бесчинства.
В проточных водах, по ночам, тайком
Я отмывался от дневного свинства.

Я прозревал, глупея с каждым днём,
Я прозевал домашние интриги.
Не нравился мне век, и люди в нём
Не нравились. И я зарылся в книги.

Мой мозг, до знаний жадный как паук,
Всё постигал: недвижность и движенье,
Но толка нет от мыслей и наук,
Когда повсюду им опроверженье.

С друзьями детства перетёрлась нить,
Нить Ариадны оказалась схемой.
Я бился над словами «быть, не быть»,
Как над неразрешимою дилеммой.

Но вечно, вечно плещет море бед.
В него мы стрелы мечем,— в сито просо,
Отсеивая призрачный ответ
От вычурного этого вопроса.

Зов предков слыша сквозь затихший гул,
Пошёл на зов,— сомненья крались с тылу,
Груз тяжких дум наверх меня тянул,
А крылья плоти вниз влекли, в могилу.

В непрочный сплав меня спаяли дни —
Едва застыв, он начал расползаться.
Я пролил кровь, как все, и, как они,
Я не сумел от мести отказаться.

А мой подъём пред смертью — есть провал.
Офелия! Я тленья не приемлю.
Но я себя убийством уравнял
С тем, с кем я лёг в одну и ту же землю.

Открытым взломом, без ключа, навзрыд об ужасах крича,
Мы вскрыть хотим подвал чумной, рискуя даже головой.
И трезво, а не сгоряча, мы рубим прошлое сплеча,
Но бьем расслабленной рукой, холодной, дряблой, никакой.

А рядом случаи летают, словно пули,
Шальные, запоздалые, слепые, на излёте.
Одни под них подставиться рискнули,
И сразу — кто в могиле, кто в почёте,

Другие — не заметили, а мы — так увернулись:
Нарочно ль, по примете ли — на правую споткнулись.

Приятно сбросить гору с плеч и всё на Божий суд извлечь,
И руку выпростать, дрожа, и показать — в ней нет ножа,
Не опасаясь, что картечь и безоружных будет сечь!
Но нас, железных, точит ржа и психология ужа.

А рядом случаи летают, словно пули,
Шальные, запоздалые, слепые, на излёте.
Одни под них подставиться рискнули,
И сразу — кто в могиле, кто в почёте,

Другие — не заметили, а мы — так увернулись:
Нарочно ль, по примете ли — на правую споткнулись.

[1974]

Убрав его — он был навеселе,—
Арену занял сонм эквилибристов.
Ну, всё, пора кончать парад-алле
Ковёрных. Дайте туш, даёшь артистов.

[1970-е]

* * *

Парад-алле! Не видно кресел, мест.
Оркестр шпарил марш, и вдруг, весь в чёрном,
Эффектно появился шпрехшталмейстер
И крикнул о сегодняшнем ковёрном.

Вот на манеже мощный чёрный слон,
Он показал им свой нерусский норов.
Я раньше был уверен, будто он —
Главою у зверей и у жонглёров.

Я был неправ,— с ним шёл холуй с кнутом,
Кормил его, ласкал, лез целоваться
И на ухо шептал ему... О чём?!
В слоне я сразу начал сомневаться.

Потом слон сделал что-то вроде па
С презреньем, и уведен был куда-то.
И всякая полезла шантрапа
С повадками заправских акробатов.

Вот выскочили трое молодцов,
Одновременно всех подвергли мукам,
Но вышел мужичок из наглецов
И их убрал со сцены ловким трюком.

Потом, когда там кто-то выжимал
Людей ногами, грудью и руками,
Тот мужичок весь цирк увеселял
Своими непонятными делами.

Он всё за что-то брался, что-то клал,
Хватал за всё... Я понял — вот работа.
Весь трюк был в том, что он не то хватал —
И дохватался — на весь цирк икота.

Я Гамлет, я насилье презирал,
Я наплевал на Датскую корону,
Но в их глазах — за трон я глотку рвал
И убивал соперника по трону.

Но гениальный всплеск похож на бред,
В рожденьи смерть проглядывает косо.
А мы все ставим каверзный ответ
И не находим нужного вопроса.

[1973—1974]

* * *

Как во городе во главном,
Как известно — златоглавом,
В белокаменных палатах,
Знаменитых на весь свет,
Выразители эпохи
Лицедеи-скоморохи,—
У кого дела неплохи,—
Собирались на банкет.

Для веселья есть причина:
Ну, во-первых — дармовщина,
Во-вторых — любой мужчина
Может даму пригласить
И, потискав даму эту,
По паркету весть к буфету
И без денег, по билету,
Накормить и напоить.

И стоят в дверном проёме
На великом том приёме
На дежурстве, как на стрёме,
Тридцать три богатыря.
Им потеха — где шумиха,
Там ребята эти лихо
Крутят рученьки, но — тихо,
Ничего не говоря.

Но ханыга, прощелыга,
Забулдыга и сквалыга
От монгольского от ига
К нам в наследство перешли,
И они входящим — в спину,
Хором, враз: — Даёшь Мазину!
Дармовую лососину!
И Мишеля Пиколи!

...В кабаке старинном «Каме»
Парень кушал с мужиками.
Все ворочали мозгами —
Кто хорош, а кто и плох.
А когда кабак закрыли,
Все решили: недопили.
И — кого-то снарядили,
Чтоб чего-то приволок.

Парень этот для начала
Чуть пошастал у вокзала, —
Там милиция терзала
Сердобольных шоферов.
Он рванул тогда накатом
К белокаменным палатам
Прямо в лапы к тем ребятам —
По мосту, что через ров.

Под дверьми всё непролазней
(Как у Лобного на казни,
Но толпа побезобразней —
Вся колышется, гудёт...),
Не прорвёшься, хоть ты тресни!
Но узнал один ровесник:
— Это тот, который песни...
Пропустите, пусть идёт!

— Не толкайте — не подвинусь! —
Думал он, — а вдруг навынос
Не дадут? Вот будет минус...
Ах — красотка на пути! —
Но парнишке не до крали, —
Лишь бы только торговали,
Лишь бы дали, лишь бы дали!
Время — два без десяти.

У буфета всё нехитро:
— Пять «четвёрок», два пол-литра!
Эй, мамаша, что сердита?
Сдачи можешь не давать!.. —
Повернулся — а средь зала
Краля эта танцевала!
Вся блистала, вся сияла,
Как звезда — ни дать ни взять!

303

И — упали из подмышек
Две больших и пять малышек
(Жалко, жалко ребятишек —
Тех, что бросил он в беде),
И осколки, как из улья,
Разлетелись — и под стулья.
...А пред ним мелькала тулья
Золотая на звезде.

Он за воздухом к балконам —
Поздно! Вырвались со звоном
И из сердца по салонам
Покатились клапана...
И, назло другим принцессам,
Та — взглянула с интересом,
Хоть она, писала пресса,
Хороша, но холодна.

Одуревшие от рвенья,
Рвались к месту преступленья
Люди плотного сложенья,
Засучивши рукава.
Но — не сделалось скандала.
Всё вокруг затанцевало,—
Знать, скандала не желала
Предрассветная Москва.

И заморские ехидны
Говорили:— Ах, как стыдно!
Это просто несолидно,
Глупо так себя держать!..—
Только негр на эту новость
Укусил себя за ноготь,—
В Конго принято, должно быть,
Так восторги выражать.

Оказал ему услугу
И оркестр с перепугу,
И толкнуло их друг к другу —
Говорят, что сквозняком.

И ушли они, не тронув
Любопытных микрофонов,
Так как не было талонов
Вспрыснуть встречу коньяком.

Говорят, живут же люди
В этом самом Голливуде!
И в Париже!.. Но — не будем,
Пусть болтают куркули!
Кстати, те, с кем был я в «Каме»,
Оказались мужиками —
Не махали кулаками,
Улыбнулись и ушли.

И пошли летать в столице
Нежилые небылицы:
Молодицы — не девицы —
Словно деньгами сорят.
В подворотнях, где потише,
И в мансардах, возле крыши,
И в местах ещё повыше
Разговоры говорят.

[1974]

* * *

Памяти В. Шукшина

Ещё — ни холодов, ни льдин.
Земля тепла. Красна калина.
А в землю лёг ещё один
На Новодевичьем мужчина.

«Должно быть, он примет не знал,—
Народец праздный суесловит,—
Смерть тех из нас всех прежде ловит,
Кто понарошку умирал».

Коль так, Макарыч,— не спеши,
Спусти колки, ослабь зажимы,
Пересними, перепиши,
Переиграй — останься живым!

Но, в слёзы мужиков вгоняя,
Он пулю в животе понёс,
Припал к земле, как верный пёс.
А рядом куст калины рос.
Калина — красная такая...

Смерть самых лучших намечает
И дергает по одному.
Такой наш брат ушёл во тьму!..
Не буйствует и не скучает.

А был бы «Разин» в этот год.
Натура где — Онега, Нарочь?
Всё печки-лавочки, Макарыч!
Такой твой парень не живёт.

Вот после временной заминки
Рок процедил через губу:
«Снять со скуластого табу
За то, что он видал в гробу
Все панихиды и поминки.

Того, с большой душою в теле
И с тяжким грузом на горбу,
Чтоб не испытывал судьбу,
Взять утром тёпленьким с постели!»

И после непременной бани,
Чист перед Богом и тверёз,
Взял да и умер он всерьёз.
Решительней, чем на экране.

Гроб в грунт разрытый опуская
Средь новодевичьих берёз,
Мы выли, друга отпуская
В загул без времени и края...

А рядом куст сирени рос.
Сирень осенняя. Нагая...

[1974]

«ИВАН-ДА-МАРЬЯ»

ПЕСНЯ НЕЧИСТИ

Как да во лесу дремучем,
По сырым дуплам да сучьям
И по норам по барсучьим
Мы скучаем и канючим.

Так зачем сидим мы сиднем,
Скуку да тоску наводим?
Ну-кася, ребята, выйдем —
Весело поколобродим!

Мы — ребята битые,
Тёртые, учёные,
Во болотах мытые,
В омутах мочёные.

Как да во лесу дремучем
Что-нибудь да отчубучим —
Добра молодца прищучим,
Пощекочем и помучим,

Воду во реке замутим,
Пугал на кустах навесим,
Пакостных шутих нашутим —
Весело покуролесим!

Водяные, лешие!
Души забубённые!
Ваше дело — пешие,
Наше дело — конные.

Первый соловей в округе —
Я гуляю бесшабашно.
У меня такие слуги,
Что и самому мне страшно.

Цикл песен к фильму.

К их проказам не привыкну —
До того хитры ребятки.
Да и сам я свистну-гикну —
Аж душа уходит в пятки.

    Не боюсь тоски-муры,
    Если есть русалочки!
    Выходи, кикиморы!
    Поиграем в салочки!

Ты не жди, купец, подмоги —
Мы из чащи повылазим
Да и на большой дороге
Вволюшку побезобразим.

    Ну-ка, рукава засучим,
    Путника во тьме прижучим,
    Свалим и в песке зыбучем
    Пропесочим и проучим.

    Зря на нас клевещете,
    Умники речистые!
    Всё путём у нечисти,
    Даже совесть чистая.

СОЛДАТ И ПРИВИДЕНИЕ

— Во груди душа словно ёрзает,
Сердце в ней горит, будто свечка.
И в судьбе, как в ружье — то затвор заест,
То в плечо отдаст, то осечка.

Ах ты, долюшка несчастливая,
Воля царская — несправедливая!

— Я привидение, я призрак, но
Я от сидения давно больно.
Темница тесная, везде сквозит.
Хоть бестелесно я — а всё ж знобит.

Может, кто-нибудь обидится,
Но я, право, не шучу.
Испугать, в углу привидеться
Совершенно не хочу.

Жаль, что вдруг тебя казнят —
Ты с душой хорошею.
Можешь запросто, солдат,
Звать меня Тимошею.

СОЛДАТСКАЯ

Ну, чем же мы, солдаты, виноваты,
Что наши пушки не зачехлены?
Пока ещё ершатся супостаты,
Не обойтись без рати и войны.

Я бы пушки и мортиры
Никогда не заряжал,
Не ходил бы даже в тиры —
Детям ёлки наряжал.

— Напра!..— нале!..
Ружьё на пле!..
Бегом в расположение! —
А я пою:
— Ать-два, ать-два,
Усталость — трын-трава,
Хоть тяжело в учении —
Легко в бою!

Раззудись, плечо, если наших бьют!
Сбитых, сваленных оттаскивай!
Я пред боем тих, а в атаке лют,
Ну, а после боя — ласковый.

На голом на плацу, на вахт-параде,
В казарме, на часах — все дни подряд —
Безвестный, не представленный к награде,
Справляет службу ратную солдат.

И какие бы ни дули
Ураганные ветра,
Он — в дозоре, в карауле
От утра и до утра.

— Ружьё к ноги!
Равняйсь! Беги!
Ползком в расположение! —
А я пою:
— Ать-два, ать-два,
Живём мы однова,
Хоть тяжело в учении —
Легко в бою!

Если ломит враг, бабы слёзы льют,—
Ядра к пушечкам подтаскивай!
Я пред боем тих, я в атаке лют,
Ну, а после боя — ласковый.

* * *

Подходи, народ, смелее!
Слушай, переспрашивай!
Мы споём про Евстигнея —
Государя нашего.

Вы себе представьте сцену,
Как папаша Евстигней
Дочь — царевну Аграфену —
Хочет сплавить поскорей.

Но не получается,
Царевна не сплавляется!

Как-то ехал царь из леса
Весело, спокойненько,
Вдруг услышал свист, балбес,
Соловья-Разбойника.

С той поры царя корёжит,
Словно кость застряла в нём.
Пальцы в рот себе заложит —
Хочет свистнуть соловьём.

Надо с этим бой начать,
А то начнёт разбойничать!

* * *

Если кровь у кого горяча —
Саблей бей, пикой лихо коли!
Царь дарует вам шубу с плеча
Из естественной выхухоли.

Сей указ без обману-коварства,
За печатью, по форме, точь-в-точь:
В бой — за восемь шестнадцатых царства
И за целую царскую дочь!

КУПЛЕТЫ НЕЧИСТИ

— Я — Баба-Яга, вот и вся недолга.
Я езжу в немазаной ступе.
Я к русскому духу не очень строга,
Люблю его сваренным в супе.

Ох, надоело с метёлкой гонять,
Зелье я переварила.
Что-то нам стала совсем изменять
Наша нечистая сила.

— Привет, добрый тень, я дак — Оборотень.
Неловко на днях обернулся.
Хотел превратиться в дырявый плетень,
Да вот посерёдке запнулся.

Кто я теперь — самому не понять.
Эк меня, братцы, скривило!
Нет, что-то стала нам всем изменять
Наша нечистая сила.

— Я — старый больной озорной Водяной,
Но мне надоела квартира.
Лежу под корягой простуженный, злой,
А в омуте мокро и сыро.

Вижу намедни — утопленник. Хвать!
А он меня — пяткой по рылу.
Ой, перестали совсем уважать
Нашу нечистую силу!

— Такие дела: Лешачиха со зла,
Лишив меня лешевелюры,
Вчера из дупла на мороз прогнала —
У ней с Водяным шуры-муры.

Стали вдвоём старика притеснять,
С фланга заходят и с тылу.
Как в обстановке такой сохранять
Нашу нечистую силу?!

ЯРМАРКА

Эй! Народ честной, незадачливый!
Эй, вы, купчики да служивый люд!
Живо к городу поворачивай, —
Зря ли в колокол с колоколен бьют!

Все ряды уже с утра
        Позахвачены,
Уйма всякого добра,
        Всякой всячины.

Там точильные круги
        Точат лясы,
Там лихие сапоги —
        Самоплясы.

Тагарга-матагарга,
Во столице ярмарка!
Сказочно-реальная,
Цвето-музыкальная!

313

Богачи и голь перекатная!
Покупатели все, однако, вы,
И, хоть ярмарка не бесплатная,
Раз в году вы все одинаковы!

За едою в закрома
     Спозараночка
Скатерть сбегает сама —
     Самобраночка.

Кто не схочет есть и пить
     Тем — изнанка.
Их начнёт сама бранить
     Самобранка!

Тагарга-матагарга,
Во какая ярмарка!
Праздничная, вольная,
Бело-хлебосольная!

Вот и шапочки-невидимочки,
Кто наденет их — станет барином.
Леденцы во рту, словно льдиночки,
И жар-птица есть в виде жареном!

Прилетали год назад
     Гуси-лебеди,
А теперь они лежат
     На столе, гляди!

Эй! Слезайте с облучка,
     Добры люди!
Да из белого бычка
     Ешьте студень!

Тагарга-матагарга,
Всем богата ярмарка!
Вон орехи рядышком
С изумрудным ядрышком!

Скоморохи здесь — все хорошие,
Скачут-прыгают через палочку.
Прибауточки скоморошие,
Смех и грех от них — все вповалочку!

По традиции, как встарь,
Вплавь и волоком,
Привезли царь-самовар,
Как царь-колокол.

Скороварный самовар,
Он — на торфе,
Вам на выбор сварит вар
Или кофий.

Тагарга-матагарга,
Удалая ярмарка!
С плясунами резвыми,
Большей частью трезвыми!

Вот Балда пришёл, поработать чтоб.
Безработный он, киснет-квасится.
Тут как тут и Поп — толоконный лоб,
Но Балда ему — кукиш с маслицем.

Разновесые весы —
Проторгуешься!
В скороходики-часы
Не обуешься.

Скороходы-сапоги
Не залапьте!
А для стужи да пурги —
Лучше лапти!

Тагарга-матагарга,
Что за чудо-ярмарка!
Звонкая, не сонная,
Нетрадиционная!

Вон Емелюшка щуку мнёт в руке,
Щуке быть ухой — вкусным варевом.
Черномор кота продаёт в мешке,—
Слишком много кот разговаривал.

Говорил он без сучка
Без задорины,—
Все мы сказками слегка
Объегорены.

315

Не скупись, не стой, народ,
За ценою.
Продаётся с цепью кот
С золотою!

Тагарга-матагарга,
Упоенье — ярмарка!
Общее, повальное,
Эмоциональное!

Будет смехом-то рвать животики!
Кто отважится, разохотится
Да на коврике-самолётике
Не откажется, а прокотится?

Разрешите сделать вам
Примечание —
Никаких воздушных ям
И качания.

Рулолётчики вчера
Ночь не спали —
Пыль из этого ковра
Выбивали.

Тагарга-матагарга,
Удалася ярмарка!
Тагарга-матагарга,
Хорошо бы — надолго!

Здесь река течёт — вся молочная,
Берега над ней — сплошь кисельные.
Мы вобьём во дно сваи прочные,
Запрудим её — дело дельное!

Запрудили мы реку́ —
Это плохо ли?!
На кисельном берегу
Пляж отгрохали.

Но купаться нам пока
Нету смысла,
Потому — у нас река
Вся прокисла!

Тагарга-матагарга,
Не в обиде ярмарка!
Хоть залейся нашею
Кислой простоквашею!

Мы беду-напасть подожгём огнём,
Распрямим хребты втрое сложенным,
Мёда хмельного до краёв нальём
Всем скучающим и скукоженным.

Много тыщ имеет кто —
Тратьте тыщи те!
Даже то — не знаю что —
Здесь отыщете!

Коль на ярмарку пришли —
Так гуляйте!
Неразменные рубли —
Разменяйте!

Тагарга-матагарга,
Во какая ярмарка!
Подходи, подваливай,
Сахари-присаливай!

СЕРЕНАДА СОЛОВЬЯ-РАЗБОЙНИКА

Выходи, я тебе посвищу серенаду!
Кто тебе серенаду еще посвистит?
Сутки кряду могу до упаду,
Если Муза меня посетит.

Я пока еще только шутю и шалю,
Я пока на себя не похож.
Я обиду терплю, но когда я вспылю —
Я дворец подпилю, подпалю, развалю,
Если ты на балкон не придешь!

Ты отвечай мне прямо, откровенно,
Разбойничью душу не трави.
О, выйди, выйди, выйди, Аграфена!
Послушай серенаду о любви!

Ей-ей-ей, трали-вали,
Кабы красна-девица жила в полуподвале,
Я б тогда на корточки
Приседал у форточки —
Мы бы до утра проворковали!

Во лесных кладовых моих уйма товара —
Два уютных дупла, три пенёчка гнилых.
Чем же я тебе, Груня, не пара?
Чем я, Феня, тебе не жених?

Так тебя я люблю, что ночами не сплю,
Сохну с горя у всех на виду.
Вон и голос сорвал, и хриплю, и сиплю...
Ох, я дров нарублю, я себя погублю,
Но тебя украду, уведу!

Я женихов твоих — через колено,
Я папе твоему попорчу кровь.
О, выйди, выйди, выйди, Аграфена!
О, не губи разбойничью любовь!

Ей-ей-ей, трали-вали,
Кабы красна-девица жила в полуподвале,
Я б тогда на корточки
Приседал у форточки —
Мы бы до утра проворковали!

СВАДЕБНАЯ

Ты, звонарь-пономарь, не кемарь!
Звонкий колокол раскочегаривай.
Ты очнись, встрепенись, гармонист,
Переливами щедро одаривай!

Мы беду навек спровадили,
В грудь ей вбили кол осиновый.
Перебор сегодня — свадебный,
Звон над городом — малиновый.

Эй! Гармошечка — дразни,
Не спеши, подманивай...
Главный колокол, звони!
Маленький — подзванивай!

Крикуны, певуны, плясуны!
Оглашенные, неугомонные!
Нынче пир, буйный пир на весь мир,
Все — желанные, все приглашённые.

    Как на ярмарочной площади
    Вы веселие обрящете,
    Там и горло прополощете,
    Там споёте да попляшете!

        Не серчай, а получай
        Чашу полновесную!
        Подходи да привечай
        Жениха с невестою!

Топочи, хлопочи, хохочи!
Хороводы води развесёлые.
По бокам, по углам, к старикам
Разойдись, недоёные, квёлые!

    Поздравляй, да с пониманием,
    За застольною беседою —
    Со счастливым сочетанием
    Да с законною победою.

        Наша свадьба — не конец
        Дельцу пустяковому,
        Делу доброму — венец,
        Да начало — новому.

ПЕСНЯ МАРЬИ

Отчего не бросилась, Марьюшка, в реку ты,
Что же не замолкла-то навсегда ты,
Как забрали милого в рекруты,
Как ушёл твой суженый во солдаты?

Я слезами горькими горницу вымою
И на годы долгие дверь закрою,
Наклонюсь над озером ивою,
Высмотрю, как в зеркале, что с тобою.

Травушка-муравушка сочная, мятная
Без тебя ломается, ветры дуют.
Долюшка солдатская ратная,—
Что, как пули грудь твою не минуют?

Тропочку глубокую протопчу пó полю
И венок свой свадебный впрок совью,
Дивну косу девичью дó полу
Сберегу для милого с проседью.

Вот возьмут кольцо моё с белого блюдица,
Хоровод завертится — грустно в нём.
Пусть моё гадание сбудется,
Пусть вернётся суженый вешним днём.

Пой, как прежде, весело, идучи к дому ты.
Тихим словом ласковым утешай.
А житьё невестино — омуты...
Дожидает, Марьюшка,— поспешай!

ИВАН ДА МАРЬЯ

Не сдержать меня уговорами.
Верю свято я не в него ли?
Пусть над ним кружат чёрны вороны,
Но он дорог мне и в неволе.

Пели веку испокон,
Да прослышала сама я,
Как в году невесть каком
Стали вдруг одним цветком
Два цветка — Иван да Марья.

[1974]

«БЕГСТВО МИСТЕРА МАК-КИНЛИ»

БАЛЛАДА О МАЛЕНЬКОМ ЧЕЛОВЕКЕ

Погода славная,
И это главное,
И мне на ум пришла идейка презабавная,
Но не о Господе
И не о космосе —
Все эти новости уже обрыдли до́ смерти.

Сказку, миф, фантасмагорию
Пропою вам с хором ли, один ли.
Слушайте забавную историю
Некоего мистера Мак-Кинли,

Не супермена, не ковбоя, не хавбека,
А просто — маленького, просто — человека.
Кто он такой — герой ли, сукин сын ли,—
Наш симпатичный господин Мак-Кинли?
Валяйте выводы, составьте мнение
В конце рассказа, в меру разумения.
Ну, что, договорились? Если так —
Привет! Буэнос-диас! Гутен таг!

Ночуешь в спаленках
В обоях аленьких
И телевиденье глядишь для самых маленьких.
С утра полчасика
Займёт гимнастика —
Прыжки, гримасы, отжимания от пластика.

И трясёшься ты в автобусе,
На педали жмёшь, гремя костями.
Сколько вас на нашем тесном глобусе
Весело работает локтями!

Написано для фильма по сценарию Леонида Леонова.

Как наркоманы — кокаины, как больные,
В заторах нюхаешь ты газы выхлопные.
Но строен ты — от суеты худеют,
Бодреют духом, телом здоровеют.
Через собратьев ты переступаешь,
Но успеваешь, всё же успеваешь
Знакомым огрызнуться на ходу:
— Салют! День добрый! Хау ду ю ду!

Для созидания
В коробки-здания
Ты заползаешь, как в загоны на заклание.
В поту и рвении,
В самозабвении
Ты создаёшь, творишь и рушишь в озарении.

Люди, власти не имущие!
Кто-то вас со злого перепою,—
Маленькие, но и всемогущие,—
Окрестил безликою толпою.

Будь вы на поле, у станка, в конторе, в классе,
Но вы причислены к какой-то серой массе,
И в перерыв, в час подлинной свободы,
Вы наскоро жуёте бутерброды.
Что ж, эти сэндвичи — предметы сбыта.
Итак, приятного вам аппетита!
Нелёгкий век стоит перед тобой,
И всё же:— Гутен морген, дорогой!

Дела семейные,
Платки нашейные,
И пояса, и чудеса галантерейные —
Цена кусается,
Жена ласкается...
Махнуть рукою! — да рука не подымается.

Цену вежливо и тоненько
Пропищит волшебник-трикотажник.
Ты с невозмутимостью покойника
Наизнанку вывернешь бумажник.

322

Все ваши будни, да и праздники морозны,
И вы с женою как на кладбище — серьёзны.
С холодных стен — с огромного плаката
На вас глядят серьёзные ребята,
И улыбаются во всех витринах
Отцы семейств в штанах и лимузинах.
Откормленные люди на щитах
Приветствуют по-братски: — Гутен таг!

    Откуда денежка?
    Куда ты денешься?
    Тебе полвека, друг, а ты ещё надеешься!
    Не жди от ближнего,
    Моли Всевышнего —
    Уж он всегда тебе пошлёт ребёнка лишнего.

      Трое, четверо иль шестеро?
      Вы, конечно, любите сыночков?
      Мировое детское нашествие
      Бестий, сорванцов и ангелочков.

Ты улыбаешься обложкам и нарядам,
Ты твёрдо веришь: удивительное — рядом!
Не верь, старик, что мы за всё в ответе,
Что где-то дети гибнут — те, не эти.
Чуть-чуть задуматься — хоть вниз с обрыва!
А жить-то надо, надо жить красиво.
Передохни, расслабься. Перекур.
Гуд бай, дружище, пламенный бонжур!

    Ах, люди странные,
    Пустокарманные,
    Вы — постоянные клиенты ресторанные,
    Мошны бездонные,
    Стомиллионные
    Вы наполняете, вы — толпы стадионные.

      И ничто без вас не крутится:
      Армии, правители и судьи, —
      Но у сильных в горле, словно устрица,
      Вы скользите, маленькие люди.

И так о маленьком пекутся человеке,
Что забывают лишний ноль вписать на чеке.
Ваш кандидат — а в прошлом он лабазник —
Вам иногда устраивает праздник.
И не безлики вы, и вы не тени,
Коль надо в урны бросить бюллетени.
А «маленький» — хорошее словцо,
Кто скажет так — ты плюнь ему в лицо.
Пусть это слово будет не в ходу.
Привет, Мак-Кинли, хау ду ю ду!

БАЛЛАДА О МАНЕКЕНАХ

Семь дней усталый старый Бог
В запале, в зашоре, в запаре
Творил убогий наш лубок
И каждой твари — по паре.

    Ему творить — потеха,
    И вот, себе взамен,
    Бог создал человека,
    Как пробный манекен.

    Идея эта не нова,
    Но не обхаяна никем.
    Я докажу как дважды два —
    Адам был первый манекен.

А мы — ошмётки хромосом,
Огрызки божественных генов —
Идём проторенным путём
И создаём манекенов.

    Лишённые надежды
    Без мук творить — живых,
    Рядим в свои одежды
    Мы кукол восковых.

    Ругать меня повремени,
    А оглянись по сторонам —
    Хоть нам подобные они,
    Но не живут подобно нам.

Твой нос расплюснут на стекле:
Глазеешь — и ломит в затылке,
А там сидят они в тепле
И скалят зубы в ухмылке.

Вон тот кретин в халате
Смеётся над тобой:
Мол, жив ещё, приятель?
Доволен ли судьбой?

Гляди — красотка! Чем плоха?
Загар и патлы до колен.
Её, закутанный в меха,
Ласкает томный манекен.

Их жизнь и вправду хороша,
Их холят, лелеют и греют.
Они не тратят ни гроша
И плюс к тому — не стареют.

Пусть лупят по башке нам,
Толкают нас и бьют,
Но куклам-манекенам
Мы создали уют.

Они так вежливы — взгляни!
Их не волнует ни черта,
И жизнерадостны они,
И нам, безумным, не чета.

Он никогда не одинок —
В салоне, в постели, в бильярдной, —
Невозмутимый, словно йог,
Галантный и элегантный.

Хочу такого плена,
Свобода мне не впрок.
Я вместо манекена
Хочу пожить денёк.

На манекенские паи
Согласен, чёрт меня дери!
В приятный круг его семьи
Смогу — хотите на пари!

Я предлагаю смелый план
Возможных сезонных обменов:
Мы, люди,— в их бездушный клан,
А вместо нас — манекенов.

Но я готов поклясться,
Что где-нибудь заест —
Они не согласятся
На перемену мест.

Из них, конечно, ни один
Нам не уступит свой уют.
Из этих солнечных витрин
Они без боя не уйдут.

Сдаётся мне — они хитрят,
И, тайно расправивши члены,
Когда живые люди спят,
Выходят в ночи́ манекены.

Машины выгоняют
И мчат так, что держись!
Бузят и прожигают
Свою ночную жизнь.

Такие подвиги творят,
Что мы за год не натворим,
Но возвращаются назад...
Ах, как завидую я им!

Мы скачем, скачем вверх и вниз,
Кропаем и клеим на стенах
Наш главный лозунг и девиз:
«Забота о манекенах!»

Недавно был — читали? —
Налёт на магазин.
В них сколько ни стреляли —
Не умер ни один.

Его налогом не согнуть,
Не сдвинуть повышеньем цен.
Счастливый путь, счастливый путь,—
Будь счастлив, мистер Манекен!

Но, как индусы, мы живём
Надеждою смертных и тленных,
Что если завтра мы умрём —
Воскреснем вновь в манекенах!

Так что не хнычь, ребята —
Наш день ещё придёт!
Храните, люди, свято
Весь манекенский род!

Болезни в нас обострены —
Уже не станем мы никем.
Грядёт надежда всей страны —
Здоровый, крепкий манекен.

ГИМН ХИППИ

Мы рвём — и не найти концов.
Не выдаст чёрт — не съест свинья.
Мы — сыновья своих отцов,
Но блудные мы сыновья.
Приспичило и припекло,—
Мы не вернёмся, видит Бог,
Ни государству под крыло,
Ни под покров, ни на порог.

Враньё — ваше вечное усердие!
Враньё — безупречное житьё!
Гнильё — ваше сердце и предсердие!
Наследство — к чёрту! Всё, что ваше,— не моё!

К чёрту сброшена обуза,
Узы мы свели на нуль!
Нет ни колледжа, ни вуза,
Нет у мамы карапуза,
Нету крошек у папуль.

Довольно вы пустили пуль —
И кое-где и кое-кто
Из наших дорогих папуль —
На всю катушку, на все сто!

Довольно тискали вы краль,
От января до января.
Нам ваша скотская мораль
От фонаря — до фонаря!

Долой — ваши песни, ваши повести!
Долой — ваш алтарь и аналой!
Долой — угрызенья вашей совести!
Все ваши сказки богомерзкие — долой!

Выжимайте деньги в раже,
Только стряпайте без нас
Ваши купли и продажи.
Нам до рвоты ваши даже
Умиленье и экстаз.

Среди заросших пустырей
Наш дом без стен, без крыши кров.
Мы — как изгои средь людей,
Пришельцы из иных миров.
Уж лучше где-нибудь ишачь,
Чтоб по́том с кровью пропотеть,
Чем вашим воздухом дышать,
Богатством вашим богатеть.

Плевать нам на ваши суеверия!
Кромсать всё, что ваше! Проклинать!
Как знать, что нам взять взамен неверия?
Но наши дети это точно будут знать!

Прорицатели, гадалки
Напророчили бедлам.
Ну так мы — уже на свалке —
В колесо фортуны палки
Ставим с горем пополам.

Так идите к нам, Мак-Кинли,
В наш разгневанный содом.
Вы и сам — не блудный сын ли?
Будет больше нас, Мак-Кинли...
Нет? Мы сами к вам придём.

БАЛЛАДА ОБ ОРУЖИИ

По миру люди маленькие носятся, живут себе в рассрочку,
Плохие и хорошие, гуртом и в одиночку.
Хороших знаю хуже я,— у них, должно быть, крылья,
С плохими даже дружен я, они хотят оружия, насилья.

    Большие люди — туз и крез —
    Имеют страсть к ракетам,
    А маленьким что делать без
    Оружья в мире этом?

        Гляди: вон тот ханыга,—
        В кармане денег нет,
        Но есть в кармане фига —
        Взведённый пистолет.

        Мечтает он об ужине
        Уже с утра и днём,
        А пиджачок обуженный
        Топорщится на нём.

        И с ним пройдусь охотно я
        Под вечер налегке,
        Смыкая пальцы потные
        На спусковом крючке,

    Я — целеустремлённый, деловитый,
    Подкуренный, подколотый, подшитый.

— Эй, что вы на меня уставились? Я вроде не калека —
Мне горло промочить, и я сойду за человека.
Сходитесь, неуклюжие, со мной травить баланду,
И сразу после ужина спою вам про оружие балладу!

        Большой игрок, хоть ростом гном,
        Сражается в картишки.
        Блефуют крупно, в основном —
        Ва-банк, большие шишки.

И балуются бомбою,—
У нас такого нет,
К тому ж — мы люди скромные:
Нам нужен пистолет.

И вот в кармане — купленный
Дешёвый пистолет
И острый, как облупленный
Знакомый всем стилет.

Снуют людишки в ужасе
По правой стороне,
А мы во всеоружасе
Шагаем по стране.

Под дула попадающие лица —
Лицом к стене! Стоять, не шевелиться!

Напрасно, парень, за забвением ты шаришь по аптекам,—
Купи себе хотя б топор и станешь человеком.
Весь вывернусь наружу я, и голенькую правду
Спою других не хуже я — про милое оружие балладу.

Купить бельё нательное?
Да чёрта ли вам в нём!
Купите огнестрельное —
Направо, за углом.

Ну, начинайте, ну же,—
Стрелять учитесь все!
В газетах про оружие —
На каждой полосе.

Вот сладенько под ложечкой,
Вот горько на душе,—
Ухлопали художничка
За фунт папье-маше.

Ату! Стреляйте досыту
В людей, щенков, котят!
Продажу, слава Господу,
Не скоро запретят,

Пока оружье здесь не под запретом —
Не бойтесь — всё в порядке в мире этом!

Не страшно без оружия зубастой барракуде.
Большой и без оружия — большой, нам в утешенье.
А маленькие люди без оружия — не люди,
Все маленькие люди без оружия — мишени.

Большие лупят по слонам,
Гоняются за тиграми.
А мне, а вам? Куда уж нам
Шутить такими играми!

Пускай большими сферами
Большие люди занимаются.
Один уже играл с «пантерами»,
Другие — доиграются.

У нас в кармане — пушечка,
Малюсенькая, новая.
И нам земля — подушечка,
Подстилочка пуховая.

Кровь жидкая, болотная
Пульсирует в виске,
Синеют пальцы потные
На спусковом крючке.

Мы, маленькие люди,— на обществе прореха.
Но если вы посмотрите на нас со стороны —
За узкими плечами небольшого человека
Стоят понуро, хмуро дуры — две больших войны.

Коль тих и скромен — не убьют.
Всё домыслы досужие.
У нас не даром продают
Любезное оружие.

А тут ещё норд-ост подул,
Цена установилась сходная.
У нас, благодаренье Господу,
Страна пока свободная.

Ах, эта жизнь грошовая —
Как пыль: подуй — и нет,
Поштучная, дешёвая,
Дешевле сигарет.

И рвётся жизнь-чудачка,
Как тонкий волосок,—
Одно нажатье пальчика
На спусковой крючок.

Пока легка покупка — мы все в порядке с вами.
Нам жизнь отнять — как плюнуть. Нас учили воевать!
Кругом и без войны — война, а с голыми руками
Ни пригрозить, ни пригвоздить, ни самолёт угнать.

Для пуль все досягаемы,—
Ни чёрта нет, ни бога им.
И мы себе стреляем, и —
Мы никого не трогаем.

Стрельбе, азарту все цвета,
Все возрасты покорны:
И стар, и млад, и тот, и та,
И жёлтый, белый, чёрный.

Опять сосёт под ложечкой,
Привычнее уже:
Убийца на обложечке,
Девулька в неглиже...

Наш мир кишит неудачниками
С топориками в руке
И мальчиками с пальчиками
На спусковом крючке.

БАЛЛАДА ОБ УХОДЕ В РАЙ

Вот твой билет, вот твой вагон.
Всё в лучшем виде одному тебе дано:
В цветном раю увидеть сон —
Трёхвековое непрерывное кино.
Всё позади, уже сняты́
Все отпечатки, контрабанды не берём.
Как херувим стерилен ты,
А класс второй — не высший класс, зато с бельём.

Вот и сбывается всё, что пророчится.
Уходит поезд в небеса — счастливый путь!
Ах, как нам хочется, как всем нам хочется
Не умереть, а именно уснуть.

Земной перрон. Не унывай
И не кричи. Для наших воплей он оглох.
Один из нас уехал в рай,
Он встретит Бога, если есть какой-то Бог.
Ты передай ему привет,
А позабудешь — ничего, переживём.
Осталось нам немного лет,
Мы пошустрим и, как положено, умрём.

Вот и сбывается всё, что пророчится.
Уходит поезд в небеса — счастливый путь!
Ах, как нам хочется, как всем нам хочется
Не умереть, а именно уснуть.

Уйдут, как мы — в ничто без сна —
И сыновья, и внуки внуков в трёх веках.
Не дай Господь, чтобы война,
А то мы правнуков оставим в дураках.
Разбудит нас какой-то тип
И впустит в мир, где в прошлом войны, боль и рак,
Где побеждён гонконгский грипп.
На всём готовеньком ты счастлив ли? Дурак...

Вот и сбывается всё, что пророчится.
Уходит поезд в небеса — счастливый путь!
Ах, как нам хочется, как всем нам хочется
Не умереть, а именно уснуть.

Итак, прощай. Звенит звонок.
Счастливый путь! Храни тебя от всяких бед!
А если там и вправду Бог —
Ты всё же вспомни, передай ему привет.

[1974]

«АЛИСА В СТРАНЕ ЧУДЕС»

ПЕСНИ КЭРРОЛЛА

I

Прохладным утром или в зной,
С друзьями или без,
Я всех отправиться за мной
Зову в страну чудес.

Но как? Но как в неё попасть? — вы спросите сперва,—
Нам, вероятно, нужно знать волшебные слова?
И нужно ль брать еду с собой и тёплое бельё?
И сколько километров до неё?

Волшебных слов не нужно знать! Приятель, не грусти!
Путь недалёк — не стоит собираться.
В страну чудес не надо плыть, лететь или идти —
В ней нужно оказаться!

Согласны мокнуть под дождем?
Под сказочным дождём?
Или, быть может, подождем?
Отложим на потом?

В стране, куда я вас зову, быть может, снег и град.
И сна там нет — всё наяву, и нет пути назад.
Не испугались? Ну, тогда мне с вами по пути!
А ну-ка, сосчитайте до пяти!

У нас давно сгустилась мгла — в стране чудес светлей.
Всё видно ясно, но не заблудитесь!
Там поровну добра и зла, но доброе сильней —
Вы сами убедитесь.

В стране чудес не всё понять
Удастся самому.
Но я всё буду объяснять
Кому-то одному.

---

¹ Написано для дискоспектакля по сказке Л. Кэрролла.

Вот девочка, и все её Алисою зовут,—
Согласна ты, дитя моё? Скорее! Все нас ждут,
Закрой глаза и посмотри — кругом волшебный лес,
Скажи, Алиса: — Раз, два, три,— и ты в стране чудес.

Скорее к берегу греби, волшебное весло!
Спеши в страну чудесного обмана!
И пусть, вернувшись, скажем мы: — Ах! Как нам повезло!
И жаль — вернулись рано.

II

Этот рассказ мы с загадки начнем,—
Даже Алиса ответит едва ли,—
Что остается от сказки потом,
После того, как ее рассказали?

Где, например, волшебный рожок?
Добрая фея куда улетела?
А? Э-э! Так-то, дружок.
В этом-то все и дело.

Они не испаряются, они не растворяются,
Рассказанные в сказке, промелькнувшие во сне.
В страну чудес волшебную они переселяются,
Мы их, конечно, встретим в этой сказочной стране.

Много неясного в странной стране,—
Можно запутаться и заблудиться.
Даже мурашки бегут по спине,
Если представить, что может случиться:

Вдруг будет пропасть — и нужен прыжок?
Струсишь ли сразу, прыгнешь ли смело,
А? Э-э! Так-то, дружок,
В этом-то все и дело.

Добро и зло в стране чудес как и везде встречаются,
Но только здесь они живут на разных берегах,
Здесь по дорогам разные истории скитаются
И бегают фантазии на тоненьких ногах.

Ну и последнее, хочется мне,
Чтобы всегда меня все узнавали:
Буду я птицей в волшебной стране,
Птицей «Додо» — меня дети прозвали.

Даже Алисе моей невдомёк,
Как упакуюсь я в птичее тело.
А? Э-э! То-то, дружок,
В этом-то все и дело.

И не такие странности в стране чудес случаются,
В ней нет границ, не нужно плыть, бежать или лететь.
Попасть туда несложно, никому не запрещается.
В ней можно оказаться — стоит только захотеть.

Не обрывается сказка концом.
Помнишь, тебя мы спросили вначале:
— Что остаётся от сказки потом,
После того, как её рассказали?

Может, не всё, даже съев пирожок,
Наша Алиса во сне разглядела.
А? Э-э! Так-то, дружок!
В этом-то всё и дело.

И если кто-то снова вдруг проникнуть попытается
В страну чудес волшебную в красивом добром сне —
То даже то, что кажется, что только представляется,
Найдёт в своей загадочной и сказочной стране.

ПЕСНЯ АЛИСЫ

Я страшно скучаю, я просто без сил,
И мысли приходят, маня, беспокоя,
Чтоб кто-то куда-то меня пригласил
И там я увидела что-то такое...

Что именно — право, не знаю.
Все советуют наперебой:
— Почитай! — я сажусь и читаю,
— Поиграй! — ну, я с кошкой играю.
Все равно — я ужасно скучаю!
Сэр! Возьмите Алису с собой!

Мне так бы хотелось, хотелось бы мне
Когда-нибудь, как-нибудь выйти из дома
И вдруг оказаться вверху, в глубине,
Внутри и снаружи, где всё по-другому.

> Что именно — право, не знаю.
> Все советуют наперебой:
> — Почитай! — ну, я с кошкой играю,
> — Поиграй! — я сажусь и читаю.
> Всё равно я ужасно скучаю.
> Сэр! Возьмите Алису с собой!

Пусть дόма поднимется переполох.
И пусть наказанье грозит — я согласна.
Глаза закрываю, считаю до трёх.
Что будет? Что будет — волнуюсь ужасно!

> Что именно — право, не знаю.
> Всё смешалось в полуденный зной.
> Почитать? — я сажусь и играю.
> Поиграть? — Ну! Я с кошкой читаю.
> Всё равно я скучать ужасаю!
> Сэр! Возьмите Алису с собой!

ПАДЕНИЕ АЛИСЫ

Догонит ли в воздухе — или шалишь! —
Летучая кошка летучую мышь,
Собака летучая кошку летучую?..
Зачем я себя этой глупостью мучаю?

А раньше я думала, стоя над кручею:
«Ах, как бы мне сделаться тучей летучею!»

Ну вот я и стала летучею тучею,
Ну вот и решаю по этому случаю:
Догонит ли в воздухе — или шалишь! —
Летучая кошка летучую мышь!

МАРШ АНТИПОДОВ

Когда провалишься сквозь землю от стыда
Иль поклянёшься: — Провалиться мне на месте! —
Без всяких трудностей ты попадешь сюда,
А мы уж встретим по закону, честь по чести.

Мы — антиподы, мы здесь живём.
У нас тут антикоординаты.
Стоим на пятках твердо мы и на своём,
Кто не на пятках, те — антипяты!

Но почему-то, прилетая впопыхах,
На головах стоят разини и растяпы,
И даже пробуют ходить на головах
Антиребята, антимамы, антипапы.

Мы — антиподы, мы здесь живём,
У нас тут антикоординаты.
Стоим на пятках твёрдо мы и на своём,
И кто не с нами, те — антипяты!

СТРАННЫЕ СКАЧКИ

Эй, вы! Синегубые!
Эй! Холодноносые!
Эй, вы! Стукозубые
И дыбоволосые!

Эй! Мурашкокожаные!
Мерзляки, мерзлячки!
Мокрые, скукоженные!
Начинаем скачки.

Эй! Ухнем!
Эй! Охнем!
Пусть рухнем —
Зато просохнем.

338

Все закоченелые,
Слабые и хилые.
Ну! Как угорелые
Побежали, милые!

Полуобмороженная
Пестрая компанья!
Выполняй положенное
Самосогреванье!

Эй! Ухнем!
Эй! Охнем!
Пусть рухнем —
Зато просохнем.

Выйдут все в передние,
Задние и средние.
Даже предпоследние
Перейдут в передние.

Всем, передвигающимся
Даже на карачках,
Но вовсю старающимся,
Приз положен в скачках.

Эй! Ухнем!
Эй! Охнем!
Пусть рухнем —
Зато просохнем!

Вам не надо зимних шуб,
Робин Гуси с Эдами,
Коль придете к финишу
С крупными победами.

Мчимся, как укушенные,
Весело, согласно,
И стоим просушенные, —
До чего прекрасно!

Ух! Встали!
А впрок ли?
Устали!
Зато просохли.

ПЕСНЯ ПОПУГАЯ

Послушайте все! Ого-го! Эге-гей! —
Меня — попугая, пирата морей.

    Родился я в тыща каком-то году
    В бананно-лиановой чаще.
    Мой папа был папапугай какаду,
    Тогда еще не говорящий.

Но вскоре покинул я девственный лес —
Взял в плен меня страшный Фернандо Кортес.
Он начал на бедного папу кричать,
А папа Фернанде не мог отвечать.
    Не мог, не умел отвечать.

И чтоб отомстить — от зари до зари
Учил я три слова, всего только три.
Упрямо себя заставлял — повтори:
«Каррамба! Коррида!! И черт побери!!!»

Послушайте все! Ого-го! Эге-гей! —
Рассказ попугая, пирата морей.

    Нас шторм на обратной дороге застиг.
    Мне было особенно трудно.
    Английский фрегат под названием «бриг»
    Взял на абордаж наше судно.

Был бой рукопашный три ночи, два дня,
И злые пираты пленили меня.
Так начал я плавать на разных судах
В районе экватора, в северных льдах,
    На разных пиратских судах.

Давали мне кофе, какао, еду,
Чтоб я их приветствовал: — Хау ду ю ду! —
Но я повторял от зари до зари:
«Каррамба! Коррида!! И черт побери!!!»

Послушайте все! Ого-го! Эге-гей! —
Меня, попугая,— пирата морей.

Лет сто я проплавал пиратом, и что ж? —
Какой-то матросик пропащий
Прода́л меня в рабство за ломаный грош,
А я уже был говорящий.

Турецкий паша нож сломал пополам,
Когда я сказал ему: — Па́ша, салам! —
И просто кондрашка хватила пашу,
Когда он узнал, что еще я пишу,
        Считаю, пою и пляшу.

Я Индию видел, Иран и Ирак.
Я — инди-и-видум, не попка-дурак.
Так думают только одни дикари.
Каррамба! Коррида!! И черт побери!!!

ПЕСНЯ О ПЛАНАХ

Чтобы не попасть в капкан,
Чтобы в темноте не заблудиться,
Чтобы никогда с пути не сбиться,
Чтобы в нужном месте приземлиться, приводниться —
Начерти на карте план,

        И шагай и пой беспечно:
        Тири-тири-там-там-ти́рам.
        Встреча обеспечена —
        В плане всё отмечено
        Точно, безупречно
                        и пунктиром.
        Тири-тири-там-там-ти́рам,
                Жирненьким пунктиром.

Если даже есть талант,
Чтобы не нарушить, не расстроить,
Чтобы не разрушить, а построить,
Чтобы увеличиться, удвоить и утроить —
Нужен очень точный план.

        Мы неточный план браним, и
        Он ползет по швам, там-ти́рам.
        Дорогие вы мои,
        Планы выполнимые!

Рядом с вами мнимые —
                        пунктиром.
Тири-тири-там-там-ти́рам,
Тоненьким пунктиром.

Планы не простят обман,—
Если им не дать осуществиться,
Могут эти планы разозлиться
Так, что завтра куколкою станет гусени́ца,
Если не нарушит план.

Путаница за разинею
Ходит по пятам-там-ти́рам.
Гусеницу синюю
Назовут гусынею.
Гните свою линию
                        пунктиром.
Не теряйте, там-там-ти́рам,
Линию пунктира!

ПЕСНЯ ЧЕШИРСКОГО КОТА

Прошу запомнить многих, кто теперь со мной знаком:
Чеширский кот — совсем не тот, что чешет языком,
И вовсе не Чеширский он от слова «чешуя»,
А просто он — волшебный кот, примерно как и я.

Чем шире рот — тем чеширей кот,
Хотя обычные коты имеют древний род,
Но Чеширский кот совсем не тот,
Его нельзя считать за домашний скот!

Улыбчивы, мурлывчивы, со многими на «ты»
И дружески отзывчивы Чеширские коты.
И у других улыбка, но такая — да не та.
Ну, так чешите за ухом Чеширского кота!

ПЕСНЯ АЛИСЫ ПРО ЦИФРЫ

I

Все должны до одного
Числа знать до цифры «пять»,
Ну, хотя бы для того,
Чтоб отметки различать.

Кто-то там домой пришел
И глаза поднять боится:
Это — раз, это — кол,
Это — единица.

За порог ступил едва,
А ему — головомойка:
Значит — «пара», это — два,
Или просто двойка.

Эх, раз, еще раз —
Голова одна у нас,
Ну, а в этой голове
Уха два и мысли две.

Вот и дразнится народ
И смеется глухо:
— Поглядите, вот идет
Голова — два уха!
Голова, голова, голова — два уха!

II

Хорошо смотреть вперед,
Но сначала нужно знать
Правильный начальный счет:
Раз, два, три, четыре, пять.

Отвечаешь кое-как,
У доски вздыхая тяжко,—
И трояк, и трояк
С минусом, с натяжкой.

Стих читаешь наизусть,
Но чуть-чуть скороговорка,—
Хлоп! — «четыре» — ну и пусть!
Твёрдая четверка.

Эх, раз, два, три,
Побежали на пари!
Обогнали «трояка»
На четыре метрика.

Вот четвёрочник бежит
Быстро, легче пуха,
Сзади троечник сопит,
Голова — два уха.
Голова, голова, голова — два уха!

III. До мильона далеко

До мильона далеко,
Но сначала нужно знать
То, что просто и легко:
Раз, два, три, четыре, пять.

Есть пятерка, да не та,
Коль на чёрточку подвинусь,
Ведь черта — не черта,
Это просто — минус!

Я же минусов боюсь,
Я исправить тороплюсь их:
Зачеркну — и выйдет плюс,
Крестик — это плюсик.

Эх, раз, еще раз!
Есть пятёрочки у нас.
Рук две, ног две,
Много мыслей в голове!

И не дразнится народ —
Не хватает духа.
И никто не назовет:
— Голова — два уха!
Голова, голова, голова — два уха!

IV. Путаница Алисы

Все должны до одного
Крепко спать до цифры «пять»,
Ну, хотя бы для того,
Чтоб отмычки различать.

Кто-то там домой пришёл
И глаза боять подница:
Это очень хорошо,
Это — «единица».

За порог ступил едва,
А ему — головопорка.
Значит, вверх ногами «два» —
Твердая пятерка.

Эх, пять, три, раз,
Голова один у нас,
Ну, а в этом голове
Рота два и уха две.

С толку голову собьёт
Только оплеуха,
На пяти ногах идет
Голова — два уха!
Болова, холова, долова — два уха!

ПРО МЭРИ ЭНН

Толстушка Мэри Энн была —
Так много ела и пила,
   Что еле-еле проходила в двери.
То прямо на ходу спала,
То плакала и плакала,
А то визжала, как пила,
   Ленивейшая в целом мире Мэри.

Чтоб слопать всё, для Мэри Энн
Едва хватало перемен.
Спала на парте Мэри
Весь день, по крайней мере,—
В берлогах так медведи спят
И сонные тетери.

С ней у доски всегда беда —
Ни бе ни ме, ни нет ни да,
    По сто ошибок делала в примере.
Но знала Мэри Энн всегда —
Кто где, кто с кем и кто куда.
Ох, ябеда, ах, ябеда,
    Противнейшая   в целом мире Мэри.

    А в голове без перемен
    У Мэри Энн, у Мэри Энн.
    И если пела Мэри,
    То все вокруг немели, —
    Слух музыкальный у нее,
      Как у глухой тетери.

В МОРЕ СЛЁЗ

Слезливое море вокруг разлилось,
И вот принимаю я слёзную ванну.
Должно быть, по морю из собственных слёз
Плыву к Слезовитому я океану.

    Растеряешься здесь поневоле
    Со стихией одна на один,

    Может, зря
Проходили мы в школе,
    Что моря
Из поваренной соли?

Хоть бы льдина попалась мне, что ли,
Или встретился добрый дельфин!

* * *

Король, что тыщу лет назад над нами правил,
Привил стране лихой азарт игры без правил.
    Играть заставил всех графей и герцогей,
    Вальтей и дамов в потрясающий крохей.

Названье крохея от слова «кроши»,
От слова «кряхти», и «крути», и «круши».
    Девиз в этих матчах: «Круши, не жалей!»
    Даёшь королевский крохей!

ПЕСНЯ ЛЯГУШОНКА

Не зря лягушата сидят —
Посажены дом сторожить.
И главный вопрос лягушат:
          Впустить — не впустить?

А если рискнуть, а если впустить,
То выпустить ли обратно?
Вопрос посложней, чем «быть иль не быть?»,
          Решают лягушата.

Квак видите, трудно, ква-ква,
И мыслей полна голова.
Вопрос этот главный решат
          Мудрейшие из лягушат.

ПЕСЕНКА МАРТОВСКОГО ЗАЙЦА

Миледи! Зря Вы обижаетесь на зайца!
Он, правда, шутит неумно́ и огрызается,
Но он потом так сожалеет и терзается!
Не обижайтесь же на Мартовского зайца!

ПЕСЕНКА ОРЕХОВОЙ СОНИ

Ну проявите интерес к моей персоне!
Вы, впрочем, сами — тоже форменные сони:
Без задних ног уснёте — ну-ка! Добудись!
Но здесь сплю я — не в свои сони не садись!

ПЕСНЯ ШЛЯПНИКА

Ах! На кого я только шляп не надевал!
Mon dieu! С какими головами разговаривал!
Такие шляпы им на головы напяливал,
Что их врагов разило наповал.

Сорвиголов и оторвиголов видал:
В глазах — огонь, во рту — ругательства и кляпы.
Но были, правда, среди них такие шляпы,
Что я на них и шляп не надевал.

И на великом короле, и на сатрапе,
И на арапе, и на римском папе,—
    На ком угодно шляпы хороши!
    Так согласитесь, наконец, что дело в шляпе,
    Но не для головы, а для души.

* * *

Мы браво и плотно сомкнули ряды,
Как пули в обойме, как карты в колоде.
Король среди нас, мы горды,
Мы шествуем бодро при нашем народе.

    Падайте лицами вниз, вниз,—
    Вам это право дано.
    Пред королём падайте ниц
    В слякоть и грязь — всё равно!

Нет, нет, у народа не трудная роль:
Упасть на колени — какая проблема!
За всё отвечает король,
А коль не король, ну тогда королева!

    Света светлейших их лиц, лиц
    Вам рассмотреть не дано.
    Перед королем падайте ниц
    В слякоть и грязь — всё равно!

ПЕСНЯ МЫШИ

Спасите, спасите! О ужас, о ужас!
Я больше не вынырну, если нырну.
Немного проплаваю, чуть поднатужась,
Но силы покинут — и я утону.

    Вы мне по секрету ответить могли бы:
    Я — рыбная мышь или мышная рыба?
Я тихо лежала в уютной норе,
Читала, мечтала и ела пюре.

И вдруг — это море около,
Как будто кот наплакал.
Я в нем как мышь промокла,
Продрогла, как собака!

Спасите, спасите! Хочу я, как прежде,
В нору, на диван из сухих камышей.
Здесь плавают девочки в верхней одежде,
Которые очень не любят мышей.

И так от лодыжек дрожу до ладошек,
А мне говорят про терьеров и кошек.
А вдруг кошкелот на меня нападет,
Решив по ошибке, что я — мышелот?

Ну, вот! Я зубами зацокала
От холода и страха.
Я здесь как мышь промокла,
Продрогла, как собака!

ПЕСНЯ ОБ ОБИЖЕННОМ ВРЕМЕНИ

Приподнимем занавес за краешек:
Такая старая, тяжелая кулиса!
Вот какое Время было раньше,
Такое ровное — взгляни, Алиса!

Но... плохо за часами наблюдали
     Счастливые,
И нарочно Время замедляли
     Трусливые,
Торопили Время, понукали
     Крикливые,
Без причины Время убивали
Ленивые.

И колёса Времени
Стачивались в трении —
Всё на свете портится от тренья...
И тогда обиделось Время
И застыли маятники Времени.

И двенадцать в полночь не проби́ло,
Все ждали полдня, но опять не дождали́ся.
Вот какое Время наступило —
Такое нервное — взгляни, Алиса!

И... на часы испуганно взглянули
    Счастливые,
Жалобные песни затянули
    Трусливые,
Рты свои огромные заткнули
    Болтливые,
Хором зазевали и заснули
    Ленивые.

Смажь колеса Времени —
Не для первой премии —
Им ведь очень больно от тренья.
Обижать не следует Время.
Плохо и тоскливо без Времени.

[1975]

БАЛЛАДА О ВРЕМЕНИ

Замок временем срыт и укутан, укрыт
В нежный плед из зелёных побегов,
Но развяжет язык молчаливый гранит,
И холодное прошлое заговорит
О походах, боях и победах.

Время подвиги эти не стёрло.
Оторвать от него верхний пласт
Или взять его крепче за горло —
И оно свои тайны отдаст.

Упадут сто замков, и спадут сто оков,
И сойдут сто потов с целой груды веков,
И польются легенды из сотен стихов
Про турниры, осады, про вольных стрелков.

Ты к знакомым мелодиям ухо готовь
И гляди понимающим оком,
Потому что любовь — это вечно любовь,
Даже в будущем вашем далеком.

Звонко лопалась сталь под напором меча,
Тетива от натуги дымилась,
Смерть на копьях сидела, утробно урча,
В грязь валились враги, о пощаде крича,
Победившим сдаваясь на милость.

Но не все, оставаясь живыми,
В доброте сохранили сердца,
Защитив своё доброе имя
От заведомой лжи подлеца.

Хорошо, если конь закусил удила
И рука на копьё поудобней легла,
Хорошо, если знаешь, откуда стрела,
Хуже, если по-подлому — из-за угла.

Как у вас там с мерзавцами? Бьют? — поделом!
Ведьмы вас не пугают шабашем?
Но, не правда ли, зло называется злом
Даже там — в светлом будущем вашем?

«СТРЕЛЫ РОБИН ГУДА»

БАЛЛАДА О КОРОТКОМ СЧАСТЬЕ

Трубят рога: «Скорей! Скорей!»
И копошится свита.
Душа у ловчих без затей
Из жил воловьих свита.

Ну и забава у людей —
Убить двух белых лебедей!
И стрелы ввысь помчались.
У лучников наметан глаз!
А эти лебеди как раз
Сегодня повстречались.

Она жила под солнцем, там,
Где синих звёзд — без счёта,
Куда под силу лебедям
Высокого полета.

Вспари и два крыла раскинь
В густую трепетную синь!
Скользи по божьим склонам
В такую высь, куда и впредь
Возможно будет долететь
Лишь ангелам и стонам.

Но он и там её настиг,
И счастлив миг единый.
Но только был тот яркий миг
Их песней лебединой.

Двум белым ангелам сродни,
К земле направились они —
Опасная повадка!
Из-за кустов, как из-за стен,
Следят охотники за тем,
Чтоб счастье было кратко.

Цикл баллад для фильма.

Вот отирают пот со лба
Виновники паденья:
Сбылась последняя мольба —
Остановись, мгновенье!

Так пелся этот вечный стих
В пик лебединой песни их —
Счастливцев одночасья.
Они упали вниз вдвоём,
Так и оставшись на седьмом,
На высшем небе счастья!

БАЛЛАДА О ВОЛЬНЫХ СТРЕЛКАХ

Если рыщут за твоею непокорной головой,
Чтоб петлёй худую шею сделать более худой,
Нет надёжнее приюта — скройся в лес, не пропадёшь,
Если продан ты кому-то с потрохами, ни за грош.

Бедняки и бедолаги, презирая жизнь слуги,
И бездомные бродяги, у кого одни долги,—
Все, кто загнан, неприкаян, в этот вольный лес бегут,
Потому что здесь хозяин — славный парень Робин Гуд!

Здесь с полслова понимают, не боятся острых слов,
Здесь с почётом принимают оторви-сорви-голов.
И скрываются до срока даже рыцари в лесах.
Кто без страха и упрёка — тот всегда не при деньгах.

Знают все оленьи тропы, словно линии руки,
В прошлом слуги и холопы, ныне — вольные стрелки.
Здесь того, кто всё теряет, защитят и сберегут.
По лесной стране гуляет славный парень Робин Гуд!

И живут да поживают, всем запретам вопреки,
И ничуть не унывают эти вольные стрелки.
Спят, укрывшись звёздным небом, мох под рёбра подложив.
Им, какой бы холод не был, жив — и славно, если жив!

Но вздыхают от разлуки,— где-то дом и клок земли,—
Да поглаживают луки, чтоб в бою не подвели.
И стрелков не сыщешь лучших — что же завтра, где их
                                                    ждут?

Скажет лучший в мире лучник — славный парень
                                                    Робин Гуд!

352

БАЛЛАДА О НЕНАВИСТИ

Торопись! Тощий гриф над страною кружит!
Лес — обитель твою — по весне навести!
Слышишь? — гулко земля под ногами дрожит!
Видишь? — плотный туман над полями лежит! —
Это росы вскипают от ненависти!

Ненависть
            в почках набухших томится,
Ненависть
            в нас затаённо бурлит,
Ненависть
            потом сквозь кожу сочится,
Головы наши палит.

Погляди! Что за рыжие пятна в реке?
Зло решило порядок в стране навести!
Рукояти мечей холодеют в руке,
И отчаянье бьётся, как птица, в виске,
И заходится сердце от ненависти.

Ненависть
            юным уродует лица,
Ненависть
            просится из берегов,
Ненависть
            жаждет и хочет напиться
Чёрною кровью врагов.

Да, нас ненависть в плен захватила сейчас.
Но не злоба нас будет из плена вести.
Не слепая, не черная ненависть в нас —
Свежий ветер нам высушит слёзы у глаз
Справедливой и подлинной ненависти.

Ненависть
            пей — переполнена чаша!
Ненависть
            требует выхода, ждёт.
Но благородная ненависть наша
Рядом с любовью живёт.

353

И во веки веков, и во все времена
Трус, предатель — всегда презираем.
Враг есть враг, и война всё равно есть война,
И темница тесна, и свобода — одна,
И всегда на неё уповаем!

Время эти понятья не стерло.
Нужно только поднять верхний пласт —
И дымящейся кровью из горла
Чувства вечные хлынут на нас.

Ныне, присно, во веки веков, старина,
И цена есть цена, и вина есть вина,
И всегда хорошо, если честь спасена,
Если другом надежно прикрыта спина.

Чистоту, простоту мы у древних берем,
Саги, сказки из прошлого тащим,
Потому что добро остается добром
В прошлом, будущем и настоящем.

БАЛЛАДА О ЛЮБВИ

Когда вода Всемирного потопа
Вернулась вновь в границы берегов,
Из пены уходящего потока
На сушу тихо выбралась Любовь
И растворилась в воздухе до срока,
А срока было — сорок сороков.

И чудаки — ещё такие есть —
Вдыхают полной грудью эту смесь
И ни наград не ждут, ни наказанья.
И, думая, что дышат просто так,
Они внезапно попадают в такт
Такого же неровного дыханья.

Только чувству, словно кораблю,
Долго оставаться на плаву,
Прежде чем узнать, что «я люблю» —
То же, что «дышу» или «живу».

И вдоволь будет странствий и скитаний.
Страна Любви — великая страна,
И с рыцарей своих для испытаний
Всё строже станет спрашивать она,
Потребует разлук и расстояний,
Лишит покоя, отдыха и сна.

Но вспять безумцев не поворотить!
Они уже согласны заплатить
Любой ценой — и жизнью бы рискнули,—
Чтобы не дать порвать, чтоб сохранить
Волшебную невидимую нить,
Которую меж ними протянули.

Свежий ветер избранных пьянил,
С ног сбивал, из мёртвых воскрешал,
Потому что если не любил —
Значит, и не жил, и не дышал!

Но многих, захлебнувшихся любовью,
Не докричишься, сколько ни зови.
Им счёт ведут молва и пустословье,
Но этот счёт замешен на крови.
А мы поставим свечи в изголовье
Погибших от невиданной любви.

Их голосам — всегда сливаться в такт,
И душам их дано бродить в цветах,
И вечностью дышать в одно дыханье,
И встретиться — со вздохом на устах —
На хрупких переправах и мостах,
На узких перекрёстках мирозданья.

Я поля влюбленным постелю —
Пусть поют во сне и наяву!
Я дышу — и, значит, я люблю!
Я люблю — и, значит, я живу!

БАЛЛАДА О БОРЬБЕ

Средь оплывших свечей и вечерних молитв,
Средь военных трофеев и мирных костров
Жили книжные дети, не знавшие битв,
Изнывая от мелких своих катастроф.

Детям вечно досаден
Их возраст и быт,—
И дрались мы до ссадин,
До смертных обид.
Но одежды латали
Нам матери в срок,
Мы же книги глотали,
Пьянея от строк.

Липли волосы нам на вспотевшие лбы,
И сосало под ложечкой сладко от фраз,
И кружил наши головы запах борьбы,
Со страниц пожелтевших стекая на нас.

И пытались постичь
Мы, не знавшие войн,
За воинственный клич
Принимавшие вой,
Тайну слова «приказ»,
Назначенье границ,
Смысл атаки и лязг
Боевых колесниц.

А в кипящих котлах прежних боен и смут
Столько пищи для маленьких наших мозгов!
Мы на роли предателей, трусов, иуд
В детских играх своих назначали врагов.

И злодея следам
Не давали остыть,
И прекраснейших дам
Обещали любить,
И, друзей успокоив
И ближних любя,
Мы на роли героев
Вводили себя.

Только в грёзы нельзя насовсем убежать:
Краткий век у забав — столько боли вокруг!
Попытайся ладони у мёртвых разжать
И оружье принять из натруженных рук.

Испытай, завладев
Ещё тёплым мечом
И доспехи надев,
Что почём, что почём!
Разберись, кто ты — трус
Иль избранник судьбы,
И попробуй на вкус
Настоящей борьбы.

И когда рядом рухнет израненный друг,
И над первой потерей ты взвоешь, скорбя,
И когда ты без кожи останешься вдруг
Оттого, что убили его — не тебя, —

Ты поймёшь, что узнал,
Отличил, отыскал
По оскалу забрал:
Это — смерти оскал!
Ложь и зло, — погляди,
Как их лица грубы!
И всегда позади —
Вороньё и гробы.

Если, путь прорубая отцовским мечом,
Ты солёные слёзы на ус намотал,
Если в жарком бою испытал, что почём, —
Значит, нужные книги ты в детстве читал!

Если мясо с ножа
Ты не ел ни куска,
Если руки сложа
Наблюдал свысока
И в борьбу не вступил
С подлецом, с палачом —
Значит, в жизни ты был
Ни при чём, ни при чём!

[1975]

«СТРЕЛЫ РОБИН ГУДА»

БАЛЛАДА О КОРОТКОМ СЧАСТЬЕ

Трубят рога: «Скорей! Скорей!»
И копошится свита.
Душа у ловчих без затей
Из жил воловьих свита.

      Ну и забава у людей —
      Убить двух белых лебедей!
      И стрелы ввысь помчались.
      У лучников наметан глаз!
      А эти лебеди как раз
      Сегодня повстречались.

Она жила под солнцем, там,
Где синих звёзд — без счёта,
Куда под силу лебедям
Высокого полета.

      Вспари и два крыла раскинь
      В густую трепетную синь!
      Скользи по божьим склонам
      В такую высь, куда и впредь
      Возможно будет долететь
      Лишь ангелам и стонам.

Но он и там её настиг,
И счастлив миг единый.
Но только был тот яркий миг
Их песней лебединой.

      Двум белым ангелам сродни,
      К земле направились они —
      Опасная повадка!
      Из-за кустов, как из-за стен,
      Следят охотники за тем,
      Чтоб счастье было кратко.

Цикл баллад для фильма.

Вот отирают пот со лба
Виновники паденья:
Сбылась последняя мольба —
Остановись, мгновенье!

Так пелся этот вечный стих
В пик лебединой песни их —
Счастливцев одночасья.
Они упали вниз вдвоём,
Так и оставшись на седьмом,
На высшем небе счастья!

БАЛЛАДА О ВОЛЬНЫХ СТРЕЛКА́Х

Если рыщут за твоею непокорной головой,
Чтоб петлёй худую шею сделать более худой,
Нет надёжнее приюта — скройся в лес, не пропадёшь,
Если продан ты кому-то с потрохами, ни за грош.

Бедняки и бедолаги, презирая жизнь слуги,
И бездомные бродяги, у кого одни долги,—
Все, кто загнан, неприкаян, в этот вольный лес бегут,
Потому что здесь хозяин — славный парень Робин Гуд!

Здесь с полслова понимают, не боятся острых слов,
Здесь с почётом принимают оторви-сорви-голов.
И скрываются до срока даже рыцари в лесах.
Кто без страха и упрёка — тот всегда не при деньгах.

Знают все оленьи тропы, словно линии руки,
В прошлом слуги и холопы, ныне — вольные стрелки.
Здесь того, кто всё теряет, защитят и сберегут.
По лесной стране гуляет славный парень Робин Гуд!

И живут да поживают, всем запретам вопреки,
И ничуть не унывают эти вольные стрелки.
Спят, укрывшись звёздным небом, мох под рёбра подложив.
Им, какой бы холод не был, жив — и славно, если жив!

Но вздыхают от разлуки,— где-то дом и клок земли,—
Да поглаживают луки, чтоб в бою не подвели.
И стрелков не сыщешь лучших — что же завтра, где их
ждут?
Скажет лучший в мире лучник — славный парень
Робин Гуд!

БАЛЛАДА О НЕНАВИСТИ

Торопись! Тощий гриф над страною кружит!
Лес — обитель твою — по весне навести!
Слышишь? — гулко земля под ногами дрожит!
Видишь? — плотный туман над полями лежит! —
Это росы вскипают от ненависти!

Ненависть
           в почках набухших томится,
Ненависть
           в нас затаённо бурлит,
Ненависть
           потом сквозь кожу сочится,
Головы наши палит.

Погляди! Что за рыжие пятна в реке?
Зло решило порядок в стране навести!
Рукояти мечей холодеют в руке,
И отчаянье бьётся, как птица, в виске,
И заходится сердце от ненависти.

Ненависть
           юным уродует лица,
Ненависть
           просится из берегов,
Ненависть
           жаждет и хочет напиться
Чёрною кровью врагов.

Да, нас ненависть в плен захватила сейчас.
Но не злоба нас будет из плена вести.
Не слепая, не чёрная ненависть в нас —
Свежий ветер нам высушит слёзы у глаз
Справедливой и подлинной ненависти.

Ненависть
           пей — переполнена чаша!
Ненависть
           требует выхода, ждёт.
Но благородная ненависть наша
Рядом с любовью живёт.

БАЛЛАДА О ВРЕМЕНИ

Замок временем срыт и укутан, укрыт
В нежный плед из зелёных побегов,
Но развяжет язык молчаливый гранит,
И холодное прошлое заговорит
О походах, боях и победах.

      Время подвиги эти не стёрло.
      Оторвать от него верхний пласт
      Или взять его крепче за горло —
      И оно свои тайны отдаст.

Упадут сто замков, и спадут сто оков,
И сойдут сто потов с целой груды веков,
И польются легенды из сотен стихов
Про турниры, осады, про вольных стрелков.

      Ты к знакомым мелодиям ухо готовь
      И гляди понимающим оком,
      Потому что любовь — это вечно любовь,
      Даже в будущем вашем далеком.

Звонко лопалась сталь под напором меча,
Тетива от натуги дымилась,
Смерть на копьях сидела, утробно урча,
В грязь валились враги, о пощаде крича,
Победившим сдаваясь на милость.

      Но не все, оставаясь живыми,
      В доброте сохранили сердца,
      Защитив своё доброе имя
      От заведомой лжи подлеца.

Хорошо, если конь закусил удила
И рука на копьё поудобней легла,
Хорошо, если знаешь, откуда стрела,
Хуже, если по-подлому — из-за угла.

      Как у вас там с мерзавцами? Бьют? — поделом!
      Ведьмы вас не пугают шабашем?
      Но, не правда ли, зло называется злом
      Даже там — в светлом будущем вашем?

И во веки веков, и во все времена
Трус, предатель — всегда презираем.
Враг есть враг, и война всё равно есть война,
И темница тесна, и свобода — одна,
И всегда на неё уповаем!

Время эти понятья не стерло.
Нужно только поднять верхний пласт —
И дымящейся кровью из горла
Чувства вечные хлынут на нас.

Ныне, присно, во веки веков, старина,
И цена есть цена, и вина есть вина,
И всегда хорошо, если честь спасена,
Если другом надежно прикрыта спина.

Чистоту, простоту мы у древних берем,
Саги, сказки из прошлого тащим,
Потому что добро остается добром
В прошлом, будущем и настоящем.

БАЛЛАДА О ЛЮБВИ

Когда вода Всемирного потопа
Вернулась вновь в границы берегов,
Из пены уходящего потока
На сушу тихо выбралась Любовь
И растворилась в воздухе до срока,
А срока было — сорок сороков.

И чудаки — ещё такие есть —
Вдыхают полной грудью эту смесь
И ни наград не ждут, ни наказанья.
И, думая, что дышат просто так,
Они внезапно попадают в такт
Такого же неровного дыханья.

Только чувству, словно кораблю,
Долго оставаться на плаву,
Прежде чем узнать, что «я люблю» —
То же, что «дышу» или «живу».

И вдоволь будет странствий и скитаний.
Страна Любви — великая страна,
И с рыцарей своих для испытаний
Всё строже станет спрашивать она,
Потребует разлук и расстояний,
Лишит покоя, отдыха и сна.

Но вспять безумцев не поворотить!
Они уже согласны заплатить
Любой ценой — и жизнью бы рискнули, —
Чтобы не дать порвать, чтоб сохранить
Волшебную невидимую нить,
Которую меж ними протянули.

Свежий ветер избранных пьянил,
С ног сбивал, из мёртвых воскрешал,
Потому что если не любил —
Значит, и не жил, и не дышал!

Но многих, захлебнувшихся любовью,
Не докричишься, сколько ни зови.
Им счёт ведут молва и пустословье,
Но этот счёт замешен на крови.
А мы поставим свечи в изголовье
Погибших от невиданной любви.

Их голосам — всегда сливаться в такт,
И душам их дано бродить в цветах,
И вечностью дышать в одно дыханье,
И встретиться — со вздохом на устах —
На хрупких переправах и мостах,
На узких перекрёстках мирозданья.

Я поля влюбленным постелю —
Пусть поют во сне и наяву!
Я дышу — и, значит, я люблю!
Я люблю — и, значит, я живу!

БАЛЛАДА О БОРЬБЕ

Средь оплывших свечей и вечерних молитв,
Средь военных трофеев и мирных костров
Жили книжные дети, не знавшие битв,
Изнывая от мелких своих катастроф.

    Детям вечно досаден
        Их возраст и быт,—
    И дрались мы до ссадин,
        До смертных обид.
    Но одежды латали
        Нам матери в срок,
    Мы же книги глотали,
        Пьянея от строк.

Липли волосы нам на вспотевшие лбы,
И сосало под ложечкой сладко от фраз,
И кружил наши головы запах борьбы,
Со страниц пожелтевших стекая на нас.

    И пытались постичь
        Мы, не знавшие войн,
    За воинственный клич
        Принимавшие вой,
    Тайну слова «приказ»,
        Назначенье границ,
    Смысл атаки и лязг
        Боевых колесниц.

А в кипящих котлах прежних боен и смут
Столько пищи для маленьких наших мозгов!
Мы на роли предателей, трусов, иуд
В детских играх своих назначали врагов.

    И злодея следам
        Не давали остыть,
    И прекраснейших дам
        Обещали любить,
    И, друзей успокоив
        И ближних любя,
    Мы на роли героев
        Вводили себя.

Только в грёзы нельзя насовсем убежать:
Краткий век у забав — столько боли вокруг!
Попытайся ладони у мёртвых разжать
И оружье принять из натруженных рук.

Испытай, завладев
Ещё теплым мечом
И доспехи надев,
Что почём, что почём!
Разберись, кто ты — трус
Иль избранник судьбы,
И попробуй на вкус
Настоящей борьбы.

И когда рядом рухнет израненный друг,
И над первой потерей ты взвоешь, скорбя,
И когда ты без кожи останешься вдруг
Оттого, что убили его — не тебя,—

Ты поймёшь, что узнал,
Отличил, отыскал
По оскалу забрал:
Это — смерти оскал!
Ложь и зло,— погляди,
Как их лица грубы!
И всегда позади —
Вороньё и гробы.

Если, путь прорубая отцовским мечом,
Ты соленые слезы на ус намотал,
Если в жарком бою испытал, что почём,—
Значит, нужные книги ты в детстве читал!

Если мясо с ножа
Ты не ел ни куска,
Если руки сложа
Наблюдал свысока
И в борьбу не вступил
С подлецом, с палачом —
Значит, в жизни ты был
Ни при чём, ни при чём!

[1975]

РАЗБОЙНИЧЬЯ

Как во смутной волости,
Лютой, злой губернии
Выпадали молодцу
Всё шипы да тернии.

Он обиды зачерпнул, зачерпнул
Полные пригоршни,
Ну, а горе, что хлебнул,—
Не бывает горше.

Пей отраву, хочь залейся!
Благо, денег не берут.
Сколь верёвочка ни вейся —
Всё равно совьёшься в кнут.

Гонит неудачников
По́ миру с котомкою.
Жизнь текёт меж пальчиков
Паутинкой тонкою.

А которых повело, повлекло
По лихой дороге —
Тех ветрами сволокло
Прямиком в остроги.

Тут на милость не надейся —
Стиснуть зубы да терпеть!
Сколь верёвочка ни вейся —
Всё равно совьёшься в плеть!

Ох, родная сторона,
Сколь в тебе ни рыскаю,
Лобным местом ты красна
Да верёвкой склизкою...

А повешенным сам дьявол-сатана
Голы пятки лижет.
Смех-досада, мать честна! —
Ни пожить, ни выжить!

Ты не вой, не плачь, а смейся —
Слёз-то нынче не простят.
Сколь верёвочка ни вейся —
Всё равно укоротят!

Ночью думы муторней.
Плотники не мешкают.
Не успеть к заутрене —
Больно рано вешают.

Ты об этом не жалей, не жалей,—
Что тебе отсрочка?
На верёвочке твоей
Нет ни узелочка.

Лучше ляг да обогрейся —
Я, мол, казни не просплю...
Сколь верёвочка ни вейся —
А совьёшься ты в петлю!

[1975]

ПЕСНЯ О РОССИИ

Как засмотрится мне нынче, как задышится?
Воздух крут перед грозой — крут да вязок.
Что споётся мне сегодня, что услышится?
Птицы вещие поют — да все из сказок!

Птица Сирин мне радостно скалится,
Веселит, зазывает из гнёзд.
А напротив — тоскует, печалится,
Травит душу чудной Алконост.

Словно семь заветных струн
Зазвенели в свой черед —
Это птица Гамаюн
Надежду подает!

В синем небе, колокольнями проколотом, —
Медный колокол, медный колокол
То ль возрадовался, то ли осерчал.
Купола в России кроют чистым золотом,
Чтобы чаще Господь замечал.

Я стою, как перед вечною загадкою,
Пред великою да сказочной страною,
Перед солоно да горько-кисло-сладкою,
Голубою, родниковою, ржаною.

Грязью чавкая, жирной да ржавою,
Вязнут лошади по стремена,
Но влекут меня сонной державою,
Что раскисла, опухла от сна.

Словно семь богатых лун
На пути моем встает —
То мне птица Гамаюн
Надежду подает!

Душу, сбитую утратами да тратами,
Душу, стёртую перекатами, —
Если до́ крови лоскут истончал, —
Залатаю золотыми я заплатами,
Чтобы чаще Господь замечал...

[1975]

* * *

Всю войну под завязку
       я всё к дому тянулся
И, хотя горячился,—
       воевал делово.
Ну, а он торопился,
       как-то раз не пригнулся
И в войне взад-вперёд обернулся —
       за два года — всего ничего.

Не слыхать его пульса
С сорок третьей весны.
Ну, а я окунулся
В довоенные сны.

И гляжу я, дурея,
Но дышу тяжело...
Он был лучше, добрее,
Ну, а мне повезло.

Я за пазухой нé жил,
       нé пил с Господом чая,
Я ни в тыл не стремился,
       ни судьбе под подол,
Но мне женщины молча
       намекают, встречая:
Если б ты там навеки остался,
       может, мой бы обратно пришёл.

Для меня не загадка
Их печальный вопрос.
Мне ведь тоже не сладко,
Что у них не сбылось.

Мне ответ подвернулся:
«Извините, что цел!
Я случайно вернулся,
Ну, а ваш — не сумел».

Он кричал напоследок,
    в самолете сгорая:
«Ты живи! Ты дотянешь!» —
    доносилось сквозь гул.
Мы летели под Богом
    возле самого рая.
Он поднялся чуть выше и сел там,
    ну, а я до земли дотянул.

Встретил летчика сухо
Райский аэродром.
Он садился на брюхо,
Но не ползал на нём.

Он уснул — не проснулся,
Он запел — не допел.
Так что я вот вернулся,
Ну, а он не сумел.

Я кругом и навечно
    виноват перед теми,
С кем сегодня встречаться
    я почёл бы за честь.
И хотя мы живыми
    до конца долетели,
Жжет нас память и мучает совесть,
    у кого, у кого они есть.

Кто-то скупо и чётко
Отсчитал нам часы
Нашей жизни короткой,
Как бетон полосы.

И на ней — кто разбился,
Кто — взлетел навсегда...
Ну, а я приземлился —
Вот какая беда.

[1974—1975]

Всю войну под завязку
        как я к дому тянулся!
Но, хотя горячился, —
        воевал делово.
Ну а он торопился,
        как-то раз не пригнулся
И в войне обернулся
        за два года всего. (И в войне, вдруг обернулся за 2 года...)

Не сыпать его пульса
с сорок третьей весны
Ну, а я окунулся
в довоенные сны   И, глянув, дурак
        но дому тянулся —   его много
        он был пуще, добрее
        Ну, а мне повезло.
        рядом с прошлым сидим мы
        оба живы, меж тем
        Только я — невредимый,
        А оно — не совсем.

Я за пазухой не жил,
        не бил с господом вся.
Я ни в тыл не бросился,
        ни судьбе под подол,
Но мне женщины молча
намекают, встречая:
"Если б ты там остался,   (навеки обратно)
        может мой бы пришёл!?"

Мне ответ подвернулся:
-Извините, что цел!!
Я случайно вернулся,
Ну, а Ваш — не сумел
        Для меня не загадка —
        Молчаливый вопрос. Ваш печальный вопрос
        Мне ведь тоже не сладко (что у них не сбылось)
        Что ему не пришлось (что такое отнялось)

                кричал
        Он скажет напоследок
В уголок с самолётом в самолёте
        дозвонив он, сгорая
Он садился на брюхо,
        но не ползал на нём. (дотяни он на зло...)
        Ты живи! ты дотянешь — дотянулось сквозь
Мы летали под богом,
        возле самого рая.
Он поднялся чуть выше
        и закончился в нём   (Он осунулся сел там,
        ну они повозку)

        Встретил лётчик судо   весь мудр дотянул
        Вы — то углубко чтудо
        Райский аэродром   Он уснул — не проснулся
Он садился на брюхо   он замер — не дошёл   так что
но не ползил на нём.   Ну, и я вот вернулся
        Ну, а он не успел

Я кругом и навечно виноват перед теми
С кем ягодил вырезаться я, я когда бы за чем
И хотя мы живыми до конца долетели —
Жгут нас память и совесть, у кого они есть.
        Кто-ю скуро и чётко   Кто на нём кто   кто безвести новица
        отечики вам чем   как за ломку хрипа
        зан нащи нещны твёрдой, колодкой   ну, а вот вернулся приземлился
        как дерон волось.   как на мне повезло. вот какая беда.

БАЛЛАДА О ДЕТСТВЕ

Час зачатья я помню неточно,
Значит, память моя — однобока.
Но зачат я был ночью — порочно
И явился на свет не до срока.

       Я рождался не в муках, не в злобе —
       Девять месяцев, это не лет...
       Первый срок отбывал я в утробе,
       Ничего там хорошего нет.

Спасибо вам, святители,
Что плюнули да дунули,
Что вдруг мои родители
Зачать меня задумали

В те времена укромные,
Теперь почти былинные,
Когда срока огромные
Брели в этапы длинные.

Их брали в ночь зачатия,
А многих даже ранее.
А вот живет же братия,
Моя честна́ компания.

Ходу! Думушки резвые, ходу!
Сло́ва, строченьки милые, слова!
Первый раз получил я свободу
По указу от тридцать восьмого.

       Знать бы мне, кто так долго мурыжил, —
       Отыгрался бы на подлеце!
       Но родился, и жил я, и выжил —
       Дом на Первой Мещанской, в конце.

Там за стеной, за стеночкою,
За перегородочкой
Соседушка с соседочкою
Баловались водочкой.

Все жили вровень, скромно так,
Система коридорная,
На тридцать восемь комнаток
Всего одна уборная.

Здесь нá зуб зуб не попадал,
Не грела телогреечка,
Здесь я доподлинно узнал,
Почем она, копеечка.

Не боялась сирены соседка,
И привыкла к ней мать понемногу.
И плевал я — здоровый трёхлетка,
На воздушную эту тревогу.

       Да, не всё то, что сверху,— от Бога.
       И народ зажигалки тушил,
       И как малая фронту подмога —
       Мой песок и дырявый кувшин.

И било солнце в три луча,
Сквозь дыры крыш просеяно,
На Евдоким Кирилыча
И Гисю Моисеевну.

Она ему:— Как сыновья?
— Да без вести пропавшие!
Эх, Гиська, мы одна семья,
Вы — тоже пострадавшие.

Вы тоже пострадавшие,
А значит, обрусевшие,
Мои — без вести павшие,
Твои — безвинно севшие.

Я ушёл от пелёнок и сосок,
Поживал, не забыт, не заброшен.
И дразнили меня:— Недоносок!—
Хоть и был я нормально доношен.

       Маскировку пытался срывать я.
       — Пленных гонят! Чего ж мы дрожим?—
       Возвращались отцы наши, братья
       По домам. По своим да чужим.

У тети Зины кофточка
С драконами да змеями —
То у Попова Вовчика
Отец пришёл с трофеями.

Трофейная Япония,
Трофейная Германия,
Пришла страна Лимония,
Сплошная Чемодания.

Взял у отца на станции
Погоны, словно цацки, я.
А из эвакуации
Толпой валили штатские.

Осмотрелись они, оклемались.
Похмелились — потом протрезвели.
И отплакали те, что дождались,
Недождавшиеся — отревели.

Стал метро рыть отец Витькин с Генкой,
Мы спросили:— Зачем?— Он в ответ:
— Коридоры кончаются стенкой,
А тоннели выводят на свет.

Пророчество папашино
Не слушал Витька с корешом.
Из коридора нашего
В тюремный коридор ушёл.

Да он всегда был спорщиком.
Припрут к стене — откажется.
Прошёл он коридорчиком
И кончил стенкой, кажется.

Но у отцов свои умы,
А что до нас касательно —
На жизнь засматривались мы
Уже самостоятельно.

Все, от нас до почти годовалых,
Толковище вели до кровянки.
А в подвалах и полуподвалах
Ребятишкам хотелось под танки.

Не досталось им даже по пуле —
В ремеслухе живи да тужи.
Ни дерзнуть, ни рискнуть — но рискнули
Из напильников делать ножи,—

Они воткнутся в лёгкие,
От никотина чёрные,
По рукоятки лёгкие,
Трёхцветные, наборные.

Вели дела обменные
Сопливые острожники.
На стройке немцы пленные
На хлеб меняли ножики.

Сперва играли в фантики,
В пристенок с крохоборами.
И вот ушли романтики
Из подворотен ворами...

Было время — и были подвалы.
Было дело — и цены снижали.
И текли куда надо каналы,
И в конце куда надо впадали.

Дети бывших старшин да майоров
До ледовых широт поднялись,
Потому что из тех коридоров
Вниз сподручней им было, чем ввысь.

[1973—1975]

ПРИТЧА О ПРАВДЕ

В подражание Булату Окуджаве

Нежная Правда в красивых одеждах ходила,
Принарядившись для сирых, блаженных, калек.
Грубая Ложь эту Правду к себе заманила,—
Мол, оставайся-ка ты у меня на ночлег!

И легковерная Правда спокойно уснула,
Слюни пустила и разулыбалась во сне.
Хитрая Ложь на себя одеяло стянула,
В Правду впилась и осталась довольна вполне.

И поднялась, и скроила ей рожу бульдожью,—
Баба как баба, и что её ради радеть?!
Разницы нет никакой между Правдой и Ложью,
Если, конечно, и ту и другую раздеть.

Выплела ловко из кос золотистые ленты
И прихватила одежды, примерив на глаз,
Деньги взяла, и часы, и еще документы,
Сплюнула, грязно ругнулась и вон подалась.

Только к утру обнаружила Правда пропажу
И подивилась, себя оглядев делово,—
Кто-то уже, раздобыв где-то чёрную сажу,
Вымазал чистую Правду, а так — ничего.

Правда смеялась, когда в неё камни бросали:
Ложь это всё, и на Лжи — одеянье моё!..
Двое блаженных калек протокол составляли
И обзывали дурными словами её.

Стервой ругали её, и похуже, чем стервой,
Мазали глиной, спустили дворового пса:
— Духу чтоб не было! На километр сто первый
Выселить, выслать за двадцать четыре часа.

Тот протокол заключался обидной тирадой —
Кстати, навесили Правде чужие дела —
Дескать, какая-то мразь называется Правдой,
Ну, а сама вся как есть пропилась догола.

Голая Правда божилась, клялась и рыдала,
Долго болела, скиталась, нуждалась в деньгах.
Грязная Ложь чистокровную лошадь украла
И ускакала на длинных и тонких ногах.

Впрочем, приятно общаться с заведомой Ложью,
Правда колола глаза, и намаялись с ней.
Бродит теперь, неподкупная, по бездорожью,
Из-за своей наготы избегая людей.

Некий чудак и поныне за Правду воюет,—
Правда, в речах его — правды на ломаный грош:
— Чистая Правда со временем восторжествует,
Если проделает то же, что явная Ложь.

Часто, разлив по сто семьдесят граммов на брата,
Даже не знаешь, куда на ночлег попадёшь.
Могут раздеть — это чистая правда, ребята!
Глядь, а штаны твои носит коварная Ложь.
Глядь, на часы твои смотрит коварная Ложь.
Глядь, а конем твоим правит коварная Ложь!

[1976]

Я НЕ УСПЕЛ

Болтаюсь сам в себе, как камень в торбе,
И силюсь разорваться на куски,
Придав своей тоске значенье скорби,
Но сохранив загадочность тоски.

Свет Новый не единожды открыт,
А Старый весь разбили на квадраты.
К ногам упали тайны пирамид,
К чертям пошли гусары и пираты.

Пришла пора всезнающих невежд,
Все выстроено в стройные шеренги.
За новые идеи платят деньги,
И больше нет на «эврику» надежд.

Все мои скалы ветры гладко выбрили,
Я опоздал ломать себя на них.
Все золото мое в Клондайке выбрали,
Мой чёрный флаг в безветрии поник.

Под илом сгнили сказочные струги,
И могикан последних замели.
Мои контрабандистские фелюги
Худые рёбра сушат на мели.

Висят кинжалы добрые в углу
Так плотно в ножнах, что не втиснусь между.
Мой плот папирусный — последнюю надежду —
Волна в щепы разбила об скалу.

Вон из рядов мои партнеры выбыли,
У них сбылись гаданья и мечты.
Все крупные очки они повыбили
И за собою подожгли мосты.

Азартных игр теперь наперечет,
Авантюристов всех мастей и рангов.
По прериям пасут домашний скот,
Там кони пародируют мустангов.

И состоялись все мои дуэли,
Где б я почел участие за честь,
И выстрелы, и эхо отгремели,
Их было много — всех не перечесть.

Спокойно обошлись без нашей помощи
Все те, кто дело сделали моё.
И по щекам отхлёстанные сволочи
Фалангами ушли в небытиё.

Я не успел произнести «К барьеру!»,
А я за залп в Дантеса все отдам.
Что мне осталось? Разве красть химеру
С туманного собора Нотр-Дам?

В других веках, годах и месяцах
Все женщины мои отжить успели.
Позанимали все мои постели,
Где б я хотел любить — и та́к, и в снах.

Захвачены все мои одра смертные,
Будь это снег, трава иль простыня.
Заплаканные сёстры милосердия
В госпиталях обмыли не меня.

Ушли друзья сквозь вечность-решето.
Им всем досталась Лета или Прана.
Естественною смертию — никто,
Все — противоестественно и рано.

Иные жизнь закончили свою,
Не осознав вины, не скинув платья.
И, выкрикнув хвалу, а не проклятья,
Спокойно чашу выпили сию.

Другие знали, ведали и прочее...
Но все они на взлёте, в нужный год
Отплавали, отпели, отпророчили.
Я не успел. Я прозевал свой взлет.

[1976]

«ВЕТЕР НАДЕЖДЫ»

СКОРЕЙ СТАНОВИСЬ МОРЯКОМ

Вы в огне да и в море вовеки не сыщете брода.
Мы не ждали его — не за лёгкой добычей пошли.
Провожая закат, мы живём ожиданьем восхода
И, влюблённые в море, живём ожиданьем земли.

Помнишь детские сны о походах Великой Армады,
Абордажи, бои, паруса — и под ложечкой ком...
Все сбылось. «Становись! Становись!» — раздаются команды.
Это требует море — скорей становись моряком!

Наверху, впереди — злее ветры, багровее зори.
Правда, сверху видней, впереди же и сход, и земля.
Вы матросские робы, кровавые ваши мозоли
Не забудьте, ребята, когда-то надев кителя.

По сигналу «Пошёл!» оживают продрогшие реи,
Горизонт опрокинулся, мачты упали ничком...
Становись, становись, становись человеком скорее!
Это значит на море — скорей становись моряком.

Поднимаемся в небо по вантам, как будто по вехам.
Там и ветер живой — он кричит, а не шепчет тайком:
«Становись, становись, становись, становись человеком!»
Это значит на море — скорей становись моряком.

Чтоб отсутствием долгим вас близкие не попрекали,
Не грубейте душой и не будьте покорны судьбе.
Оставайтесь, ребята, людьми, становясь моряками,
Становясь капитаном — храните матроса в себе!

Цикл песен для фильма.

* * *

Мы говорим не *што́рмы*, а *шторма́* —
Слова выходят коротки и смачны.
Ветра́ — не *ве́тры* — сводят нас с ума,
Из палуб выкорчёвывая мачты.

Мы на приметы наложили вето,
Мы чтим чутьё компа́сов и носов.
Упругие, тугие мышцы ветра
Натягивают кожу парусов.

На чаше звёздных, подлинных весов
Седой Нептун судьбу решает нашу.
И стая псов, голодных Гончих Псов,
Надсадно воя, гонит нас на Чашу.

Мы — призрак флибустьерского корвета,
Качаемся в созвездии Весов.
И словно заострились струи ветра
И вспарывают кожу парусов.

По курсу — тень другого корабля.
Он шёл, и в штормы хода не снижая.
Глядите! Вон болтается петля
На рее, по повешенным скучая!

С ним провиденье поступило круто:
Лишь вечный штиль — и прерван ход часов.
Попутный ветер словно бес попутал —
Он больше не находит парусов.

Нам кажется, мы слышим чей-то зов —
Таинственные чёткие сигналы...
Не жажда славы, гонок и призов
Бросает нас на гребни и на скалы.

Изведать то, чего не ведал сроду,
Глазами, ртом и кожей пить простор!
Кто в океане видит только воду,
Тот на земле не замечает гор.

Пой, ураган, нам злые песни в уши,
Под череп проникай и в мысли лезь.
Лей, звёздный дождь, вселяя в наши души
Землёй и морем вечную болезнь!

* * *

Заказана погода нам удачею самой,
Довольно футов нам под киль обещано.
И небо поделилось с океаном синевой —
Две синевы у горизонта скрещены.

Не правда ли, морской хмельной невиданный простор
Сродни горам в безумье, буйстве, кротости?!
Седые гривы волн чисты, как снег на пиках гор,
И впадины меж ними — словно пропасти.

     Служение стихиям не терпит суеты!
     К двум полюсам ведет меридиан.
     Благословенны вечные хребты,
     Благословен великий океан!

Нам сам великий случай — брат, везение — сестра.
Хотя на всякий случай мы встревожены.
На суше пожелали нам: «Ни пуха ни пера!»
Созвездья к нам прекрасно расположены.

Мы все — впередсмотрящие, все начали с азов,
И если у кого-то невезение —
Меняем курс, идем на SOS, как там, в горах — на зов,
На помощь, прерывая восхождение.

     Служение стихиям не терпит суеты!
     К двум полюсам ведет меридиан.
     Благословенны вечные хребты,
     Благословен великий океан!

Потери подсчитаем мы, когда пройдёт гроза,
Не сединой, а солью убелённые.
Скупая океанская огромная слеза
Умоет наши лица просветлённые.

Взята вершина. Клотики вонзились в небеса.
С небес на землю — только на мгновение.
Едва закончив рейс, мы поднимаем паруса
И снова начинаем восхождение.

     Служение стихиям не терпит суеты!
     К двум полюсам ведет меридиан.
     Благословенны вечные хребты,
     Благословен великий океан!

НАЧАЛЬНАЯ ПЕСНЯ

Этот день будет первым всегда и везде.
Пробил час, долгожданный серебряный час.
Мы ушли по весенней высокой воде,
Обещанием помнить и ждать заручась.

По горячим следам мореходов, живых и экранных,
Что пробили нам курс через рифы, туманы и льды,
Мы под парусом белым идём с океаном на равных,—
Лишь в упряжке ветров, не терзая винтами воды.

Впереди чудеса неземные,
А земле, чтобы ждать веселей,
Будем честно мы слать позывные —
Эту вечную дань кораблей.

Говорят, будто парусу реквием спет,
Чёрный бриг за пиратство в музей заточён,
Бросил якорь в историю стройный корвет,
Многотрубные увальни вышли в почёт.

Но весь род моряков — сколько есть, до седьмого
колена,—
Будет помнить о тех, кто ходил на накале страстей.
И текла за кормой добела раскалённая пена,
И щадила судьба непутёвых своих сыновей.

Впереди чудеса неземные,
А земле, чтобы ждать веселей,
Будем честно мы слать позывные —
Эту вечную дань кораблей.

Материк безымянный не встретим вдали,
Островам не присвоим названий своих.
Все открытые земли давно нарекли
Именами великих людей и святых.

Расхватали открытья — мы ложных иллюзий не строим,
Но стекает вода с якорей, как живая вода.
Повезёт — и тогда мы в себе эти земли откроем,
И на берег сойдём, и останемся там навсегда.

378

Не смыкайте же век, рулевые!
Вдруг расщедрится серая мгла —
На Летучем Голландце впервые
Запалят ради нас факела.

Впереди чудеса неземные,
А земле, чтобы жить веселей,
Будем честно мы слать позывные —
Эту вечную дань кораблей.

ОДНА НАУЧНАЯ ЗАГАДКА, или ПОЧЕМУ АБОРИГЕНЫ СЪЕЛИ КУКА

Не хватайтесь за чужие талии,
Вырвавшись из рук своих подруг.
Вспомните, как к берегам Австралии
Подплывал покойный ныне Кук.

Там, в кружок усевшись под азалии,
Поедом, с восхода до зари,
Ели в этой солнечной Австралии
Друга дружку злые дикари.

Но почему аборигены съели Кука?
За что — неясно,— молчит наука.
Мне представляется совсем простая штука:
Хотели кушать — и съели Кука.

Есть вариант, что ихний вождь — большая бука,—
Кричал, что очень вкусный кок на судне Кука.
Ошибка вышла — вот о чём молчит наука,—
Хотели кока, а съели Кука.

И вовсе не было подвоха или трюка,
Вошли без стука, почти без звука,
Пустили в действие дубинку из бамбука —
Тюк!— прямо в темя — и нету Кука.

Но есть, однако же, ещё предположенье,
Что Кука съели из большого уваженья.
Что всех науськивал колдун — хитрец и злюка:
— Ату, ребята! Хватайте Кука!

Кто уплетёт его без соли и без лука,
Тот сильным, добрым, смелым будет, вроде Кука!—
Кому-то под руки попался каменюка —
Метнул, гадюка... И нету Кука.

Ломаем головы веками — просто мука!
Зачем и как аборигены съели Кука?
Чем Кук вкуснее? И опять молчит наука.
Так иль иначе, но нету Кука.

А дикари теперь заламывают руки,
Ломают копья, ломают луки,
Сожгли и бросили дубинку из бамбука,—
Переживают, что съели Кука.

[1976]

ПИСЬМО ВАНЕ БОРТНИКУ ИЗ ПАРИЖА

Ах, милый Ваня, я гуляю по Парижу,
И то, что слышу, и то, что вижу,
Пишу в блокнотик, впечатлениям вдогонку,
Когда состарюсь — издам книжонку,
Про то, что, Ваня, мы с тобой в Париже
Нужны, как в бане пассатижи.

Все эмигранты тут второго поколенья.
От них сплошные недоразуменья.
Они всё путают — и имя, и названья,
И ты бы, Ваня, у них был «Ванья».
А в общем, Ваня, мы с тобой в Париже
Нужны, как в русской бане лыжи.

Я сам завёл с француженкою шашни,
Мои друзья теперь и Пьер, и Жан.
И вот плевал я с Эйфелевой башни
На головы беспечных парижан.
И всё же, Ваня, мы друзьям в Париже
Нужны с тобой, как зайцу грыжа.

Проникновенье наше по планете
Особенно заметно вдалеке:
В общественном парижском туалете
Есть надписи на русском языке.
А в общем, Ваня, мы с тобой в Париже
Нужны, как в бане пассатижи.

[1976]

НА ТАМОЖНЕ

Над Шереметьево
В ноябре, третьего,
Метеоусловия не те.
Я стою встревоженный,
Бледный, но ухоженный,
На досмотр таможенный в хвосте.

Стоял сначала, чтоб не нарываться,—
Я сам спиртного лишку загрузил.
А впереди шмонали уругвайца,
Который контрабанду провозил.

Крест на груди, в густой шерсти.
Толпа как хором ахнет:
— За ноги надо потрясти —
Глядишь, чего и звякнет!..—
И точно: ниже живота —
Смешно, да не до смеха —
Висели два литых креста
Пятнадцатого века.

Ох, как он сетовал:
Где закон? Нету, мол!
Я могу, мол, опоздать на рейс!..
Но Христа распятого
В половине пятого
Не пустили в Буэнос-Айрес.

Мы всё-таки мудреем год от года.
Распятья нам самим теперь нужны:
Они — богатство нашего народа,
Хотя и пережиток старины.

А раньше мы во все края —
И надо, и не надо —
Дарили лики, жития
В окладе, без оклада.

ПИСЬМО В РЕДАКЦИЮ ТЕЛЕВИЗИОННОЙ ПЕРЕДАЧИ «ОЧЕВИДНОЕ—НЕВЕРОЯТНОЕ» С КАНАТЧИКОВОЙ ДАЧИ

Дорогая передача!
Во субботу, чуть не плача,
Вся Канатчикова дача
            К телевизору рвалась.
Вместо, чтоб поесть, помыться,
Уколоться и забыться,
Вся безумная больница
            У экрана собралась.

Говорил, ломая руки,
Краснобай и баламут
Про бессилие науки
Перед тайною Бермуд.

Все мозги разбил на части,
Все извилины заплёл,
И канатчиковы власти
Колют нам второй укол.

Уважаемый редактор!
Может, лучше про реактор?
Про любимый лунный трактор?..
            Ведь нельзя же! Хоть кричи!
То тарелками пугают,—
Дескать, подлые, летают,—
То зазря людей кромсают
            Филиппинские врачи.

Мы кой в чём поднаторели —
Мы тарелки бьём весь год.
Мы на них собаку съели,
Если повар нам не врёт.

Из пыльных ящиков, косясь,
Безропотно, устало,
Искусство древнее от нас,
Бывало, и сплывало.

Доктор зуб высверлил,
Хоть слезу мистер лил,
Но таможник вынул из дупла,
Чуть поддев лопатою,
Мраморную статую —
Целенькую, только без весла.

Общупали заморского барыгу,
Который подозрительно притих,
И сразу же нашли в кармане фигу,
А в фиге вместо косточки — триптих!

— Зачем вам складень, пассажир?
Купили бы за трёшку
В «Берёзке» русский сувенир —
Гармонь или матрешку...

— Мир-дружба! Прекратить огонь!—
Попёр он как на кассу.
Козе — баян, попу — гармонь,
Икона — папуасу!

Тяжело с истыми
Контрабандистами!
Этот, что статýи был лишён,
Малый с подковыркою —
Цыкнул зубом с дыркою,
Сплюнул и уехал в Вашингтон.

Как хорошо, что бдительнее стала
Таможня — ищет ценный капитал.
Чтоб золотинки с нимба не упало,
Чтобы гвоздок с распятья не пропал.

Таскают — кто иконостас,
Кто крестик, кто иконку.
Так веру в Господа от нас
Увозят потихоньку.

И на поездки в далеко —
Навек, бесповоротно,—
Угодники идут легко,
Пророки — неохотно!

Реки льют потные...
Весь я тут — вот он я!
Слабый для таможни интерес.
Правда, возле щиколот
Синий крестик выколот,—
Я скажу, что это — Красный Крест.

Один мулла триптих запрятал в книги.
Да, контрабанда — это ремесло!
Я пальцы сжал в кармане в виде фиги —
На всякий случай — чтобы пронесло.

У нас арабы егозят —
Пьют водочку с шафраном,—
Но по Корану пить нельзя
Несчастным мусульманам.
Они, должно быть, неспроста —
Задумайтесь об этом —
Увозят нашего Христа
На встречу с Магометом.

Я пока здесь еще.
Здесь моё детище,
Всё моё — и дело и родня.
Лики, как товарищи,
Смотрят понимающе
С почерневших досок на меня.

Сейчас, как в вытрезвителе ханыгу,
Разденут — стыд и срам!— при всех святых,
Найдут в мозгу туман, в кармане — фигу,
Крест на ноге — и кликнут понятых!

Я крест сцарапывал, кляня
Судьбу, себя — всё вкупе,—
Но тут вступился за меня
Ответственный по группе.

Сказал он тихо, делово
(Такого не обшаришь) —
Мол, вы не трогайте его,
Мол, кроме водки — ничег
Проверенный товарищ!

[1976]

Письмо в редакцию телепередачи „Очевидное и невероятное"   В. Высоцкий

I
Дорогая передача
В 9³⁰ гуть не плача
Вся Канатчикова дача
К телевизору рвалась
Вместо, чтоб в субботу мыться,
Уколоться и забыться,
Вся безумная больница
У экранов собралась

Говорил, ломая руки,
Краснобай и баламут
Про бесовские науки
Перед тайною бермуд

Все мозги разбил на части
Все извилины занёс
И канатчикова власти
Колют нам второй укол.

II
Уважаемый редактор!   возможно ли про трактор
Неможно ли ... Сложно? Можно про реактор...
Ведь нельзя же — год подряд   (Рай! я во весь год ...)
То тарелками пугают,
Дескать, подлые, летают,
То у них собаки лают,
То руины говорят

Мы тарелки атрезали
Ночью сделали налёт (проведи ночной налёт)
И собак перевалили,
Если повар нам не врёт
от субботы, до субботы
Две проблемы   разведали
                       (...)

II
Уважаемый редактор
Передайте, нам про трактор,   (передайте про реактор)
Про любимый наш реактор   (про земной нормальный трактор)
Мы устали, год подряд   (Лектора весь год подряд)
Нас тарелками пугают,   то, глядишь, — собаки лают
Дескать, подлые летают,
То у них собаки лают,
То руины говорят   (блюдца мы уже разбили)
Кое-что мы ухватили   (Суть тарелок мы сковали
и тарелки раскусили   Здесь отчаянный народ
Кто ни полночи идут {   И собак перевалили   (Кто ...)
Он руины раскусили   Если повар нам не врёт   (По отсутствию ...)
и тарелки очи ...
                        Пребываем без посуды (По отсутствию посуды)
                        Щи едим, зашев в кулак
                        Это жизнь! И вдруг Бермуды
                        Вот те раз ! Нельзя же так

III
Мы не сделали скандала   Это их худшие игры
Нам вожди недоставало   мутят воду во пруду
Настоящих буйных — мало   Это всё придумал Чердилл
(Вожаки ...)   Вот и нету вожаков   ... про вышины и ...
Но на добровольные обеды   сошли мы кого Гассе
если есть у нас и обеды   ни прикажите санитары
Не испортят нам обеды   не 17 ... зафиксировали нас
но 17 злые происки врагов (та ... беда)

А медикаментов груды —
В унитаз, кто не дурак.
Это жизнь! И вдруг — Бермуды,
Вот те раз! Нельзя же так!

Мы не сделали скандала —
Нам вождя недоставало.
Настоящих буйных мало —
Вот и нету вожаков.
Но на происки и бредни
Сети есть у нас и бредни,
Не испортят нам обедни
Злые происки врагов!

Это их худые черти
Бермутят воду во пруду.
Это всё придумал Черчилль
В восемнадцатом году!

Мы про взрывы, про пожары
Сочиняли ноту ТАСС,
Но примчались санитары,
Зафиксировали нас.

Тех, кто был особо боек,
Прикрутили к спинкам коек.
Бился в пене параноик,
Как ведьмак на шабаше:
«Развяжите полотенцы,
Иноверы, изуверцы!
Нам бермуторно на сердце
И бермутно на душе».

Сорок душ посменно воют,
Раскалились добела,—
Во как сильно беспокоят
Треугольные дела!

Все почти с ума свихнулись,
Даже — кто безумен был,
И тогда главврач Маргулис
Телевизор запретил.

Вон он, змей, в окне маячит,
За спиною штепсель прячет,
Подал знак кому-то — значит,
    Фельдшер вырвет провода.
Нам осталось уколоться
И упасть на дно колодца,
И пропасть на дне колодца,
    Как в Бермудах — навсегда.

    Ну, а завтра спросят дети,
    Навещая нас с утра:
    «Папы, что сказали эти
    Кандидаты в доктора?»

    Мы откроем нашим чадам
    Правду, им не все равно:
    Удивительное — рядом,
    Но оно запрещено.

Вон дантист-надомник Рудик.
У него приемник «Грюндиг»,—
Он его ночами крутит,
    Ловит, контра, ФРГ.
Он там был купцом по шмуткам —
И подвинулся рассудком,—
К нам попал в волненьи жутком,
С растревоженным желудком,
    С номерочком на ноге.

    Взволновал нас Рудик крайне —
    Сообщением потряс,
    Будто наш научный лайнер
    В треугольнике погряз,

    Сгинул, топливо истратив,
    Весь распался на куски.
    Двух безумных наших братьев
    Подобрали рыбаки.

Те, кто выжил в катаклизме,
Пребывают в пессимизме.
Их вчера в стеклянной призме
    К нам в больницу привезли,

И один из них, механик,
Рассказал, сбежав от нянек,
Что Бермудский многогранник —
  Незакрытый пуп Земли.

 «Что там было? Как ты спасся?»—
 Каждый лез и приставал,
 Но механик только трясся
 И чинарики стрелял.

 Он то плакал, то смеялся,
 То щетинился, как ёж.
 Он над нами издевался.
 Сумасшедший — что возьмешь!

Взвился бывший алкоголик,
Матерщинник и крамольник:
«Надо выпить треугольник!
  На троих его — даёшь!»
Разошёлся — так и сыпет:
«Треугольник будет выпит!—
Будь он параллелепипед,
  Будь он круг, едрёна вошь!»

 Больно бьют по нашим душам
 «Голоса» за тыщи миль.
 Зря «Америку» не глушим,
 Зря не давим «Израйль»!

 Всей своей враждебной сутью
 Подрывают и вредят —
 Кормят-поят нас бермутью
 Про таинственный квадрат.

Лектора́ из передачи!
Те, кто так или иначе
Говорят про неудачи
  И нервируют народ,—
Нас берите, обречённых!
Треугольник вас, учёных,
Превратит в умалишённых,
  Ну, а нас — наоборот.

Из пыльных ящиков, косясь,
Безропотно, устало,
Искусство древнее от нас,
Бывало, и сплывало.

Доктор зуб высверлил,
Хоть слезу мистер лил,
Но таможник вынул из дупла,
Чуть поддев лопатою,
Мраморную статую —
Целенькую, только без весла.

Общупали заморского барыгу,
Который подозрительно притих,
И сразу же нашли в кармане фигу,
А в фиге вместо косточки — триптих!

— Зачем вам складень, пассажир?
Купили бы за трёшку
В «Берёзке» русский сувенир —
Гармонь или матрешку...

— Мир-дружба! Прекратить огонь!—
Попёр он как на кассу.
Козе — баян, попу — гармонь,
Икона — папуасу!

Тяжело с истыми
Контрабандистами!
Этот, что статýи был лишён,
Малый с подковыркою —
Цыкнул зубом с дыркою,
Сплюнул и уехал в Вашингтон.

Как хорошо, что бдительнее стала
Таможня — ищет ценный капитал.
Чтоб золотинки с нимба не упало,
Чтобы гвоздок с распятья не пропал.

Таскают — кто иконостас,
Кто крестик, кто иконку.
Так веру в Господа от нас
Увозят потихоньку.

И на поездки в далеко —
Навек, бесповоротно,—
Угодники идут легко,
Пророки — неохотно!

Реки льют потные...
Весь я тут — вот он я!
Слабый для таможни интерес.
Правда, возле щиколот
Синий крестик выколот,—
Я скажу, что это — Красный Крест.

Один мулла триптих запрятал в книги.
Да, контрабанда — это ремесло!
Я пальцы сжал в кармане в виде фиги —
На всякий случай — чтобы пронесло.

У нас арабы егозят —
Пьют водочку с шафраном,—
Но по Корану пить нельзя
Несчастным мусульманам.
Они, должно быть, неспроста —
Задумайтесь об этом —
Увозят нашего Христа
На встречу с Магометом.

Я пока здесь еще.
Здесь моё детище,
Всё моё — и дело и родня.
Лики, как товарищи,
Смотрят понимающе
С почерневших досок на меня.

Сейчас, как в вытрезвителе ханыгу,
Разденут — стыд и срам!— при всех святых,
Найдут в мозгу туман, в кармане — фигу,
Крест на ноге — и кликнут понятых!

Я крест сцарапывал, кляня
Судьбу, себя — всё вкупе,—
Но тут вступился за меня
Ответственный по группе.

А медикаментов груды —
В унитаз, кто не дурак.
Это жизнь! И вдруг — Бермуды.
Вот те раз! Нельзя же так!

Мы не сделали скандала —
Нам вождя недоставало.
Настоящих буйных мало —
    Вот и нету вожаков.
Но на происки и бредни
Сети есть у нас и бредни,
Не испортят нам обедни
    Злые происки врагов!

Это их худые черти
Бермутят воду во пруду.
Это всё придумал Черчилль
В восемнадцатом году!

Мы про взрывы, про пожары
Сочиняли ноту ТАСС,
Но примчались санитары,
Зафиксировали нас.

Тех, кто был особо боек,
Прикрутили к спинкам коек.
Бился в пене параноик,
    Как ведьмак на шабаше:
«Развяжите полотенцы,
Иноверы, изуверцы!
Нам бермуторно на сердце
    И бермутно на душе».

Сорок душ посменно воют,
Раскалились добела, —
Во как сильно беспокоят
Треугольные дела!

Все почти с ума свихнулись,
Даже — кто безумен был,
И тогда главврач Маргулис
Телевизор запретил.

Письмо в редакцию телепередачи "Очевидное и невероятное"   В. Высоцкий

I
Дорогая передача!
В 8³⁰ туть не плача
Вся Канатчикова дача
  К телевизору рвалась
Вместо, чтоб в субботу мыться,
Уколоться и забыться,
Вся безумная больница
  У экранов собралась

    Говорил, ломая руки,
    Краснобай и баламут
    Про бермудские науки
    Перед тайною бермуд

      Все мозги разбил на части
      Все извилины запел
      И канатчиковы власти
      Колют нам второй укол.

II
Уважаемый редактор!
                        возможно ли
    А нельзя ли   про трактор
        Сложно? Можно про реактор...
Ведь мы же — год подряд   (Рай! А во весь год обряд)
то тарелками пугают,
Дескать, подлые, летают,
То у них собаки лают,
    то руины говорят

    Мы тарелки ахретили
    Ночью сделали налёт (проведали ночной полёт)
    И собак переварили.
    Если повар нам не врёт
      от субботы, во субботу
      Две прохвешны развёбали
        (мы тарелки раскусили
         вдрёбедесели били в лёт)

II
Уважаемый редактор
Передайте, нам про трактор, (передайте про реактор
Про любимый наш реактор   про земной, нормальный трактор)
    Мы устали, год подряд (Лектора ... год подряд)
Нас тарелками пугают,   то, глядишь — собаки лают)
Дескать, подлые летают,
То у них собаки лают,
    То руины говорят
                            Блюдца мы уже разбим)
Кое-что мы ухватили   (Суть тарелок мы схватили
Здесь догадливый народ   тарелки била в лёт)
И тарелки раскусили   (сломом бьём тарелки влёт)
Кто на полный идиот {   И собак переварили   (Кто наш полный идиот)
Им руины рассужим   Если повар нам не врёт
и тарелки ситм в лёт
                          Пребываем без посуды (По отсутствие посуды)
                          Щи едим, загнав в кулак
                          Это жизнь! И вдруг Бермуды
                          Вот те раз! Нельзя же так
III   (бей)
Мы не сделали скандала   Это их худые черти (Это эти враги
Нам вождя недоставало   льют воду во пруду
Настоящих буйных — мало   Это всё придумал Черчилль
(Вожак ...)   в 18 году барывы и гонсары
        Вот и нету вожаков   мы про барывы и гонсары
Но ни дьявольские бредни   сочинили ногу Тасе
есть есть у нас и бредни   ни причмокнули санитары
Не испортят нам обедни   IV   зафиксировали нас
но 17   злые происки врагов (та термячная деза)

Сказал он тихо, делово
(Такого не обшаришь) —
Мол, вы не трогайте его,
Мол, кроме водки — ничего,
Проверенный товарищ!

[1976]

ПИСЬМО В РЕДАКЦИЮ ТЕЛЕВИЗИОННОЙ ПЕРЕДАЧИ «ОЧЕВИДНОЕ — НЕВЕРОЯТНОЕ» С КАНАТЧИКОВОЙ ДАЧИ

Дорогая передача!
Во субботу, чуть не плача,
Вся Канатчикова дача
    К телевизору рвалась.
Вместо, чтоб поесть, помыться,
Уколоться и забыться,
Вся безумная больница
    У экрана собралась.

Говорил, ломая руки,
Краснобай и баламут
Про бессилие науки
    Перед тайною Бермуд.

Все мозги разбил на части,
Все извилины заплёл,
И канатчиковы власти
    Колют нам второй укол.

Уважаемый редактор!
Может, лучше про реактор?
Про любимый лунный трактор?..
    Ведь нельзя же! Хоть кричи!
То тарелками пугают,—
Дескать, подлые, летают,—
То зазря людей кромсают
    Филиппинские врачи.

Мы кой в чём поднатерели —
Мы тарелки бьём весь год.
Мы на них собаку съели,
    Если повар нам не врёт.

Пусть безумная идея —
Не рубите сгоряча,
Вызывайте нас скорее
Через доку главврача.

С уваженьем. Дата. Подпись.
Отвечайте нам! А то —
Если вы не отзоветесь —
Мы напишем в «Спортлото».

[1976—1977]

* * *

Живу я в лучшем из миров —
Не нужно хижины мне.
Земля — постель, а небо — кров,
Мне стены — лес, могила — ров,
Мурашки по спине.
                    А мне хорошо!..

Лучи палят — не надо дров,
Любой ко мне заходи!
Вот только жаль, не чинят кров,
А в этом лучшем из миров
Бывают и дожди.
                    Но мне хорошо...

И всё прекрасно — всё по мне,
Хвала богам от меня!
Ещё есть дырка на ремне.
Я мог бы ездить на коне,
Но только нет коня.
                    Но мне хорошо...

[1976]

* * *

В тайгу!
    На санях, на развалюхах,
    В соболях или в треухах,
        И богатый, и солидный, и убогий.

Бегут!
    В неизведанные чащи,
    Кто-то реже, кто-то чаще,
        В волчьи логова, в медвежие берлоги.

Стоят,
    Как усталые боксеры,
    Вековые гренадеры,
        В два обхвата, в три обхвата и поболе.

И я
    Воздух ем, жую, глотаю,
    Да я только здесь бываю —
        За решеткой из деревьев — но на воле.

[1976]

393

* * *

Я дышал синевой,
Белый пар выдыхал,
Он летел, становясь облаками.
Снег скрипел подо мной,
Поскрипев — затихал,
А сугробы прилечь завлекали.

И звенела тоска, что в безрадостной песне поётся,
Как ямщик замерзал в той глухой незнакомой степи.
Усыпив, ямщика заморозило жёлтое солнце,
И никто не сказал — шевелись, подымайся, не спи.

Всё стоит на Руси
До макушек в снегу —
Полз, катился, чтоб не провалиться.
Сохрани и спаси!
Дай веселья в пургу!
Дай не лечь, не уснуть, не забыться!

Тот ямщик-чудодей бросил кнут и — куда ему деться —
Помянул он Христа, ошалев от заснеженных вёрст.
Он, хлеща лошадей, мог бы этим немного согреться,
Ну, а он в доброте их жалел, и не бил, и замерз.

Отраженье своё
Увидал в полынье,
И взяла меня оторопь: впору б
Оборвать житиё —
Я по грудь во вранье!
Выпить штоф напоследок — и в прорубь.

Хоть душа пропита — ей там, голой, не выдержать стужу.
В прорубь надо да в омут, но — сам, а не руки сложа.
Пар валит изо рта — эх, душа моя рвётся наружу!
Выйдет вся — схороните, зарежусь — снимите с ножа.

Снег кружит над землёй,
Над страною моей,
Мягко стелет, в запой зазывает...
Ах, ямщик удалой
Пьёт и хлещет коней!
А не пьяный ямщик замерзает.

[1973—1976]

НИТЬ АРИАДНЫ

Миф этот в детстве каждый прочёл,
          Чёрт побери!
Парень один к счастью прошёл
          Сквозь лабиринт.
Кто-то хотел парня убить —
          Видно, со зла,
Но царская дочь путеводную нить
          Парню дала.

С древним сюжетом знаком не один ты.
В городе этом — сплошь лабиринты.
Трудно дышать, не отыскать
          Воздух и свет.
И у меня дело неладно —
Я потерял нить Ариадны.
Словно в час пик, всюду — тупик,
          Выхода нет.

Древний герой ниточку ту
          Крепко держал.
И слепоту, и немоту —
          Всё испытал.
И духоту, и черноту
          Жадно глотал.
Долго руками одну пустоту
          Парень хватал.

Сколько их бьётся, людей одиноких,
В душных колодцах улиц глубоких!
Я тороплюсь, в горло вцеплюсь —
          Только в ответ
Слышится смех:— Зря вы спешите —
Поздно! У всех порваны нити!—
Хаос, возня — и у меня
          Выхода нет!

396

Злобный король в этой стране
        Повелевал,
Бык Минотавр ждал в тишине
        И убивал.
Лишь одному это дано —
        Смерть миновать.
Только одно, только одно —
        Нить не порвать!

    Кончилось лето, зима на подходе.
    Люди одеты не по погоде —
    Видно, подолгу ищут без толку
        Слабый просвет.
    Холодно, пусть,— всё заберите.
    Я задохнусь — здесь, в лабиринте.
    Наверняка из тупика
        Выхода нет!

Древним затея их удалась.
        Вот так дела!
Нитка любви не порвалась,
        Не подвела.
Выход один, именно там
        Хрупкий ледок.
Лёгок герой, а Минотавр
        С голоду сдох.

    Здесь, в лабиринте, мечутся люди.
    Вместе в орбите — жертвы и судьи.
    Здесь, в темноте, эти и те
        Чествуют ночь.
    Глотки их лают, потные в месиве...
    Я не желаю с этими вместе!
    Кто меня ждёт — знаю, придёт,
        Выведет прочь!

Будет, что выйдет, только пришла бы!
Может, увидит — нитка ослабла.
Да, так и есть: ты уже здесь —
        Будет и свет!
Пальцы сцепились до миллиметра,
Всё,— мы уходим к свету и ветру,
Прямо сквозь тьму, где одному
        Выхода нет!

[1976]

* * *

Часов, минут, секунд — нули.
Сердца с часами сверьте.
Объявлен праздник всей Земли —
«День без единой смерти».

Вход в рай забили впопыхах,
Ворота ада на засове.
Всё согласовано в верхах
Без оговорок и условий.

Постановление не врёт:
Никто при родах не умрёт,
И от болезней в собственной постели,
И самый старый в мире тип
Задержит свой предсмертный хрип
И до утра дотянет еле-еле.

И если где резня теперь —
Ножи держать тупыми!
А если бой — то без потерь,
Расстрел — так холостыми.

Нельзя и с именем Его
Свинцу отвешивать поклонов,—
Не будет смерти одного
Во имя жизни миллионов.

Конкретно, просто, делово:
Во имя чёрта самого
Никто нигде не обнажит кинжалов,
Никто навеки не уснёт
И не взойдёт на эшафот
За торжество добра и идеалов.

Забудьте мстить и ревновать!
Убийцы — пыл умерьте!
Бить можно, но не убивать,
Душить, но не до смерти.

Эй! Не вставайте на карниз
И свет не заслоняйте,
Забудьте прыгать сверху вниз,
Вот снизу вверх — валяйте!

Слюнтяи, висельники, тли,
Мы всех вас вынем из петли,
Ещё дышащих, тёпленьких, в исподнем!
Под топорами палачей
Не упадёт главы ничьей, —
Приёма нынче нет в раю господнем.

И запылает сто костров —
Не жечь, а греть нам спины,
И будет много катастроф,
А жертвы — ни единой.

И, отвалившись от стола,
Никто не лопнет от обжорства,
От выстрелов из-за угла
Мы будем падать из притворства.

На целый день отступит мрак,
На целый день задержат рак,
На целый день случайности отменят,
А коль за кем недоглядят —
Есть спецотряд из тех ребят,
Что мертвецов растеребят,
Натрут, взъерошат, взъерепенят.

Смерть погрузили в забытьё —
Икрою взятку дали,
И напоили вдрызг её,
И косу отобрали.

В уютном боксе, в тишине
Лежит на хуторе Бутырском,
И видит пакости во сне,
И стонет храпом богатырским.

Ничто не в силах помешать
Нам жить, смеяться и дышать.
Мы ждём событья в сладостной истоме.

Для тёмных личностей — в Столбах
Полно смирительных рубах —
Пусть встретят праздник в сумасшедшем доме.

И про́бил час, и день возник
Как взрыв, как ослепленье.
И тут и там взвивался крик —
Остановись, мгновенье!

И лился с неба нежный свет,
И хоры ангельские пели,
И люди быстро обнаглели:
Твори, что хочешь,— смерти нет!

Иной до смерти выпивал,
Но жил, подлец, не умирал,
Другой в пролёты прыгал всяко-разно,
А третьего душил сосед,
А тот — его. Ну, словом, все
Добро и зло творили безнаказно.

И тот, кто никогда не знал
Ни драк, ни ссор, ни споров,
Теперь свой голос поднимал,
Как колья от заборов,—

Он торопливо вынимал
Из мокрых мостовых булыжник,
А прежде он был тихий книжник
И зло с насильем презирал.

Кругом никто не умирал,
И тот, кто раньше понимал
Смерть как награду или избавленье,
Тот бить стремился наповал,
А сам при этом напевал,
Что, дескать, помнит чудное мгновенье.

Какой-то бравый генерал,
Из зависти к военным хунтам,
Весь день с запасом бомб летал
Над мирным населённым пунктом.

Перед возмездьем не раскис
С поличным пойманный шпион —
Он с ядом ампулу разгрыз,
Но лишь язык порезал он.

Вот так по нашим городам
Без крови, пыток, личных драм
Катился день, как камнепад в ущелье.
Всем сразу славно стало жить,—
Боюсь, их не остановить,
Когда внезапно кончится веселье.

Учёный мир — так весь воспрял,
И врач, науки ради,
На людях яды проверял,
И без противоядий.

Ну и, конечно, был погром —
Резвилась правящая клика.
Но все от мала до велика
Живут,— всё кончилось добром.

Самоубийц, числом до ста,
Сгоняли танками с моста,
Повесившихся — скопом оживляли.
Фортуну — вон из колеса!
Да! День без смерти удался —
Застрельщики, ликуя, пировали.

Но вдруг глашатай весть разнёс
Уже к концу банкета,
Что торжество не удалось,
Что кто-то умер где-то

В тишайшем уголке Земли,
Где спят и страсти, и стихии,
Куда добраться не смогли
Реаниматоры лихие.

Кто смог дерзнуть, кто смел посметь,
И как уговорил он смерть?
Ей дали взятку — смерть не на работе.
Недоглядели, хоть реви,—
Он просто умер от любви.
На взлёте умер он, на верхней ноте.

[1976]

НЕВИДАННЫЙ ДОСЕЛЕ

Лихие карбонарии,
    Закушав водку килечкой,
Спешат в свои подполия
    Налаживать борьбу,
А я лежу в гербарии,
    К доске пришпилен шпилечкой,
И пальцами до боли я
    По дереву скребу.

Корячусь я на гвоздике,
Но не меняю позы.
Кругом жуки-навозники
И мелкие стрекозы,

        По детству мне знакомые —
        Ловил я их, копал,
        Давил, но в насекомые
        И сам теперь попал.

Под всеми экспонатами
    Эмалевые планочки.
Всё строго по-научному —
    Указан класс и вид.
Я с этими ребятами
    Лежал в стеклянной баночке,
Дрались мы — это к лучшему,—
    Узнал, кто ядовит.

Я представляю мысленно
Себя в большой постели,
Но подо мной написано:
«Невиданный доселе».

        Я «homo» был читающий,
        Я сапиенсом был.
        Мой класс — млекопитающий,
        А вид... уже забыл.

В лицо ль мне дуло, в спину ли,
    В бушлате или в робе я —
Тянулся, кровью крашенный,
    Как звали, к шалашу.
И нá тебе — задвинули
    В наглядные пособия.
Я злой и ошарашенный
    На стеночке вишу.

Оформлен, как на выданье,
Стыжусь, как ученица.
Жужжат шмели солидные,
Что надо подчиниться.

        А бабочки хихикают
        На странный экспонат,
        Личинки мерзко хмыкают,
        И куколки язвят.

Ко мне с опаской движутся
    Мои собратья прежние
Двуногие, разумные —
    Два пишут — три в уме.
Они пропишут ижицу —
    Глаза у них не нежные.
Один брезгливо ткнул в меня
    И вывел резюме:

«С ним не были налажены
Контакты, и не ждем их.
Вот потому он, гражданы,
Лежит у насекомых.

        Мышленье в нём не развито,
        И вечно с ним ЧП,
        А здесь он может разве что
        Вертеться на пупе».

Берут они не круто ли?
    Меня нашли не вó поле.
Ошибка это глупая,
    Увидится изъян,
Накажут тех, кто спутали,
    Заставят, чтоб откнопили,
И попаду в подгруппу я
    Хотя бы обезьян.

Но не ошибка, — акция
Свершилась надо мною,
Чтоб начал пресмыкаться я
Вниз пузом, вверх спиною.

Вот и лежу расхристанный,
Разыгранный вничью,
Намеренно причисленный
К ползучему жучью.

А может, все провертится
    И соусом приправится, —
В конце концов, ведь досочка
    Не плаха, говорят, —
Всё слюбится да стерпится...
    Мне даже стали нравиться
Молоденькая осочка
    И кокон-шелкопряд.

Да! Мне приятно с осами —
От них не пахнет псиной,
Средь них бывают особи
И с талией осиной.

И, кстати, вдруг из коконов
Родится что-нибудь
Такое, что из локонов
И что имеет грудь?

Червяк со мной не кланится,
    А оводы со слепнями
Питают отвращение
    К навозной голытьбе,
Чванливые созданьица
    Довольствуются сплетнями,
А мне нужны общения
    С подобными себе.

Пригрел сверчка-дистрофика —
Блоха сболтнула, гнида,
И глядь — два тёртых клопика
Из третьего подвида.

405

Сверчок полузадушенный
Вполсилы свиристел,
Но за покой нарушенный
На два гвоздочка сел.

Паук на мозг мой зарится,
  Клопы кишат — нет роздыха,
Невестой хороводится
  Красивая оса.
Пусть что-нибудь заварится,
  А там — хоть на три гвоздика,
А с трех гвоздей, как водится,
  Дорога в небеса.

В мозгу моём нахмуренном
Страх льётся по морщинам.
Мне будет шершень шурином,
А что ж мне будет сыном?

Я не желаю, право же,
Чтоб трутень был мне тесть.
Пора уже, пора уже
Напрячься и воскресть.

Когда в живых нас тыкали
  Булавочками колкими,—
Махали пчёлы крыльями,
  Пищали муравьи,—
Мы вместе горе мыкали,
  Все проткнуты иголками!..
Забудем же, кем были мы,
  Товарищи мои!

Заносчивый немного я,
Но в горле горечь комом.
Поймите — я, двуногое,
Попало к насекомым!

Но кто спасёт нас, выручит,
Кто снимет нас с доски?
За мною! Прочь со шпилечек,
Сограждане-жуки!

И — как всегда в истории —
        Мы разом спины выгнули,
Хоть осы и гундосили,
        Но кто силён, тот прав,—
Мы с нашей территории
        Клопов сначала выгнали
И паучишек сбросили
        За старый книжный шкаф.

Скандал потом уляжется,
Зато у нас — все дома,
И поживают, кажется,
Уже не насекомо.

        А я? — я тешусь ванночкой
        Без всяких там обид.
        Жаль, над моею планочкой
        Другой уже прибит.

[1976]

* * *

Я прожил целый день в миру
                потустороннем
И бодро крикнул поутру:
                — Кого схороним? —
Ответ мне был угрюм и тих:
                — Всё — блажь, бравада.
Кого схороним? Нет таких...
                — Ну, и не надо!
Не стану дважды я просить,
                манить провалом.
Там, кстати, выпить-закусить —
                всего навалом.
И я сейчас затосковал,
                хоть час оттуда.
Вот где уж истинный провал —
                ну просто чудо!
Я сам больной и кочевой,
                а побожился —
Вернусь, мол, ждите, ничего,
                что я зажился.
Так снова предлагаю вам,
                пока не поздно:
— Хотите ли ко всем чертям,
                вполне серьёзно? —
Где кровь из вены — как река,
                а не водица.
Тем, у кого она жидка,—
                там не годится.
И там не нужно ни гроша,—
                хоть век поститься!
Живёт там праведна душа,
                не тяготится.
Там вход живучим воспрещён,
                как посторонним.
Не выдержу — спрошу ещё:
                — Кого схороним? —
Зову туда, где благодать
                и нет предела...
Никто не хочет умирать,—
                такое дело.

408

И отношение ко мне —
        ну, как к пройдохе.
Все стали умники вдвойне
        в родной эпохе.
Ну, я согласен: побренчим
        спектакль — и тронем.
Ведь никого же не съедим,
        а так... схороним.
Ну, почему же все того...
        как в рот набрали?
Там встретятся, кто и кого
        тогда забрали.
Там этот, с бляхой на груди,—
        и тих и скромен.
Таких, как он, там пруд пруди...
        Кого схороним?
Кто задаётся — в лак его,
        чтоб хрен отпарить!
Там этот... с трубкой... как его?..
        Забыл!.. Вот память!..
Скажи-кась, милый человек,
        я, может, спутал?
Какой сегодня нынче век?
        Какая смута?
Я сам вообще-то костромской,
        а мать из Крыма...
Так если бунт у вас какой —
        тогда я мимо!
А если нет, тогда ещё
        всего два слова:
У нас там траур запрещён.
        Нет, честно слово!
А там порядок — первый класс,
        глядеть приятно.
И наказание — сейчас
        прогнать обратно.
У нас границ не перечесть,
        беги — не тронем!
Тут, может быть, евреи есть?
        Кого схороним?
В двадцатом веке я. Эва́!
        Да ну вас к шу́там!
Мне нужно в номер двадцать два! —
        Лаврентий спутал!

[1976]

* * *

Я вам расскажу про то, что будет,
Я такие вам открою дали...
Пусть меня историки осудят
За непонимание спирали.

Возвратятся на свои на круги
Ураганы поздно или рано,
И, как сыромятные подпруги,
Льды затянут брюхо океана.

Словно наговоры и наветы,
Землю обволакивают вьюги.
Дуют, дуют северные ветры,
Превращаясь в южные на юге.

Упадут огромной силы токи
Со стальной коломенской версты,
И высоковольтные потоки
Станут током низкой частоты.

И завьются бесом у антенны,
И, пройдя сквозь омы — на реле,
До того ослабнут постепенно,
Что лови их стрелкой на шкале!

В скрипе, стуке, скрежете и гуде
Слышно, как клевещут и судачат.
Если плачут северные люди —
Значит, скоро южные заплачут.

И тогда не орды чингиз-ханов,
И не сабель звон, не конский топот, —
Миллиарды выпитых стаканов
Эту землю грешную затопят.

[1976]

410

ДВЕ СУДЬБЫ

Жил я славно в первой трети
Двадцать лет на белом свете по учению.
Жил безбедно и при деле,
Плыл, куда глаза глядели,— по течению.

Затрещит в водовороте,
Заскрипит ли в повороте — я не слушаю,
То разуюсь, то обуюсь,
На себя в воде любуюсь,— брагу кушаю.

И пока я наслаждался,
Пал туман, и оказался в гиблом месте я.
И огромная старуха
Хохотнула прямо в ухо, злая бестия!

Я кричу — не слышу крика,
Не вяжу от страха лыка, вижу плохо я,
На ветру меня качает...
«Кто здесь?» — слышу, отвечает: «Я — Нелёгкая!

Брось креститься, причитая!
Не спасёт тебя святая богородица,—
Кто рули да вёсла бросит,
Тех нелёгкая заносит — так уж водится!»

И с одышкой, ожиреньем
Ломит тварь по пням-кореньям тяжкой поступью.
Я впотьмах ищу дорогу,
Но уж брагу — понемногу, только по сту пью.

Вдруг навстречу мне живая
Колченогая Кривая — морда хитрая!
«Не горюй,— кричит,— болезный,
Горемыка мой нетрезвый,— слёзы вытру я!»

Взвыл я, душу разрывая:
«Вывози меня, Кривая! Я — на привязи!
Мне плевать, что кривобока,
Криворука, кривоока,— только вывези!»

Влез на горб к ней с перепугу,
Но Кривая шла по кругу — ноги разные.
Падал я и полз на брюхе,
И хихикали старухи безобразные.

Не до жиру — быть бы живым...
Много горя над обрывом, а в обрыве — зла!
«Слышь, Кривая, четверть ставлю,
Кривизну твою исправлю, раз не вывезла!

И Нелёгкая, маманя!
Хочешь истины в стакане — на лечение?
Тяжело же столько весить,
А хлебнёшь глоточков десять — облегчение!»

И припали две старухи
Ко бутыли медовухи — пьянь с ханыгою.
Я пока за кочки прячусь,
Озираюсь, задом пячусь, с кручи прыгаю.

Огляделся — лодка рядом,
А за мною по корягам, дико охая,
Припустились, подвывая,
Две судьбы мои — Кривая да Нелёгкая.

Грёб до умопомраченья,
Правил против ли теченья, на стремнину ли,—
А Нелёгкая с Кривою
От досады с перепою там и сгинули.

[1976]

* * *

Вадиму Туманову

Был побег на рывок —
Наглый, глупый, дневной.
Вологодского с ног
И — вперёд головой.

И запрыгали двое,
В такт сопя на бегу,
На виду у конвоя
Да по пояс в снегу.

Положен строй в порядке образцовом,
И взвыла «Дружба» — старая пила,
И осенили знаменьем свинцовым
С очухавшихся вышек три ствола.

Все лежали плашмя,
В снег уткнули носы,
А за нами двумя —
Бесноватые псы.

Девять граммов горячие,
Как вам тесно в стволах!
Мы на мушках корячились,
Словно как на колах.

Нам — добежать до берега, до цели,
Но свыше — с вышек — всё предрешено.
Там у стрелков мы дёргались в прицеле.
Умора просто, до чего смешно.

Вот бы мне посмотреть,
С кем отправился в путь,
С кем рискнул помереть,
С кем затеял рискнуть...

Где-то виделись будто.
Чуть очухался я,
Прохрипел: «Как зовут-то?
И какая статья?»

413

Но поздно, зачеркнули его пули
Крестом — затылок, пояс, два плеча.
А я бежал и думал: «Добегу ли?» —
И даже не заметил сгоряча.

Я к нему, чудаку —
Почему, мол, отстал?
Ну, а он — на боку
И мозги распластал.

Пробрало! — телогрейка
Аж просохла на мне.
Лихо бьет трёхлинейка,
Прямо как на войне.

Как за грудки́, держался я за камни,
Когда собаки близко — не беги.
Псы покропили землю языками
И разбрелись, слизав его мозги.

Приподнялся и я,
Белый свет стервеня.
И гляжу — кумовья
Поджидают меня.

Пнули труп: «Сдох, скотина,
Нету проку с него».
За поимку — полтина,
А за смерть — ничего.

И мы прошли гуськом перед бригадой,
Потом — за вахту, отряхнувши снег.
Они — обратно в зону, за наградой,
А я — за новым сроком за побег.

Я сначала грубил,
А потом перестал.
Целый взвод меня бил —
Аж два раза устал.

Зря пугают тем светом —
Тут с дубьём, там с кнутом.
Врежут там — я на этом,
Врежут здесь — я на том.

А в промежутках — тишина и снеги,
Токуют глухари, да бродит лось...
И снова вижу я себя в побеге,
Да только вижу, будто удалось.

Надо б нам вдоль реки,—
Он был тоже не слаб,—
Чтоб людя́м не с руки,
А собакам — не с лап.

Вот и сказке конец,
Зверь бежал на ловца.
Снёс, как срезал, ловец
Беглецу пол-лица.

Я гордость под исподнее упрятал,
Видал, как пятки лижут гордецы.
Пошёл лизать я раны в лизолятор —
Не зализал, и вот они, рубцы.

Всё взято в трубы, перекрыты краны,
Ночами только воют и скулят,
Но надо, надо сыпать соль на раны.
Чтоб лучше помнить — пусть они болят.

[1976—1977]

* * *

Вадиму Туманову

В младенчестве нас матери пугали,
Суля за ослушание Сибирь, грозя рукой.
Они в сердцах бранились и едва ли
Желали детям участи такой.

А мы пошли за так на четвертак, за-ради бога,
В обход и напролом и просто пылью по лучу.
К каким порогам приведёт дорога?
В какую пропасть напоследок прокричу?

Мы север свой отыщем без компа́са,
Угрозы матерей мы зазубрили как завет.
И ветер дул, с костей сдувая мясо
И радуя прохладою скелет.

Мольбы и стоны здесь не выживают,
Хватает и уносит их позёмка и метель.
Слова и слёзы на лету смерзают,
Лишь брань и пули настигают цель.

Про всё писать — не выдержит бумага,
Всё в прошлом, ну, а прошлое — быльё и трын-трава.
Не раз нам кости перемыла драга.
В нас, значит, было золото, братва.

Но чуден звон души моей помина,
И белый день белей, и ночь черней, и суше снег.
И мерзлота надёжней формалина
Мой труп на память сохранит навек.

Я на воспоминания не падок,
Но если занесла судьба — гляди и не тужи.
Мы здесь подохли,— вон он, тот распадок.
Нас выгребли бульдозеров ножи.

Здесь мы прошли за так, за четвертак, за-ради бога,
В обход и напролом и просто пылью по лучу,—
К таким порогам привела дорога.
В какую ж пропасть напоследок прокричу?

[1977]

БЕЛЫЙ ВАЛЬС

Если петь без души — вытекает из уст
                                        белый звук.
Если строки ритмичны без рифмы,
                            тогда говорят — белый стих.
Если все цвета радуги снова сложить —
                            будет свет, белый свет.
Если все в мире вальсы сольются в один —
                            будет вальс, белый вальс.

Какой был бал — накал движенья, звука, нервов!
Сердца стучали на три счёта вместо двух.
К тому же дамы приглашали кавалеров
На белый вальс традиционный, и захватывало дух.

Ты сам, хотя танцуешь с горем пополам,
Давно решился пригласить её одну,
Но вечно надо отлучаться по делам —
Спешить на помощь, собираться на войну.

И вот, всё ближе, всё реальней становясь,
Она, к которой подойти намеревался,
Идёт сама, чтоб пригласить тебя на вальс,
И кровь в виски твои стучится в ритме вальса.

Ты внешне спокоен средь шумного бала,
Но тень за тобою тебя выдавала —
Металась, ломалась, дрожала она
              В зыбком свете свечей.
И бережно держа, и бешено кружа,
Ты мог бы провести её по лезвию ножа.
Не стой же ты руки сложа,
              Сам не свой и ничей.

Был белый вальс — конец сомнений маловеров
И завершенье юных снов, забав, утех.
Сегодня дамы приглашали кавалеров
Не потому, не потому, что мало храбрости у тех.

Возведены на время бала в званье дам,
И кружит головы нам вальс как в старину,
Но вечно надо отлучаться по делам —
Спешить на помощь, собираться на войну.

Белее снега белый вальс,— кружись, кружись,
Чтоб снегопад подольше не прервался!
Она пришла, чтоб пригласить тебя на жизнь,
И ты был бел, бледнее стен, белее вальса.

Ты внешне спокоен средь шумного бала,
Но тень за тобою тебя выдавала —
Металась, ломалась, дрожала она
          В зыбком свете свечей.
И бережно держа, и бешено кружа,
Ты мог бы провести её по лезвию ножа.
Не стой же ты руки сложа,
          Сам не свой и ничей.

Где б ни был бал — в Лицее, в Доме офицеров,
В дворцовой зале, в школе — как тебе везло —
В России дамы приглашали кавалеров
Во все века на белый вальс, и было всё белым-бело.

Потупя взоры, не смотря по сторонам,
Через отчаянье, молчанье, тишину,
Спешили женщины притти на помощь к нам —
Их бальный зал величиной во всю страну.

Куда б ни бросило тебя, где б ни исчез,
Припомни бал, как был ты бел,— и улыбнёшься.
Век будут ждать тебя и с моря, и с небес,
И пригласят на белый вальс, когда вернёшься.

Ты внешне спокоен средь шумного бала,
Но тень за тобою тебя выдавала —
Металась, ломалась, дрожала она
          В зыбком свете свечей.
И бережно держа, и бешено кружа,
Ты мог бы провести её по лезвию ножа.
Не стой же ты руки сложа,
          Сам не свой и ничей.

[1977]

ТУШЕНОШИ

Михаилу Шемякину
под впечатлением от серии «Чрево»

И кто вы суть, безликие кликуши?
Куда грядёте — в Мекку ли, в Мессины?
     Модели ли влачите к Монпарнасу?
Кровавы ваши спины, словно туши,
А туши — как ободранные спины,
     И рёбра в рёбра... нзят, и мясо к мясу...

Ударил Ток, скотину оглоуша.
Обмякла плоть на плоскости картины
     И тяжко пала мяснику на плечи.
На ум, на кисть творцу попала туша
И дюжие согбенные детины,
     Вершащие дела нечеловечьи.

Кончал палач,— дела его ужасны,
А дальше — те, кто гаже, ниже, плоше,
     Таскали жертвы после гильотины:
Безглазны, безголовы и безгласны
И, кажется, бессутны тушеноши,
     Как бы катками вмяты в суть картины.

Так кто вы суть, загубленные души?
Куда спешите, полуобразины?
     Вас не разъять,— едины обе массы.
Суть Сутина́ — «Спасите наши туши!».
Вы ляжете, заколотые в спины,
     И Урка* слижет с лиц у вас гримасу.

Слезу слизнёт, и слизь, и лимфу с кровью
Соленую — людскую и коровью,
     И станут пепла чище, пыли суше
Кентавры или человекотуши.

---

* Кличка собаки.

Я — ротозей, но вот не сплю ночами,—
В глаза бы вам взглянуть из-за картины!..
    Неймётся мне, шуту и лоботрясу,—
Сдаётся мне — хлестали вас бичами,
Вы крест несли и ободрали спины.
    И рёбра в рёбра вам — и нету спасу.

[1977]

* * *

Много во мне маминого,
Папино — сокрыто,
Я из века каменного,
Из палеолита.

   Но по многим отзывам —
   Я умный и незлой,
   То есть в веке бронзовом
   Стою одной ногой.

Наше племя ропщет, смея
Вслух ругать порядки.
В первобытном обществе я
Вижу недостатки

   Просто вопиющие! —
   Довлеют и грозят,—
   Далеко идущие,
   На тыщу лет назад.

Между поколениями
Ссоры возникают,
Жертвоприношениями
Злоупотребляют.

   Ходишь — озираешься,
   Ловишь каждый взгляд.
   Малость зазеваешься —
   Уже тебя едят.

Собралась, умывшись чисто,
Во́ поле элита.
Думали, как выйти из то-
го палеолита.

   Под кустами ириса
   Все передрали́сь.
   Не договорилися,
   А так и разбрелись.

Завели старейшины,
А нам они — примеры,
По́ две, по́ три женщины,
По две́, по три́ пещеры.

Жёны крепко заперты,
На цепи да замки,—
А на крайнем Западе
Открыты бардаки.

Люди понимающие
Ездят на горбатых,
На горбу катающие
Грезят о зарплатах.

Счастливы горбатые,
По тропочкам несясь.
Бедные, богатые —
У них, а не у нас.

Продали подряд всё сразу
Племенам соседним,
Воинов гноят образо-
ваньем этим средним.

От повальной грамоты —
Сплошная благодать.
Поглядели мамонты
И стали вымирать.

Дети все с царапинами
И одеты куце,
Топорами папиными
День и ночь секутся.

Скоро эра кончится —
Набалуетесь всласть!
В будущее хочется?
Да как туда попасть?!

Нам жрецы пророчили, де
Будет все попозже.
За камнями — очереди,
За костями — тоже.

От былой от вольности
Давно простыл и след.
Хвать тебя за волосы
И глядь — тебя и нет.

Притворились добренькими,
Многих прочь услали
И пещеры ковриками
Пышными устлали.

Мы стоим, нас трое, нам —
Бутылку коньяку.
Тишь в благоустроенном
И каменном веку.

Встреться мне — молю я исто,—
В поле Аэлита,
Забери ты меня из то-
го палеолита!

Ведь по многим отзывам —
Я умный и незлой,
То есть в веке бронзовом
Стою одной ногой.

[1977]

ПРО РЕЧКУ ВАЧУ И ПОПУТЧИЦУ ВАЛЮ

Под собою ног не чую,
    И качается земля.
Третий месяц я бичую,
Так как списан подчистую
    С китобоя-корабля.

        Ну, а так как я бичую —
            Беспартийный, не еврей,—
        Я на лестницах ночую,
            Где тепло от батарей.

Это жизнь! — живи и грейся.
    Хрен вам, пуля и петля!
Пью, бывает, хоть залейся,—
Кореша приходят с рейса
    И гуляют от рубля.

        Рупь не деньги, рупь — бумажка,
            Экономить — тяжкий грех.
        Ах, душа моя — тельняшка
            В сорок полос семь прорех.

Но послал Господь удачу,—
    Заработал свечку он,—
Углядев, что горько плачу,
Он шепнул: — Валяй на Вачу,
    Торопись, пока сезон.

        Что такое эта Вача —
            Разузнал я у бича,
        Он на Вачу ехал плача,
            Возвращался — хохоча.

Вача — это речка с мелью
    В глубине сибирских руд.
Вача — это дом с постелью,
Там стараются артелью,
    Много золота берут.

Как вербованный ишачу,
Не ханыжу, не торчу.
Взял билет, лечу на Вачу,
Прилечу — похохочу.

Нету золота богаче —
Люди знают, им видней.
В общем, так или иначе,
Заработал я на Ваче
Сто семнадцать трудодней.

Подсчитали — отобрали
За еду, туда-сюда...
Но четыре тыщи дали
Под расчёт — вот это да!

Рассовал я их в карманы,
Где и рупь не ночевал,
И поехал в жарки страны,
Где кафе да рестораны,
Позабыть, как бичевал.

Выпью — там такая чача! —
За советчика-бича.
Я на Вачу ехал плача,
Еду с Вачи хохоча.

Проводник в преддверьи пьянки
Извертелся на пупе,
Тоже и официантки,
А на первом полустанке
Села женщина в купе.

Может, вам она как кляча,
Мне — так просто в самый раз!
Я на Вачу ехал плача,
Еду с Вачи веселясь.

Слово зá слово у Вали —
Как узнала про рубли —
То да сё, да трали-вали,
Сотни по столу шныряли,
С Валей вместе и сошли.

С нею вышла незадача,
Я и это залечу,
Я на Вачу ехал плача,
Еду с Вачи — хохочу.

Суток пять как просквозило.
Море — вот оно стоит.
У меня что было — сплыло,
Проводник воротит рыло
И за водкой не бежит.

Рупь последний в Сочи трачу,
Телеграмму накатал:
«Шлите денег — отбатрачу.
Я их все прохохотал».

Где вы, где вы, рассыпные?
Хоть ругайся, хоть кричи.
Снова ваш я, дорогие,
Магаданские, родные,
Незабвенные бичи!

Мимо носа носят чачу,
Мимо рота — алычу.
Я на Вачу еду — плачу,
Над собою хохочу.

[1977]

ПРО ГЛУПЦОВ

Этот шум — не начало конца,
Не повторная гибель Помпеи,
Спор вели три великих глупца:
Кто из них, из великих, глупее.

Первый выл: — Я физически глуп! —
Руки вздел, словно вылез на клирос,—
У меня даже мудрости зуб,
Невзирая на возраст, не вырос!

Но не приняли это в расчёт,
Даже умному это негоже.
Ах, подумаешь — зуб не растёт!
Так другое растёт — ну и что же?

К синяку прижимая пятак,
Встрял второй: — Полно вам, загалдели!
Я способен всё видеть не так,
Как оно существует на деле.

Эх! Нашел чем хвалиться, простак! —
Недостатком всего поколенья.
И, к тому же, всё видеть не так —
Доказательство слабого зренья.

Третий был непреклонен и груб,
Рвал лицо на себе, лез из платья:
— Я — единственный подлинно глуп,
Ни про что не имею понятья.

Долго спорили — дни, месяца,
Но у всех аргументы убоги.
И пошли три великих глупца
Глупым шагом по глупой дороге.

Вот и берег, дороге конец.
Откатив на обочину бочку,
Жил в ней самый великий мудрец,—
Мудрецам хорошо в одиночку.

Молвил он подступившим к нему,—
Дескать, знаю — зачем, кто такие,
Одного только я не пойму —
Для чего это вам, дорогие!

Или, может, вам нечего есть?
Или мало друг дружку побили?
Не кажитесь глупее, чем есть,
Оставайтесь такими, как были.

Стоит только не спорить о том,
Кто главней,— уживётесь отлично.
Покуражьтесь ещё, а потом,
Так и быть, приходите вторично.

Он залез в свою бочку с торца,
Жутко умный, седой и лохматый.
И ушли три великих глупца —
Глупый, глупенький и глуповатый.

Удаляясь, ворчали в сердцах:
— Стар мудрец, никакого сомненья!
Мир стоит на великих глупцах,
Зря не выказал старый почтенья.

Потревожат вторично его,
Тёмной ночью попросят: — Вылазьте! —
Всё бы это ещё ничего,
Но глупцы состояли при власти.

И у сказки бывает конец,
Больше нет на обочине бочки,—
В «одиночку» отправлен мудрец.
Хорошо ли ему в «одиночке»?

[1977]

* * *

На уровне фантастики и бреда,
Чуднее старой сказки для детей,
Красивая восточная легенда
Про озеро на сопке и про омут в сто локтей.

И кто нырнет в холодный этот омут,
Насобирает ракушек, приклеенных ко дну, —
Того болезнь да заговор не тронут,
А кто потонет — обретет покой и тишину.

Эх, сапоги-то стоптаны! Походкой косолапою
Протопаю по тропочке до каменных гольцов,
Со дна кружки блестящие я соскоблю, сцарапаю
Тебе на серьги, милая, а хошь и на кольцо.

Я от земного низкого поклона
Не откажусь, хотя спины не гнул.
Родился я в рубашке из нейлона,
На шелковую тоненькую, жаль, не потянул.

Спасибо и за ту на добром слове.
Ношу — не берегу её, не прячу в тайниках.
Её легко отстирывать от крови,
Не рвётся — хоть от ворота рвани ее — никак.

Я на гольцы вскарабкаюсь, на сопку тихой сапою,
Всмотрюсь во дно озёрное при отблеске зарниц,
Мерцающие ракушки я подкрадусь и сцапаю
Тебе на ожерелие, какое у цариц.

Пылю по суху, топаю по жиже,
Я иногда спускаюсь по ножу.
Мне говорят, что я качусь всё ниже,
А я и по низам высокий уровень держу.

Жизнь впереди — один отрезок прожит.
Я вхож куда угодно — в терема и в закрома.
Рождён в рубашке — Бог тебе поможет,
Хоть наш, хоть удэгейский — старый Сангия-
мама́!

Дела мои любезные,— я вас накрою шляпою,
Я доберусь, долезу до заоблачных границ.
Не взять волшебных ракушек — звезду с небес сцарапаю
Алмазную да крупную, какие у цариц.

Нанёс бы звёзд я в золочёном блюде,
Чтобы при них нам век прокоротать,
Да вот беда — ответственные люди
Сказали: — Звёзды с неба не хватать!

Ныряльщики за ракушками — тонут,
Но кто в рубахе — что тому тюрьма или сума?!
Бросаюсь головою в синий омут —
Бери меня к себе, не мешкай, Са́нгия-мама́!

Но до того, душа моя, по странам по Муравиям
Прокатимся — и боги подождут, повременят.
В морскую гальку сизую, в дорожки с белым гравием
Вобьём монету звонкую, затопчем — и назад.

А помнишь ли, голубушка, в денёчки наши летние
Бросал я в море денежку — просила ты сама.
И может быть, и в озеро те ракушки заветные
Забросил я для верности — не Са́нгия-мама́.

[1978]

ИЗ ДЕТСТВА

Аркадию Вайнеру

Ах! Время — как махорочка.
Всё тянешь, тянешь, Жорочка.
А помнишь — кепка, чёлочка
    Да кабаки до трёх.

А чёрненькая Норочка
С подъезда пять — айсорочка,
Глядишь — всего пятёрочка,
    А вдоль и поперёк.

А вся братва одесская...
Два тридцать — время детское,
Куда, ребята, деться, а?
    К цыганам в «поплавок»!

Пойдёмте с нами, Верочка,—
Цыганская венгерочка.
Пригладь виски, Валерочка,
    Да чуть примни сапог.

А помнишь вечериночки
У Солиной Мариночки —
Две бывших балериночки
    В гостях у пацанов.

Сплошная безотцовщина,
Война, да и ежовщина,
А значит — поножовщина
    И годы до обнов.

На всех клифты казённые
И флотские, и зонные,
И братья заблатнённые
    Имеются у всех.

Потом отцы появятся,
Да очень не понравятся.
Кой с кем, конечно, справятся,
И то — от сих до сех.

Дворы полны — ну, надо же!
Танго́ хватает за души,
Хоть этому да рады же,
Да вот ещё нагул...

С Малюшенки — богатые,
Там шпанцири подснятые,
Там и червонцы мятые,
Там Клещ меня пырнул.

А у Толяна Рваного
Братан пришёл с «Желанного»
И жить задумал наново,
А был хитёр и смел.

Да хоть и в этом возрасте,
А были позанозистей,
Помыкался он в гордости
И снова загремел.

А всё же брали соточку
И бацали чечёточку,
А ночью взял обмоточку
И чтой-то завернул.

У матери бессонница,
Все сутки книзу клонится.
Спи! Вдруг чего обломится,—
Небось не в Барнаул.

[1978]

ЛЕТЕЛА ЖИЗНЬ...

Я сам с Ростова, а вообще подкидыш,
Я мог бы быть с каких угодно мест,
И если ты, мой бог, меня не выдашь,
Тогда моя свинья меня не съест.

Живу везде, сейчас, к примеру, в Туле.
Живу и не считаю ни потерь, ни барышей.
Из детства помню детский дом в ауле
В республике чечено-ингушей.

Они нам детских душ не загубили,
Делили с нами пищу и судьбу.
Летела жизнь в плохом автомобиле
И вылетала с выхлопом в трубу.

Я сам не знал, в кого я воспитаюсь,
Любил друзей, гостей и анашу,
Теперь — чуть что чего — за нож хватаюсь,
Которого, по счастью, не ношу.

Как сбитый куст, я по́ ветру волокся,
Питался при дороге, помня зло, но и добро.
Я хорошо усвоил чувство локтя,
Который мне совали под ребро.

Бывал я там, где и другие были —
Все те, с кем резал пополам судьбу.
Летела жизнь в плохом автомобиле
И вылетала с выхлопом в трубу.

Нас закалили в климате морозном,
Нет никому ни в чем отказа там.
Так что чечены, жившие при Грозном,
Намылились с Кавказа в Казахстан.

А там — Сибирь, лафа для брадобреев,
Скопление народов и нестриженых бичей,
Где место есть для зеков, для евреев
И недоистреблённых басмачей.

В Анадыре что надо мы намыли,
Нам там ломы ломали на горбу.
Летела жизнь в плохом автомобиле
И вылетала с выхлопом в трубу.

Мы пили всё, включая политуру,
И лак и клей, стараясь не взболтнуть,
Мы спиртом обманули пулю-дуру,
Так, что ли, умных нам не обмануть?

Пью водку под орехи для потехи,
Коньяк под плов с узбеками, по-ихнему — пилав.
В Норильске, например, в горячем цехе
Мы пробовали пить стальной расплав.

Мы дыры в дёснах золотом забили,
Состарюсь — выну,— денег наскребу.
Летела жизнь в плохом автомобиле
И вылетала с выхлопом в трубу.

Какие песни пели мы в ауле,
Как прыгали по скалам нагишом!
Пока меня с пути не завернули,
Писался я чечено-ингушом.

Одним досталась рана ножевая,
Другим — дела другие, ну, а третьим — третья треть.
Сибирь! Сибирь — держава бичевая,
Где есть где жить и есть где помереть.

Я был кудряв, но кудри истребили,
Семь пядей из-за лысины во лбу.
Летела жизнь в плохом автомобиле
И вылетала с выхлопом в трубу.

Воспоминанья только потревожь я,—
Всегда одно: «На помощь! Караул!»
Вот бьют чеченов немцы из Поволжья,
А место битвы — город Барнаул.

Когда дошло почти до самосуда,
Я встал горой за горцев, чье-то горло теребя.
Те и другие были не отсюда,
Но воевали, словно за себя.

А те, кто нас на подвиги подбили,
Давно лежат и корчатся в гробу,—
Их всех свезли туда в автомобиле,
А самый главный вылетел в трубу.

[1976—1978]

* * *

Когда я о́б стену разбил лицо и члены
И всё, что только было можно, произнёс,
Вдруг сзади тихое шептанье раздалось:
— Я умоляю вас, пока не трожьте вены.

При ваших нервах и при вашей худобе
Не лучше ль чай испить иль огненный напиток,
Чем учинять членовредительство себе —
Оставьте что-нибудь нетронутым для пыток.

Он сказал мне: — Приляг,
Успокойся, не плачь.—
Он сказал: — Я не враг,
Я — твой верный палач.

Уже не за́ полночь — за́ три,
Давай отдохнём.
Нам ведь всё-таки завтра
Работать вдвоём.

Раз дело приняло приятный оборот —
Чем чёрт не шутит — может, правда, выпить чаю?
— Но только, знаете, весь ваш палачий род
Я, как вы можете представить, презираю.

Он попросил: — Не трожьте грязное бельё.
Я сам к палачеству пристрастья не питаю.
Но вы войдите в положение моё —
Я здесь на службе состою, я здесь пытаю.

И не людям, прости,—
Счёт веду головам.
Ваш удел — не ахти,
Но завидую вам.

Право, я не шучу,
Я смотрю делово —
Говори что хочу,
Обзывай хоть кого.

Он был обсыпан белой перхотью, как содой,
Он говорил, сморкаясь в старое пальто:
— Приговорённый обладает, как никто,
Свободой слова, то есть подлинной свободой.

    И я избавился от острой неприязни
    И посочувствовал дурной его судьбе.
    — Как жизнь? — спросил меня палач.— Да так себе...—
    Спросил бы лучше он: как смерть — за час до казни?..

        — Ах! Прощенья прошу,—
        Важно знать палачу,
        Что, когда я вишу,
        Я ногами сучу.

        Да у плахи сперва
        Хорошо б подмели,
        Чтоб моя голова
        Не валялась в пыли.

Чай закипел, положен сахар пó две ложки.
— Спасибо! — Что вы! — Не извольте возражать!
Вам скрутят ноги, чтоб сученья избежать,
А грязи нет,— у нас ковровые дорожки.

    Ах, да неужто ли подобное возможно!
    От умиленья я всплакнул и лёг ничком.
    Он быстро шею мне потрогал осторожно
    И одобрительно почмокал языком.

        Он шепнул: — Ни гугу.
        Здесь кругом стукачи.
        Чем смогу — помогу,
        Только ты не молчи.

        Станут ноги пилить —
        Можешь ересь болтать,
        Чтобы казнь отдалить,
        Буду дольше пытать.

Не ночь пред казнью, а души отдохновенье.
А я уже дождаться утра не могу.
Когда он станет жечь меня и гнуть в дугу,
Я крикну весело: — Остановись, мгновенье,—

Чтоб стоны с воплями остались на губах!
— Какую музыку,— спросил он,— дать при этом?
Я, признаюсь, питаю слабость к менуэтам,
Но есть в коллекции у них и Оффенбах.

Будет больно — поплачь,
Если невмоготу,—
Намекнул мне палач.
— Хорошо, я учту.

Подбодрил меня он,
Правда, сам загрустил —
Помнят тех, кто казнён,
А не тех, кто казнил.

Развлёк меня про гильотину анекдотом.
Назвав её лишь подражаньем топору,
Он посочувствовал французскому двору
И не казнённым, а убитым гугенотам.

Жалел о том, что кол в России упразднён,
Был оживлён и сыпал датами привычно.
Он знал доподлинно — кто, где и как казнён,
И горевал о тех, над кем работал лично.

— Раньше,— он говорил,—
Я дровишки рубил,
Я и стриг, я и брил,
И с ружьишком ходил.

Тратил пыл в пустоту
И губил свой талант,
А на этом посту
Повернулся на лад.

Некстати вспомнил дату смерти Пугачёва,
Рубил, должно быть для надёжности, рукой.
А в то же время знать не знал, кто он такой,—
Невелико образованье палачёво.

Парок над чаем тонкой змейкой извивался,
Он дул на воду, грея руки об стекло.
Об инквизиции с почтеньем отзывался
И об опричниках — особенно тепло.

Мы гоняли чаи,
Вдруг палач зарыдал —
Дескать, жертвы мои
Все идут на скандал.

    — Ах! Вы тяжкие дни,
    Палачёва стерня.
    Ну, зачем же они
    Ненавидят меня?

Он мне поведал назначенье инструментов.
Всё так нестрашно — и палач как добрый врач.
— Но на работе до поры всё это прячь,
Чтоб понапрасну не нервировать клиентов.

    Бывает, только его в чувство приведёшь,
    Водой окатишь и поставишь Оффенбаха,
    А он примерится, когда ты подойдёшь,
    Возьмёт и плюнет. И испорчена рубаха.

    Накричали речей
    Мы за клан палачей.
    Мы за всех палачей
    Пили чай, чай ничей.

    Я совсем обалдел,
    Чуть не лопнул, крича.
    Я орал: — Кто посмел
    Обижать палача?!

Смежила веки мне предсмертная усталость.
Уже светало, наше время истекло.
Но мне хотя бы перед смертью повезло —
Такую ночь провел, не каждому досталось.

    Он пожелал мне доброй ночи на прощанье,
    Согнал назойливую муху мне с плеча.
    Как жаль, недолго мне хранить воспоминанье
    И образ доброго чудно́го палача.

[1978]

* * *

Упрямо я стремлюсь ко дну.
Дыханье рвётся, давит уши.
Зачем иду на глубину?
Чем плохо было мне на суше?

Там, на земле, — и стол, и дом.
Там я и пел, и надрывался.
Я плавал всё же, хоть с трудом,
Но на поверхности держался.

Линяют страсти под луной
В обыденной воздушной жиже,
А я вплываю в мир иной, —
Тем невозвратнее, чем ниже.

Дышу я непривычно — ртом.
Среда бурлит — плевать на среду!
Я погружаюсь, и притом —
Быстрее, в пику Архимеду.

Я потерял ориентир,
Но вспомнил сказки, сны и мифы.
Я открываю новый мир,
Пройдя коралловые рифы.

Коралловые города...
В них многорыбно, но не шумно —
Нема подводная среда,
И многоцветна, и разумна.

Где ты, чудовищная мгла,
Которой матери стращают?
Светло, хотя ни факела,
Ни солнца мглу не освещают.

Всё гениальное и не-
Допонятое — всплеск и шалость.
Спаслось и скрылось в глубине
Всё, что гналось и запрещалось.

Дай бог, я всё же дотяну.
Не дам им долго залежаться.
И я вгребаюсь в глубину,
И всё труднее погружаться.

Под черепом — могильный звон,
Давленье мне хребет ломает,—
Вода выталкивает вон
И глубина не принимает.

Я снял с острогой карабин,
Но камень взял — не обессудьте,—
Чтобы добраться до глубин,
До тех пластов, до самой сути.

Я бросил нож — не нужен он.
Там нет врагов, там все мы — люди.
Там каждый, кто вооружён,
Нелеп и глуп, как вошь на блюде.

Сравнюсь с тобой, подводный гриб,
Забудем и чины, и ранги.
Мы снова превратились в рыб,
А наши жабры — акваланги.

Нептун, ныряльщик с бородой,
Ответь и облегчи мне душу:
Зачем простились мы с водой,
Предпочитая влаге сушу?

Меня сомненья, чёрт возьми,
Давно буравами сверлили:
Зачем мы сделались людьми?
Зачем потом заговорили?

Зачем, живя на четырёх,
Мы встали, распрямивши спины?
Затем, и это видит Бог,
Чтоб взять каменья и дубины.

Мы умудрились много знать,
Повсюду мест наделать лобных,
И предавать, и распинать,
И брать на крюк себе подобных!

И я намеренно тону,
Ору: «Спасите наши души!»
И, если я не дотяну,
Друзья мои, бегите с суши!

Назад — не к горю и беде.
Назад и вглубь, но не ко гробу.
Назад — к прибежищу, к воде.
Назад — в извечную утробу.

Похлопал по плечу трепанг,
Признав во мне свою породу.
И я выплёвываю шланг
И в лёгкие пускаю воду.

Сомкните стройные ряды,
Покрепче закупорьте уши.
Ушёл один — в том нет беды.
Но я приду по ваши души!

[1978]

ИСТОРИЯ БОЛЕЗНИ

I

Я был и слаб, и уязвим,
Дрожал всем существом своим,
Кровоточил своим больным
    Истерзанным нутром.
И, словно в пошлом попурри,
Огромный лоб возник в двери
И озарился изнутри
    Здоровым недобром.

Но властно дёрнулась рука:
— Лежать лицом к стене! —
И вот мне стали мять бока
На липком топчане.

    А самый главный сел за стол,
    Вздохнул осатанело
    И что-то на меня завёл,
    Похожее на дело.

Вот в пальцах цепких и худых
Смешно задёргался кадык,
Нажали в пах, потом — под дых,
    На печень — бедолагу.
Когда давили под ребро,
Как ёкало моё нутро,
И кровью харкало перо
    В невинную бумагу.

В полубреду, в полупылу
Разделся донага.
В углу готовила иглу
Нестарая карга.

    И от корней волос до пят
    По телу ужас плёлся —
    А вдруг уколом усыпят,
    Чтоб сонный раскололся?

Он, потрудясь над животом,
Сдавил мне череп, а потом

444

Предплечье мне стянул жгутом
И крови ток прервал.

Я было взвизгнул, но замолк,
Сухие губы — на замок,
А он кряхтел, кривился, мок,
Писал и ликовал.

Он в раж вошел — знакомый раж,
Но я как заору:
— Чего строчишь? А ну, покажь
Секретную муру!

Подручный — бывший психопат,
Вязал мои запястья.
Тускнели, выложившись в ряд,
Орудия пристрастья.

Я тёрт и бит, и нравом крут,
Могу — вразнос, могу — враскрут,
Но тут смирят, но тут уймут.
Я никну и скучаю.
Лежу я голый как сокол,
А главный — шмыг да шмыг за стол,
Всё что-то пишет в протокол,
Хоть я не отвечаю.

Нет! Надо силы поберечь,
Ослаб я и устал.
Ведь скоро пятки будут жечь,
Чтоб я захохотал.

Держусь на нерве, начеку,
Но чувствую — отвратно.
Мне в горло всунули кишку —
Я выплюнул обратно.

Я взят в тиски, я в клещи взят,
По мне елозят, егозят,
Всё вызнать, выведать хотят,
Всё пробуют наощупь.
Тут не пройдут и пять минут,
Как душу вынут, изомнут,
Всю испоганят, изорвут,
Ужмут и прополощут.

Дыши, дыши поглубже ртом,
Да выдохни — умрёшь!..
У вас тут выдохни — потом
Навряд ли и вздохнёшь.

    Во весь свой пересохший рот
    Я скалюсь: — Ну, порядки!
    Со мною номер не пройдёт,
    Товарищи-ребятки!

Убрали свет и дали газ,
Доска какая-то зажглась.
И гноем брызнуло из глаз,
    И булькнула трахея.
Он стервенел, входил в экстаз.
Приволокли зачем-то таз...
Я видел это как-то раз —
    Фильм в качестве трофея.

Ко мне заходят со спины
И делают укол.
Колите, сукины сыны,
Но дайте протокол!

    Я даже на колени встал
    И к тазу лбом прижался.
    Я требовал и угрожал,
    Молил и унижался.

Но туже затянули жгут,
Вон вижу я — спиртовку жгут.
Все рыжую чертовку ждут
    С волосяным кнутом.
Где-где, а тут своё возьмут.
А я гадаю, старый шут,
Когда же раскалённый прут —
    Сейчас или потом?

Калился шабаш и лысел,
Пот лился горячо.
Раздался звон, и ворон сел
На белое плечо.

И ворон крикнул: —Nevermore! —
Проворен он и прыток.
Напоминает — прямо в морг
Выходит зал для пыток.

Я слабо поднимаю хвост,
Хотя для них я глуп и прост:
— Эй! За пристрастный ваш допрос
Придётся отвечать.
Вы, как вас там по именам,
Вернулись к старым временам,
Но протокол допроса нам
Обязаны давать!

И я через плечо кошу
На писанину ту:
— Я это вам не подпишу,
Покуда не прочту.

Но чья-то жёлтая спина
Ответила бесстрастно:
— А ваша подпись не нужна.
Нам без неё всё ясно.

Сестрёнка, милая, не трусь!
Я не смолчу, я не утрусь,
От протокола отопрусь
При встрече с адвокатом.
Я ничего им не сказал,
Ни на кого не показал.
Скажите всем, кого я знал,—
Я им остался братом!

Он молвил, подведя черту:
Читай, мол, и остынь.
Я впился в писанину ту,
А там — одна латынь.

В глазах круги, в мозгу нули.
Проклятый страх, исчезни!
Они же просто завели
Историю болезни.

447

II

На стене висели в рамках бородатые мужчины.
Все в очёчках на цепочках — по-народному, в пенсне.
Все они открыли что-то, все придумали вакцины,
Так что если я не умер — это всё по их вине.

    Доктор молвил: — Вы больны.—
    И меня заколотило,
    Но сердечное светило
    Ухмыльнулось со стены.

        Здесь не камера — палата,
        Здесь не нары, а скамья.
        Не подследственный, ребята,
        А исследуемый я.

И хотя я весь в недугах — мне не страшно почему-то.
Подмахну — давай, не глядя,— медицинский протокол.
Мне приятен Склифосовский — основатель института,
Мне знаком товарищ Боткин — он желтуху изобрел.

    В положении моём
    Лишь чудак права качает —
    Доктор, если осерчает,
    Так упрячет в жёлтый дом.

        Всё зависит в доме оном
        От тебя от самого:
        Хочешь — можешь стать Будённым,
        Хочешь — лошадью его.

У меня мозги за разум не заходят, верьте слову.
Задаю вопрос с намёком, то есть лезу на скандал:
— Если б Кащенко, к примеру, лёг лечиться к Пирогову,
Пирогов бы без причины резать Кащенку не стал...

    Доктор мой — большой педант.
    Сдержан он и осторожен:
    — Да, вы правы, но возможен
    И обратный вариант.

Вот палата на пять коек,
Вот профессор входит в дверь,
Тычет пальцем: «Параноик!» —
И поди его проверь.

Хорошо, что вас, светила, всех повесили на стенку.
Я за вами, дорогие, как за каменной стеной.
На Вишневского надеюсь, уповаю на Бурденку —
Подтвердят, что не душевно, а духовно я больной.

Род мой крепкий, весь в меня.
Правда, прадед был незрячий,
Крестный мой белогорячий,
Но ведь крестный — не родня.

Доктор, мы здесь с глазу на глаз,
Отвечай же мне, будь скор —
Или будет мне диагноз,
Или будет приговор?

Доктор мой, и санитары, и светила — все смутились,
Заоконное светило закатилось за спиной.
И очёчки на цепочке как бы влагой замутились.
У отца желтухи щёчки вдруг покрылись желтизной.

И нависло остриё,
В страхе съёжилась бумага,—
Доктор действовал на благо,
Жалко, благо не моё.

Но не лист — перо стальное
Грудь проткнуло, как стилет.
Мой диагноз — паранойя,
Это значит — пара лет.

III

Вдруг словно канули во мрак
Портреты и врачи.
Жар от меня струился, как
От доменной печи.

Я злую ловкость ощутил,
Пошёл как на таран,
И фельдшер еле защитил
Рентгеновский экран.

И горлом кровь, и не уймёшь, —
Залью хоть всю Россию.
И крик: «На стол его, под нож!
Наркоз, анестезию!»

Мне горло обложили льдом,
Спешат, рубаху рвут.
Я ухмыляюсь красным ртом,
Как на манеже шут.

Я сам себе кричу: «Трави!» —
И напрягаю грудь, —
В твоей запёкшейся крови
Увязнет кто-нибудь.

Я б мог, когда б не глаз да глаз,
Всю Землю окровавить.
Жаль, что успели медный таз
Не вовремя подставить.

Уже я свой не слышу крик,
Не узнаю сестру.
Вот сладкий газ в меня проник,
Как водка поутру.

И белый саван лёг на зал,
На лица докторов.
Но я им всё же доказал,
Что умственно здоров.

Слабею, дёргаюсь и вновь
Травлю, но иглы вводят
И льют искусственную кровь, —
Та горлом не выходит.

Хирург, пока не взял наркоз,
Ты голову нагни.
Я важных слов не произнёс,
Но на губах они.

Взрезайте, с богом, помолясь,
Тем более бойчей,
Что эти строки не про вас,
А про других врачей.

Я лёг на сгибе бытия,
На полдороге к бездне,
И вся история моя —
История болезни.

Очнулся я — на теле швы,
А в теле мало сил.
И все врачи со мной на «вы»,
И я с врачами мил.

Нельзя вставать, нельзя ходить.
Молись, что пронесло!
Я здесь баклуш могу набить
Несчётное число.

Мне здесь пролёживать бока
Без всяческих общений.
Моя кишка тонка пока
Для острых ощущений.

Я был здоров, здоров как бык,
Как целых два быка.
Любому встречному в час пик
Я мог намять бока.

Идёшь, бывало, и поёшь,
Общаешься с людьми...
Вдруг — хвать! — на стол тебя, под нож.
Допелся, чёрт возьми!

— Не надо нервничать, мой друг,—
Врач стал чуть-чуть любезней,—
Почти у всех людей вокруг
Истории болезней.

Сам первый человек хандрил,
Он только это скрыл.
Да и Создатель болен был,
Когда наш мир творил.

Адам же Еве яду дал —
Принёс в кармане ей.
А искуситель-змей страдал
Гигантоманией.

Вы огорчаться не должны,—
Врач стал ещё любезней,—
Ведь вся история страны —
История болезни.

Всё человечество давно
Хронически больно.
Со дня творения оно
Болеть обречено.

У человечества всего —
То колики, то рези.
И вся история его —
История болезни.

Живёт больное всё быстрей,
Всё злей и бесполезней
И наслаждается своей
Историей болезни.

[1977—1978]

ОХОТА С ВЕРТОЛЁТОВ

(Конец охоты на волков)

Словно бритва, рассвет полоснул по глазам,
Отворились курки, как волшебный Сезам,
Появились стрелки, на помине легки,—
И взлетели стрекозы с протухшей реки,
И потеха пошла в две руки, в две руки.

Мы легли на живот и убрали клыки.
Даже тот, даже тот, кто нырял под флажки,
Чуял волчии ямы подушками лап,
Тот, кого даже пуля догнать не могла б,—
Тоже в страхе взопрел — и прилёг, и ослаб.

    Чтобы жизнь улыбалась волкам — не слыхал.
    Зря мы любим её, однолюбы.
    Вот у смерти — красивый широкий оскал
    И здоровые, крепкие зубы.

        Улыбнемся же волчьей ухмылкой врагу,
        Псам еще не намылены холки.
        Но — на татуированном кровью снегу
        Наша роспись: мы больше не волки!

Мы ползли, по-собачьи хвосты подобрав,
К небесам удивлённые морды задрав:
Либо с неба возмездье на нас пролилось,
Либо света конец и в мозгах перекос,
Только били нас в рост из железных стрекоз.

Кровью вымокли мы под свинцовым дождём —
И смирились, решив: всё равно не уйдем!
Животами горячими плавили снег.
Эту бойню затеял не Бог — человек!
Улетающих влёт, убегающих — в бег.

Свора псов, ты со стаей моей не вяжись —
В равной сваре за нами удача.
Волки мы! Хороша наша волчая жизнь.
Вы — собаки, и смерть вам — собачья!

Улыбнёмся же волчьей ухмылкой врагу,
Чтобы в корне пресечь кривотолки.
Но — на татуированном кровью снегу
Наша роспись: мы больше не волки!

К лесу! Там хоть немногих из вас сберегу!
К лесу, волки! Труднее убить на бегу!
Уносите же ноги, спасайте щенков!
Я мечусь на глазах полупьяных стрелков
И скликаю заблудшие души волков.

Те, кто жив, затаились на том берегу.
Что могу я один? Ничего не могу!
Отказали глаза, притупилось чутьё...
Где вы, волки, былое лесное зверьё,
Где же ты, желтоглазое племя моё?!

Я живу. Но теперь окружают меня
Звери, волчьих не знавшие кличей.
Это — псы, отдалённая наша родня,
Мы их раньше считали добычей.

Улыбаюсь я волчьей ухмылкой врагу,
Обнажаю гнилые осколки.
А на татуированном кровью снегу —
Тает роспись: мы больше не волки!

[1978]

* * *

Пожары над страной всё выше, жарче, веселей,
Их отблески плясали в два притопа, три прихлопа,
Но вот Судьба и Время пересели на коней,
А там — в галоп, под пули в лоб,
И мир ударило в озноб
       От этого галопа.

Шальные пули злы, слепы и бестолковы,
А мы летели вскачь, они за нами — влёт.
Расковывались кони и горячие подковы
Роняли в пыль на счастье тем, кто их потом найдёт.

Увёртливы поводья, словно угри,
И спутаны и волосы и мысли на бегу,
Но ветер дул и расплетал нам кудри
И распрямлял извилины в мозгу.

Ни бегство от огня, ни страх погони ни при чём,
А Время подскакало, и Фортуна улыбалась,
И сабли седоков скрестились с солнечным лучом,
Седок — поэт, а конь — Пегас,
Пожар померк, потом погас,
       А скачка разгоралась.

Ещё не видел свет подобного аллюра!
Копыта били дробь, трезвонила капель,
Помешанная на крови слепая пуля-дура
Прозрела, поумнела вдруг и чаще била в цель.

И кто кого — азартней перепляса,
И кто скорее — в этой скачке опоздавших нет,
А ветер дул, с костей сдувая мясо
И радуя прохладою скелет.

Удача впереди и исцеление больным,
Впервые скачет Время напрямую — не по кругу.
Обещанное Завтра — будет горьким и хмельным.
Светло скакать, врага видать
И друга тоже — благодать!
       Судьба летит по лугу.

Доверчивую Смерть вкруг пальца обернули,
Замешкалась она, забыв махнуть косой.
Уже не догоняли нас и отставали пули.
Удастся ли умыться нам не кровью, а росой?!

Выл ветер все печальнее и глуше,
Навылет Время ранено, досталось и судьбе.
Ветра и кони — и тела и души
Убитых выносили на себе.

[1978]

О СУДЬБЕ

Куда ни втисну душу я, куда себя ни дену,
За мною пёс — судьба моя, беспомощна, больна.
Я гнал её каменьями, но жмётся пёс к колену,
Глядит — глаза безумные, и с языка слюна.

Морока мне с нею.
Я оком грустнею,
Я ликом тускнею,
Я чревом урчу,
Нутром коченею,
А горлом немею,
И жить не умею,
И петь не хочу.

Неужто старею?
Пойти к палачу —
Пусть вздёрнет на рею,
А я заплачу́.

Я зарекался столько раз, что на судьбу я плюну,
Но жаль её, голодную,— ласкается, дрожит.
И стал я, по возможности, подкармливать фортуну,—
Она, когда насытится, всегда подолгу спит.

Тогда я — гуляю,
Петляю, вихляю
И ваньку валяю,
И небо копчу.
Но пса охраняю —
Сам вою, сам лаю,
Когда пожелаю,
О чём захочу.

Когда постарею,
Пойду к палачу —
Пусть вздёрнет скорее,
А я заплачу.

Бывают дни — я голову в такое пекло всуну,
Что и судьба попятится, испуганна, бледна.
Я как-то влил стакан вина для храбрости в фортуну,
С тех пор — ни дня без стакана́. Ещё ворчит она:

«Закуски — ни корки!»
Мол, я бы в Нью-Йорке
Ходила бы в норке,
Носила б парчу...
Я — ноги в опорки,
Судьбу — на закорки,
И в гору, и с горки
Пьянчугу влачу.

Я не постарею.
Пойду к палачу —
Пусть вздёрнет на рею,
А я заплачу.

Однажды переперелил судьбе я ненароком —
Пошла, родимая, вразнос и изменила лик,
Хамила, безобразила и обернулась роком,
И, сзади прыгнув на меня, схватила за кадык.

Мне тяжко под нею —
Уже я бледнею,
Уже сатанею,
Кричу на бегу:
«Не надо за шею!
Не надо за шею!!
Не надо за шею!!! —
Я петь не смогу!»

Судьбу, коль сумею,
Снесу к палачу —
Пусть вздёрнет на рею,
А я заплачу.

[1978]

* * *

Мне судьба — до последней черты, до креста
Спорить до хрипоты, а за ней — немота,
Убеждать и доказывать с пеной у рта,
Что не то это вовсе, не тот и не та,

Что лабазники врут про ошибки Христа,
Что пока ещё в грунт не влежалась плита.
Триста лет под татарами — жизнь ещё та:
Маета трёхсотлетняя и нищета.

Но под властью татар жил Иван Калита,
И уж был не один, кто один против ста.
Вот намерений добрых и бунтов тщета —
Пугачёвщина, кровь и опять нищета.

Пусть не враз, пусть сперва не поймут ни черта,
Повторю, даже в образе злого шута.
Но не стоит предмет, да и тема не та,
Суета всех сует — всё равно суета.

Только чашу испить не успеть на бегу,
Даже если разлить — всё равно не смогу,
Или выплеснуть в наглую рожу врагу,—
Не ломаюсь, не лгу — не могу. Не могу!

На вертящемся гладком и скользком кругу
Равновесье держу, изгибаюсь в дугу.
Что же с чашею делать — разбить? Не могу!
Потерплю — и достойного подстерегу,

Передам — и не надо держаться в кругу.
И в кромешную тьму, и в неясную згу,
Другу передоверивши чашу, сбегу.
Смог ли он её выпить — узнать не смогу.

Я с сошедшими с круга пасусь на лугу,
Я о чаше невыпитой здесь ни гугу,—
Никому не скажу, при себе сберегу,
А сказать — и затопчут меня на лугу.

Я до рвоты, ребята, за вас хлопочу!
Может, кто-то когда-то поставит свечу
Мне за голый мой нерв, на котором кричу,
За весёлый манер, на котором шучу.

Даже если сулят золотую парчу
Или порчу грозят напустить, — не хочу!
На ослабленном нерве я не зазвучу —
Я уж свой подтяну, подновлю, подвинчу.

Лучше я загуляю, запью, заторчу,
Всё, что ночью кропаю, — в чаду растопчу,
Лучше голову песне своей откручу,
Но не буду скользить, словно пыль по лучу.

Если всё-таки чашу испить мне судьба,
Если музыка с песней не слишком груба,
Если вдруг докажу, даже с пеной у рта,
Я уйду и скажу, что не всё суета!

[1978]

РАЙСКИЕ ЯБЛОКИ

Я умру, говорят,—
                мы когда-то всегда умираем.
Съезжу на дармовых,
                   если в спину сподобят ножом,—
Убиенных щадят,
               отпевают и балуют раем.
Не скажу про живых,
               а покойников мы бережём.

В грязь ударю лицом,
              завалюсь покрасивее набок,
И ударит душа
             на ворованных клячах в галоп.
Вот и дело с концом,—
               в райских кущах покушаю яблок.
Подойду не спеша —
            вдруг апостол вернёт, остолоп.

Чур меня самого!
              Наважденье, знакомое что-то,—
Неродящий пустырь
              и сплошное ничто — беспредел,
И среди ничего
             возвышались литые ворота,
И этап-богатырь —
           тысяч пять — на коленках сидел.

Как ржанёт коренник,—
              я смирил его ласковым словом,
Да репей из мочал
            еле выдрал и гриву заплёл.
Пётр-апостол, старик,
             что-то долго возился с засовом,
И кряхтел, и ворчал,
            и не смог отворить — и ушёл.

Тот огромный этап
                 не издал ни единого стона,
Лишь на корточки вдруг
                    с онемевших колен пересел.
Вон — следы пёсьих лап.
                  Да не рай это вовсе, а зона!
Всё вернулось на круг,
               и Распятый над кругом висел.

Мы с конями глядим —
                 вот уж истинно зона всем зонам! —
Хлебный дух из ворот —
                так надёжней, чем руки вязать.
Я пока невредим,
               но и я нахлебался озоном,
Лепоты полон рот,
             и ругательства трудно сказать.

Засучив рукава,
            пролетели две тени в зелёном.
С криком — «В рельсу стучи!»
                 пропорхнули на крыльях бичи.
Там малина, братва,—
             нас встречают малиновым звоном!
Нет, звенели ключи —
           это к нам подбирали ключи.

Я подох на задах,
             на руках на старушечьих дряблых,
Не к Мадонне прижат
             Божий сын, а к стене, как холоп.
В дивных райских садах
              просто прорва мороженых яблок,
Но сады сторожат,
            и стреляют без промаха в лоб.

Херувимы кружат,
           ангел окает с вышки — занятно!
Да не взыщет Христос,—
             рву плоды ледяные с дерев.
Как я выстрелу рад —
            ускакал я на землю обратно,
Вот и яблок принес,
         их за пазухой телом согрев.

Я вторично умру —
                   если надо, мы вновь умираем.
Удалось, бог ты мой,
                я не сам — вы мне пулю в живот.
Так сложилось в миру —
                   всех застреленных балуют раем.
А оттуда землёй —
              бережёного бог бережёт.

В грязь ударю лицом,
                 завалюсь после выстрела набок.
Кони хочут овсу,
              но пора закусить удила.
Вдоль обрыва, с кнутом,
                  по-над пропастью, пазуху яблок
Я тебе принесу —
              ты меня и из рая ждала.

[1977—1978]

ПЕСНЯ О КОНЦЕ ВОЙНЫ

Сбивают из досок столы во дворе,
Пока не накрыли — стучат в домино.
Дни в мае длиннее ночей в декабре,
И тянется время, но всё решено.

Уже довоенные лампы горят вполнакала,
Из окон на пленных глазела Москва свысока,
А где-то солдатиков в сердце осколком толкало,
А где-то разведчикам надо добыть «языка».

Вот уже обновляют знамёна и строят в колонны.
И булыжник на площади чист, как паркет на полу.
А всё же на Запад идут, и идут, и идут батальоны,
И над похоронкой заходятся бабы в тылу.

Не выпито всласть родниковой воды,
Не куплено впрок обручальных колец, —
Всё смыло потоком великой беды,
Которой приходит конец наконец.

Со стёкол содрали кресты из полосок бумаги,
И шторы — долой! Затемненье уже ни к чему.
А где-нибудь спирт раздают перед боем из фляги,
Он всё выгоняет — и холод, и страх, и чуму.

Вот уже очищают от копоти свечек иконы,
А душа и уста — и молитвы творят, и стихи,
Но с красным крестом всё идут, и идут, и идут эшелоны,
А вроде по сводкам потери не так велики.

Уже зацветают повсюду сады.
И землю прогрело, и воду во рвах.
И скоро награда за ратны труды —
Подушка из свежей травы в головах.

464

Уже не маячат над городом аэростаты.
Замолкли сирены, готовясь победу трубить.
Но ротные всё-таки выйти успеют в комбаты,
Которого всё ещё запросто могут убить.

Вот уже зазвучали трофейные аккордеоны,
Вот и клятвы слышны — жить в согласьи, любви, без долгов...
А всё же на Запад идут, и идут, и идут эшелоны,
А нам показалось — почти не осталось врагов.

[1978—1979]

* * *

Я спокоен — Он всё мне поведал.
Не таясь, поделюсь, расскажу —
Всех, кто гнал меня, бил или предал,
Покарает Тот, кому служу.

Не знаю как — ножом ли под ребро,
Или сгорит их дом и всё добро,
Или сместят, сомнут, лишат свободы,
Когда — опять не знаю,— через годы
Или теперь, а может быть — уже.
Судьбу не обойти на вираже,

И`на кривой на вашей не объехать,
Напропалую тоже не протечь.
А я? Я — что! Спокоен я — по мне хоть
Побей вас камни, град или картечь.

[1979]

* * *

Мы бдительны — мы тайн не разболтаем,
Они в надёжных жилистых руках.
К тому же этих тайн мы знать не знаем,
Мы умникам секреты доверяем,
А мы, даст бог, походим в дураках.

Успехи взвесить — нету разновесов,
Успехи есть, а разновесов нет.
Они весомы и крутых замесов,
А мы стоим на страже интересов,
Границ, успехов, мира и планет.

Вчера отметив запуск агрегата,
Сегодня мы героев похмелим.
Ещё возьмём по полкило на брата,
Свой интерес мы побоку, ребята.
На кой нам свой, и что нам делать с ним?

Мы телевизоров понакупали,
В шесть по второй глядели про хоккей,
А в семь по всем Нью-Йорк передавали —
Я не видал, ребенка мы купали.
Но там у них, наверное, о'кей!

Хотя волнуюсь, в голове вопросы:
Как негры там? Убрали ль урожай?
Как там в Ливане? Что там у Сомосы?
Ясир здоров ли? Каковы прогнозы?
Как с Картером? На месте ли Китай?

Какие ордена ещё бывают? —
Послал письмо в программу «Время» я.
Ещё полно? Так что ж их не вручают?
Мои детишки просто обожают!
Когда вручают — плачет вся семья.

[1979]

ЛЕКЦИЯ О МЕЖДУНАРОДНОМ ПОЛОЖЕНИИ,
прочитанная осужденным на 15 суток за мелкое хулиганство своим товарищам по камере

Я вам, ребята, на мозги не капаю,
Но вот он, перегиб и парадокс,—
Кого-то выбирают римским папою,
Кого-то запирают в тесный бокс.

Там все места блатные расхватали и
Пришипились, надеясь на авось,
Тем временем во всей честной Италии
На папу кандидата не нашлось.

      Жаль, на меня не вовремя накинули аркан,
      Я б засосал стакан — и в Ватикан!

Церковники хлебальники разинули,
Замешкался маленько Ватикан,—
Мы тут им папу римского подкинули
Из наших, из поляков, из славян.

Сижу на нарах я, в Нарофоминске я.
Когда б ты знала, жизнь мою губя,
Что я бы мог бы выйти в папы римские,
А в мамы взять, естественно, тебя.

      Жаль, на меня не вовремя накинули аркан,
      Я б засосал стакан — и в Ватикан!

При славе, при деньгах ли, при короне ли —
Судьба людей швыряет, как котят.
Ну, как мы место шаха проворонили?!
Нам этого потомки не простят.

Шах расписался в полном неумении,
Вот тут его возьми и замени!
Где взять? — у нас любой второй в Туркмении
Аятолла, и даже Хомейни.

Всю жизнь свою в ворота бью рогами, как баран,
А мне бы взять Коран — и в Тегеран!

В Америке ли, в Азии, в Европе ли —
Тот нездоров, а этот вдруг помрёт.
Вот место Голды Меир мы прохлопали,
А там на четверть — бывший наш народ.

Моше Даян без глаза был и ранее,
Второй бы выбить, ночью подловив!
И если ни к чему сейчас в Иране я,
То я готов поехать в Тель-Авив.

Напрасно кто-то где-то там куражится —
Его надежды тщетны и пусты —
К концу десятилетия окажутся
У нас в руках командные посты.

У нас деньжищи! Что же тратим тыщи те
На воспитанье дурней и дурёх.
Вы среди нас таких ребят отыщете —
Замену целой «банды четырех»!

Плывут у нас по Волге ли, по Каме ли
Таланты — все при шпаге, при плаще.
Руслан Халилов — мой сосед по камере,—
Там Мао делать нечего вообще.

Успехи наши трудно вчетвером нести,
Но каждый коренаст и голенаст.
Ведь воспитали мы без ложной скромности
Наследника Онасиса у нас!

Следите за больными и умершими!
Уйдёт вдова Онасиса — Жаки!
Я буду мил и смел с миллиардершами,
Лишь дайте только волю, мужики!

[1979]

* * *

Ах! Откуда у меня грубые замашки?!
Походи с моё, поди, даже не пешком.
Меня мама родила в сахарной рубашке,
Подпоясала меня красным кушаком.

Дак откуда у меня хмурое надбровье?
От каких таких причин белые вихры?
Мне папаша подарил бычее здоровье
И в головушку вложил не хухры-мухры.

Начинал мытьё моё с Сандуновских бань я,—
Вместе с потом выгонял злое недобро.
Годен в смысле чистоты и образованья,
Тут и голос должен быть — чисто серебро.

Пел бы ясно я тогда про луга и дали,
Пел бы про красивое, приятное для всех.
Все б со мной здоровкались, всё бы мне прощали,
Но не дал бог голоса,— нету, как на грех.

А запеть-то хочется, лишь бы не мешали,
Хоть бы раз про главное, хоть бы раз — и то!
И кричал со всхрипом я — люди не дышали,
И никто не морщился, право же, никто.

Дак зачем же вы тогда всё: «враньё» да «хаянье»?
Я всегда имел в виду мужиков, не дам.
Вы же слушали меня, затаив дыхание,
И теперь ханыжите — только я не дам.

Был раб божий, нёс свой крест, были у раба вши.
Отрубили голову — испугались вшей.
Да поплакав разошлись солоно хлебавши,
И детишек не забыв вытолкать взашей.

[1979]

470

* * *

Меня опять ударило в озноб.
Грохочет сердце, словно в бочке камень.
Во мне сидит мохнатый злобный жлоб
С мозолистыми цепкими руками.

Когда, мою заметив маету,
Друзья бормочут: — Снова загуляет...—
Мне тесно с ним, мне с ним невмоготу!
Он кислород вместо меня хватает.

Он не двойник и не второе «я»,—
Все объясненья выглядят дурацки,—
Он плоть и кровь, дурная кровь моя.
Такое не приснится и Стругацким.

Он ждёт, когда закончу свой виток,
Моей рукою выведет он строчку,
И стану я расчётлив и жесток
И всех продам — гуртом и в одиночку.

Я оправданья вовсе не ищу,—
Пусть жизнь уходит, ускользает, тает,
Но я себе мгновенья не прощу,
Когда меня он вдруг одолевает.

И я собрал ещё остаток сил.
Теперь его не вывезет кривая.
Я в глотку, в вены яд себе вгоняю.
Пусть жрёт, пусть сдохнет — я перехитрил.

[1979]

471

* * *

Мой чёрный человек в костюме сером...
Он был министром, домуправом, офицером.
Как злобный клоун, он менял личины
И бил под дых, внезапно, без причины.

И, улыбаясь, мне ломали крылья,
Мой хрип порой похожим был на вой,
И я немел от боли и бессилья
И лишь шептал: — Спасибо, что живой.

Я суеверен был, искал приметы,
Что, мол, пройдет, терпи, всё ерунда...
Я даже прорывался в кабинеты
И зарекался: — Больше — никогда!

Вокруг меня кликуши голосили:
— В Париж мотает, словно мы в Тюмень!
Пора такого выгнать из России!
Давно пора,— видать, начальству лень.

Судачили про дачу и зарплату:
Мол, денег прорва, по ночам кую.
Я всё отдам! — берите без доплаты
Трёхкомнатную камеру мою.

И мне давали добрые советы,
Чуть свысока, похлопав по плечу,
Мои друзья — известные поэты:
— Не стоит рифмовать «кричу — торчу».

И лопнула во мне терпенья жила,
И я со смертью перешел на «ты»,—
Она давно возле меня кружила,
Побаивалась только хрипоты.

Я от суда скрываться не намерен,
Коль призовут — отвечу на вопрос.
Я до секунд всю жизнь свою измерил
И худо-бедно, но тащил свой воз.

Но знаю я, что лживо, а что свято,—
Я это понял всё-таки давно.
Мой путь один, всего один, ребята,
Мне выбора, по счастью, не дано.

[1979]

* * *

Я никогда не верил в миражи,
В грядущий рай не ладил чемодана.
Учителей сожрало море лжи
И выбросило возле Магадана.

Но, свысока глазея на невежд,
От них я отличался очень мало:
Занозы не оставил Будапешт,
А Прага сердце мне не разорвала.

А мы шумели в жизни и на сцене:
— Мы путаники, мальчики пока!
Но скоро нас заметят и оценят.
Эй! Против кто? Намнём ему бока!

Но мы умели чувствовать опасность
Задолго до начала холодов,
С бесстыдством шлюхи приходила ясность
И души запирала на засов.

И нас хотя расстрелы не косили,
Но жили мы, поднять не смея глаз.
Мы тоже дети страшных лет России —
Безвременье вливало водку в нас.

[Конец 1970-х]

* * *

Под деньгами на кону
    (Как взгляну — слюну сглотну)
Жизнь моя... И не смекну,
    Для чего играю.

Просят ставить по рублю...
    Надоело — не люблю!
Проиграю — пропылю
    На коне по раю.

Проскачу в канун Великого поста
По враждебному, по ангельскому стану,
Пред очами удивлёнными Христа
    Предстану.

В кровь ли губы окуну,
    Или вдруг шагну к окну,
Из окна в асфальт нырну,—
    Ангел крылья сложит,

Пожалеет на лету,
    Прыг со мною в темноту,—
Клумбу мягкую в цвету
    Под меня подложит.

[1979—1980]

* * *

Проскакали всю страну,
Да пристали кони, буде!
Я во синем во Дону
Намочил ладони, люди.

    Кровушка спеклася
    В сапоге от ран —
    Разрезай, Настасья,
    Да бросай в бурьян.

        Во́ какой вояка,
        И «Георгий» — вот,
        Но опять, однако,
        Атаман зовёт.

Хватит брюхо набивать!
Бают, да и сам я бачу,
Что спешит из рвани рать
Волю забирать казачью.

    Снова кровь прольётся?
    Вот такая суть —
    Воли из колодца
    Им не зачерпнуть.

        Плачут бабы звонко,
        Зря ревмя ревём.
        Волюшка, Настёнка,
        Это ты да дом.

Вновь скакали по степу́,
Всё под разным атаманом,
То конями на толпу,
То с верёвкой, то с наганом.

Написано для фильма «Зеленый фургон».

Ах! Как воля пьётся,
Если натощак,—
Хорошо живётся
Тому, кто весельчак.

Веселее пьётся
На тугой карман,—
Хорошо живётся
Тому, кто атаман!

[1980]

ГРУСТЬ МОЯ, ТОСКА МОЯ

(Вариации на цыганские темы)

Шёл я, брёл я, наступал то с пятки, то с носка.
Чувствую — дышу и хорошею.
Грусть-тоска змеиная, зелёная тоска,
Изловчась, мне прыгнула на шею.

Я её и знать не знал, меняя города,
А она мне шепчет: «Как ждала я...»
Как теперь? Куда теперь? Зачем, да и когда?
Сам связался с нею, не желая.

Одному идти — куда ни шло,— ещё могу.
Сам себе судья, хозяин-барин.
Впрягся сам я вместо коренного под дугу,
С виду прост, а изнутри — коварен.

Я не клевещу, подобно вредному клещу
Впился сам в себя, трясу за плечи.
Сам себя бичую я и сам себя хлещу,
Так что — никаких противоречий.

Одари, судьба! Или за деньги отоварь!
Буду дань платить тебе до гроба!
Грусть моя, тоска моя — чахоточная тварь,—
До чего ж живучая, хвороба.

Поутру не пикнет, как бичами ни бичуй,
Ночью — бац! — со мной на боковую.
С кем-нибудь другим хотя бы ночь переночуй!
Гадом буду, я не приревную.

[1980]

ДВЕ ПРОСЬБЫ

Мне снятся крысы, хоботы и черти. Я
Гоню их прочь, стеная и браня,
Но вместо них я вижу виночерпия.
Он шепчет: «Выход есть: к исходу дня —
Вина! И прекратится толкотня,
Виденья схлынут, сердце и предсердия
Отпустят, и расплавится броня!»
Я — снова я, и вы теперь мне верьте, я
Немногого прошу взамен бессмертия, —
Широкий тракт, да друга, да коня.
Прошу покорно, голову склоня,
В тот день, когда отпустите меня, —
Не плачьте вслед, во имя Милосердия!

Чту Фауста ли, Дориана Грея ли,
Но чтобы душу дьяволу — ни-ни!
Зачем цыганки мне гадать затеяли!
День смерти называли мне они...
Ты эту дату, боже сохрани,
Не отмечай в своём календаре или
В последний миг возьми да измени,
Чтоб я не ждал, чтоб вороны не реяли
И чтобы агнцы жалобно не блеяли,
Чтоб люди не хихикали в тени.
От них от всех, о Боже, охрани
Скорее, ибо душу мне они
Сомненьями и страхами засеяли!

[1980]

479

* * *

И снизу лёд, и сверху,— маюсь между.
Пробить ли верх иль пробуравить низ?
Конечно, всплыть и не терять надежду,
А там — за дело, в ожиданьи виз.

Лёд надо мною — надломись и тресни!
Я весь в поту, как пахарь от сохи.
Вернусь к тебе, как корабли из песни,
Всё помня, даже старые стихи.

Мне меньше полувека — сорок с лишним.
Я жив, тобой и Господом храним.
Мне есть что спеть, представ перед Всевышним,
Мне есть чем оправдаться перед Ним.

[1980]

Последнее стихотворение В. Высоцкого. Авторские варианты:
 6-я строка: «Я чист и прост, хоть я не от сохи»;
10-я строка: «Я жив, 12 лет тобой храним»;
12-я строка: «Мне будет чем ответить перед Ним».

Н. Крымова

О ПОЭЗИИ ВЛАДИМИРА ВЫСОЦКОГО

«Избранное» Владимира Высоцкого выходит к читателям в пору решающих перемен в общественной атмосфере. И первое, о чем хочется напомнить: Высоцкий жил в другое время. Сегодня оно считается как бы вчерашним днем, слишком серьезный рубеж его от нас отделяет. Однако история всегда сложно и плотно связана с современностью. Сегодня все мы — свидетели резкого поворота общественного развития, но вчера точно так же были свидетелями и участниками всего того, что как бы и не предвещало никакого поворота. Сегодня, чтобы разобраться в происходящем, мы напряженно обдумываем собственный исторический опыт. И Владимир Высоцкий оказывается существенным явлением этого опыта, в духовном смысле достаточно напряженного, сложного и противоречивого.

Чтобы отделить наступившую эпоху от ушедшей, введен термин: годы застоя. Любители терминов пользуются им охотно, но иногда бездумно, с завидной легкостью: вчера был застой, смирение с беззаконием, молчание; сегодня — гласность и торжество справедливости. Но стоит внимательно присмотреться к дню вчерашнему (так же как к сегодняшнему), наглядная простота исчезает, а жизнь и развитие искусства обнаруживают свою непростоту. И вот прямой пример тому: именно в годы застоя и безгласности звучал в полную силу голос Высоцкого, и миллионы людей не просто слушали его, но всей душой ему откликались. Одно это указывает на необходимость, не проявляя пристрастия к готовым словесным клише, внимательно присмотреться к знакомой фигуре художника, к его творческому пути и его взаимоотношениям со своим временем. Одно бесспорно и не требует развернутых доводов — феномен творчества Высоцкого и массового отклика ему отразил в себе то, что застою сопротивлялось, не было с ним согласно и, вопреки запретам и давлению сверху, хранило свои нормы нравственного поведения.

И сегодня уже не кажется случайностью, что все это в итоге нашло выход в песенной, устной форме. Свою закономерность обнаруживает то, что путь к аудитории Высоцкий проложил вне принятых в литературе канонов. Его художественная интуиция опиралась на незримые, не сразу улавливаемые, но живые тенденции народной жизни.

481

Можно ли в таком случае удивляться постоянству возникавшего вопроса: поэт перед нами или кто-то другой? Нужно ли удивляться тому сопротивлению, до сих пор существующему в профессиональном цехе поэтов, которое ревниво сопровождает сегодняшний путь Высоцкого к читателям?

«Бард», «менестрель», «актер-певец», «самодеятельная песня» — такие определения давались и даются, в одних случаях возвышая художественную личность, в других принижая. Песенное выявление поэзии законно, имеет свои традиции и многообразие форм — с этим никто не спорит. Теряет ли поэзия Высоцкого нечто основное при публикации, или сохраняет — споры об этом естественны, потому что касаются того, что́ такое поэзия вообще, а тут спор идет, что называется, с допушкинской поры. В наши дни личность Высоцкого эти споры не могла не обострить. Слишком многое было непривычным и необычным для официальной, то есть печатной, публикуемой поэзии определенных лет. Слишком многие каноны вступления в профессию (если поэзию считать профессией) были нарушены. Первые робкие строки и неизбежное вмешательство редактора; покровительство маститых и благодарное послушание юного автора; наконец, первая тоненькая книжечка с чьим-нибудь благословляющим предисловием (В добрый путь, в добрый час! — и т. п.)... Ничего этого у Высоцкого не было. Ни книжечки не было, ни опекунов, ни редакторов. Никто не вводил его за руку в круг профессионалов и не предоставлял ему прав литератора.

Просто в начале 60-х годов на всех нас обрушилась лавина неслыханных ранее песен — ни голоса такого не слышали, ни «вольности суждений площади», нашедших в песнях свое выражение. И дальше, в течение двадцати лет, Высоцкий работал с поэтическим словом совершенно самостоятельно, на свой лад и манер. Лишь очень немногие литераторы-профессионалы проявили к этой работе тот интерес, который лежит вне компанейски-театрального, полубогемного общения. Большинству казалось: в Театре на Таганке появился, среди других, еще один актер-сочинитель с гитарой. Таганское актерское братство начала 60-х годов было своеобразной вольницей, одних притягивающей, других отпугивающей. Безусловно, эта среда стимулировала и отчасти формировала Высоцкого первых лет — он писал песни для спектаклей, он, как исполнитель, осваивал таганскую эстетику тех лет. Но в атмосфере интеллектуально-театрального полусвободного таганского сообщества была своя опасность и, как ни странно, довольно скоро тоже возник застой. Высоцкий любил свой театр, товарищей-актеров, уважал поэтов, которые для театра писали и составляли его постоянное окружение,— но, сознательно или стихийно, один актер Таганки в итоге остался независимым от всех этих привязанностей. И эту независимость его поэтического дара оценили немногие — можно их всех пересчитать по пальцам. Говорят, едва ли не первым заметил поэта Николай Эрдман. Внимательно следила за упорной работой Высоцкого Б. Ахмадулина. Поощряли как умели А. Вознесенский, Е. Евтушенко, Р. Рождественский. Стоит вспомнить и эпизод, о котором рассказывает Д. Самойлов. Однажды три больших наших поэта — А. Межиров, Б. Слуцкий, Д. Самойлов — собрались по инициативе добрейшего и чуткого Б. Слуцкого, чтобы вне шума театральных сборищ послушать стихи Высоцкого, так как возникла некая надежда на возможность что-то опубликовать. Высоцкий пришел без гитары, с большой пачкой текстов. По мере его чтения пачка сильно уменьшалась — в сторону откладывали «непроходимое». На вопрос — не возникало ли у них сомнений, поэт ли перед ними, Самойлов сегодня отвечает: «Ни малейших».

...Не так давно наш корреспондент в Париже, молодой человек, только что взявший интервью у Марины Влади и, естественно, гордившийся этим, спросил меня вполне искренне: «Как вы думаете, действительно Высоцкий страдал от того, что его не печатали?» Меня озадачил этот крайний инфантилизм мышления. Передо мной было некое стерильное незнание, отсутствие того жизненного и социального опыта, который подразумевает кровную связь с психологией и интересами родного народа.

> Я бодрствую, но вещий сон мне снится.
> Пилюли пью, надеюсь, что усну.
> Не привыкать глотать мне горькую слюну —
> Организации, инстанции и лица
> Мне объявили явную войну
> За то, что я нарушил тишину,
> За то, что я хриплю на всю страну,
> Чтоб доказать — я в колесе не спица...

Этих стихов молодой корреспондент, вероятно, не читал. А если и читал — им не поверил. Неверие, недоверчивость — одна из тех запущенных болезней, которые передаются и молодым и которые очень трудно излечимы.

Высоцкий в этом смысле был, напротив, совершенно здоров. Одна из особенностей его поэтической речи — прямодушие, доверие к людям. В попытках объяснить, как всё началось, откуда взялось желание сочинять, он всегда говорил о круге друзей на Большом Каретном, для которых пел первые свои песни (в этом круге были Василий Шукшин и Андрей Тарковский), о необходимости дружеского настроя, доверия и понимания. Он обращался к тем, кому верил, к тем, кто ничего плохого, подозрительного в его песнях не услышит, и этот понимающий круг на глазах сказочно рос и расширялся.

Когда к Высоцкому-поэту пришло ощущение собственной зрелости, двусмысленность такого положения стала очевидной, ибо она решительно противоречила массовому признанию и пониманию. «Я хочу быть понят моей страной»,— писал Маяковский и с неожиданным для себя смирением (а значит — страданием) признавал реальную возможность не быть понятым, пройти «стороной, как проходит косой дождь». У Высоцкого не было оснований так думать о своей судьбе — тут был не «косой дождь», а ливень, очищающие потоки, под которые люди радостно подставляли лица. Стремление писать много, петь долго, для всех и всюду, объяснялось не только свойствами темперамента. Даже от тех поэтов, одновременно с которыми Высоцкий в начале 60-х годов вышел к публике, он отличался индивидуальным ощущением м а с с о в о с т и аудитории. Менялось время, менялись другие поэты, взрослел и мужал Высоцкий, но прямое и доверительное обращение ко м н о г и м людям и расчет на их понимание оставались неизменными, определяли темы, характер слова и интонаций. Не всякий поэт ставит своей задачей во что бы то ни стало достучаться до сознания многих и таким образом многих объединить. Для Высоцкого эта задача была постоянна, она формировала его поэтику. Само наличие слушателя-собеседника далеко не всегда, не во все времена для поэта есть реальный факт. «Читателя! Советчика! Врача! На лестнице колючей разговора б!» — это в отчаянии выкрикнуто Осипом Мандельштамом, и словам этим не было в свое время ответа. Сегодня он есть, но уже полвека, как нет самого поэта.

Высоцкий всегда обращался к множеству людей и видел, слышал их отклик. Сегодня ясно, насколько был прав поэт, не желающий смириться с официальным непризнанием, вступивший, будем говорить прямо, в яростную борьбу с «организациями, инстанциями и лицами». Не признание, тем более не награды ему были нужны, а справедливый, человечный союз между «официальным» и «неофициальным». Отсутствие этого союза он ощущал как боль и как трагедию многих. Смириться — означало признать свое поэтическое слово и свою работу вне закона на той земле, без которой он себя не мыслил.

Сегодня утверждает себя согласие между реальной правдой жизни и словом литератора, поэта, публициста. Этот союз есть не что иное, как первое условие, необходимое для рождения подлинного искусства и литературы. Условие это слишком долго нарушалось, а психология пишущих слишком долго искажалась и уродовалась, чтобы уповать на мгновенные перемены. Они будут долгими, и процесс этот мучителен.

Повторяю,— вопреки всем сложным обстоятельствам времени, Высоцкий был абсолютно правдив в своем творчестве. И первая его особенность — кратчайшее расстояние между реальностью, правдой факта — и поэзией, которая, как известно, факты всегда так или иначе преобразует.

Иногда казалось, что он творит не задумываясь, просто рассказывает о том, что кругом делается. Услышал забавный разговор двоих у телевизора — и запомнил. Увидел, как люди в очереди стояли, о чем переговаривались,— и рассказал. Было удивительно, с какой быстротой и естественностью он рифмует то, что в жизни отнюдь не согласовано и не «рифмуется». В песенный строй его стиха легко укладывалось «немелодичное», вступало «непоэтичное». Тот «сор», из которого, как сказала Ахматова, «растут стихи, не ведая стыда», в текстах Высоцкого нередко представал в ошеломляющей неприглядности, почти буквальной необработанности, однако странным образом выказывал свой поэтический, артистический норов.

Жизнь богаче выдумки — мы еще раз убеждались в этом, слушая Высоцкого. Его «выдумки» опирались на замечательную свободу поэтической фантазии, но более всего — на энергию самой жизни, ее постоянное многообразное шевеление под любым прессом. Многие тексты Высоцкого вплотную притерты к житейским обстоятельствам. Перебрасываются ли репликами солдаты в окопе или в строю, пишет ли жена письмо мужу на сельхозвыставку, рассуждает ли о международном положении или о собственном положении в милиции тип, которого забрали «у детского грибочка», — все это реальные монологи и диалоги, к которым как бы и не притрагивалось перо поэта. Таково первое, поверхностное, но сильное впечатление. Впечатление силы—именно от реальности. Задумываться о характере поэтической работы — не есть обязанность читателя. Но наша обязанность отметить, что смысл этой работы принципиален. Изучение текстов (и беловиков, и черновиков), анализ авторского исполнения убеждают, что у Высоцкого был с в о й поиск. Он тщательно искал слово, у которого особый облик. Плотью этого слова был живой звук, интонация. Не всегда песенный звук, но всегда устный, то есть разговорный, живущий в разговоре, в общении человека с миром. Автор шел не от литературной, письменной речи, не от принятых канонов стихосложения, но от того душевного порыва, который ищет непременного, обязательного выхода в живую речь, и там тоже живет по своим душевно-психологическим законам — то длительным, многословным, почти бесконечным потоком, то предельным лаконизмом краткой реплики, чему-то подводящей итог.

По черновикам рукописей и количеству отброшенных строф видно, как хлестала в Высоцком энергия словотворчества. Окончательный вариант поэтической речи искался одновременно слухом стихотворца и актера, как самый живой и многозначный — при наивозможной его простоте. В этой особой речи можно увидеть то, что А. Межиров определил как «одухотворенную небрежность», а можно — редкостный сплав сегодняшнего бытового языка, навыков повседневного словесного общения и — той поэзии, которая тайно живет в глубине житейской прозы, творит себя поверх всяких законов и навыков.

Была своя правда и закономерность в том, как, в какой форме поэзия Высоцкого вступила в нашу жизнь. Имеет смысл это вспомнить.

Минуя так называемые средства массовой информации (радио, печать, телевидение), благодаря магнитофонным лентам песни Высоцкого становились известны всем. Голос был яростной силы, лишенный всякой благостности. Было непривычно, что речь принадлежала то явно автору, то круто меняла свой характер, выражая чью-то совсем иную судьбу. Голос то доносился буквально с улицы, то заставлял вспоминать о временах сказителей и народного эпоса. Для автора как бы не было ни прошлого, ни будущего, только настоящее расширялось бесконечно в обе стороны.

Как бы ни восхвалять сегодня начало 60-х годов, следует помнить, что пора умолчаний, достаточно укрепленная предшествующими десятилетиями, сказывалась и в 60-х. Печатное слово было строго регламентировано. Высоцкий нашел для себя устную, песенную форму, в которой его творчество свободно жило в течение двадцати лет.

К тому же природой был дан голос. Голос особый, не отшлифованный никаким лоском, никакой «концертностью», редкий по музыкальному диапазону (на две октавы!), обрабатывающий песню как наждак, то крупнозернистый, то мельчайший, доводящий интонационное строение фразы до ювелирного изящества.

В публикации неизбежно пропадают многие из этих драгоценных слуховых оттенков. Но их приметы легко найти и в печатном варианте стиха. В песенных текстах Высоцкого почти всегда есть своя драматургия — каким-то одним словом, одним штрихом автор видоизменяет традиционно неизменный припев, убирает механику словесного повтора,— и видно, как от этого приобретает свое развитие мысль, напряжение нарастает в атмосфере. Высоцкий всегда ж и в е т в стихе,— так, импровизационно, он жил в исполнении, но и на бумаге, фиксируя найденное, он искал свой способ складывания слов, фраз и строф. Это было похоже на то, с каким умом и особым расчетом когда-то строили деревянные дома. Тогда на строгом учете было каждое бревно и каждый гвоздь, а неожиданная асимметрия в кладке если и возникала, то по живой, творческой прихоти хозяина-строителя. Складывали сруб так, что воздуху был дан ход во всякое бревно,— чтобы оно не гнило, не задыхалось в неподвижности, но дышало, по-своему продолжая жить. Так строился человеческий дом. Он как бы выступал из природы и ей же возвращался. Эту ладную ручную работу, требующую хороших рук и любящего сердца, работу, достойную мужа, мужчины,— одно удовольствие рассматривать в поэтических текстах Высоцкого.

Работа эта, однако, имела еще и другой смысл. Попробуем его определить. Это непросто, но необходимо, потому что совсем не каждый поэт этот смысл перед собой ставит. Те, кто видел и слышал Высоцкого, помнят, что его мощный голос буквально сотрясал зрительный зал, а подмостки, казалось, ходуном ходили от этих звуков и аккордов. Некоторые только так и воспринимали, так и сохранили это в памяти — как небывалое, чисто эмоциональное впечатление. На самом деле это была своеобразная,— в течение одного концерта очень разная по избираемым приемам и средствам,— упорная р а б о т а х у д о ж н и к а н а д с о з н а н и е м а у д и т о р и и. Во что бы то ни стало докричаться, достучаться (проникнуть, как он говорил, не только в уши, но и в души), что-то сдвинуть в чужом сознании, оживить его,— в этом заключался главный смысл всего, что делал Высоцкий. По ту сторону рампы он видел перед собой массовый чужой опыт и с этим опытом, завоевывая его и подчиняя, вступал в союз и в борьбу. Он ощущал этот опыт иногда дружественным, нередко — косным, заскорузлым, враждебным. Свою поэтическую работу он направлял на преодоление косности мышления, затрагивая едва ли не все те сферы бытия и быта, с которыми ежедневно человеческое сознание имеет дело. Он разрушал стереотипы, смеялся над тем, что других устрашало, рассказывал о прошлом то, что считалось необходимым забыть, открывал двери, на которых написано «Вход запрещен», не считал себя «посторонним» ничему вокруг себя. Смыслом этого упорного, беззаконного, на первый взгляд как бы даже «непоэтического» поведения было — победить чужую инерцию, не дать укрепиться апатии, смутить равнодушных, раздвинуть горизонты, расчистить от предрассудков пространство, расположить людей к самостоятельной работе мысли и оценке явлений.

Какова же, однако, была сила застоя, если многие и эту сверхнапряженную работу художника воспринимали как развлечение или своего рода «кайф», временный блаженный дурман! Исток кликушества, слепого идолопоклонства, глубоко отвратительного природе самого поэта, как ни парадоксально,— здесь, то есть в застое, в пустоте душ, ставшей привычной и одновременно требующей искусственного, якобы «духовного» заполнения. Внешняя активность (даже агрессивность) кликушества — оборотная сторона духовной спячки, апатии, пустоты. Если всерьез разбираться в этом вопросе, окажется, как ни странно, что сектантствующие поклонники Высоцкого его попросту н е з н а ю т. А не знают потому, что не умеют самостоятельно думать. Для многих, в силу своей доступности, Высоцкий стал стимулом, первотолчком в познании жизни и самих себя. Но те, кто по натуре безнадежно слеп или расположен исключительно к «культу», ничего, кроме песен Высоцкого, видеть не хотят. Такова интереснейшая диалектика резонанса судьбы поэта и массового отклика ему.

Так или иначе, сам Высоцкий не пристраивался к массовым вкусам. Он не позволил им задеть своего художественного достоинства. В сфере песни (в массовой сфере культуры) появилась новая точка отсчета. У н а с б ы л В ы с о ц к и й — с этим сегодня невозможно не считаться, и не только представителям так называемой «авторской песни».

Самое время, однако, назвать имя другого поэта — Булата Окуджавы, ибо он был п е р в ы м. Искренне желая выразить свое уважение, Высоцкий называл его своим «духовным отцом», не расшифровывая это несколько высокопарное определение. Так или иначе, общность тут очевидна — так же как и различие.

Поэзия Окуджавы в конце 50-х — начале 60-х годов ввела в песенный, достаточно обезличенный мир психологию отдельно взятого, частного человека. Не только в темах личных, интимных, но и в самых что ни на есть общественных, таких, как война, индивидуальный человек обнаружил свою самоценность и гораздо более сложные связи с общим, всенародным, нежели было принято думать ранее. Единственное, личное, неповторимое в поэзии Булата Окуджавы было принадлежностью характера одного человека — автора. Этот автор имел свой возраст, биографию, человеческую судьбу и, что очень важно,— принадлежность к определенному поколению. Он потерял в лагере отца, встретил вышедшую на волю мать и заново узнал ее. Он семнадцатилетним юнцом пошел на войну и вернулся живым, пройдя весь этот страшный путь рядовым. Окуджава о с т а л с я среди живых. И в нем остался (не искаженным, не изуродованным) опыт его поколения — уникальный опыт детской веры, последующих потрясений, войны, драматического врастания в послевоенную жизнь с ее новыми, отнюдь не мирными внутренними взрывами.

Поэтический голос Высоцкого был совсем иным. Он вступил на завоеванную Окуджавой территорию, но на свой лад обошелся со всем, что на этом участке поэзии принадлежало как бы всем и никому в отдельности.

Что означает «на свой лад»? В чем заключалось очевидное различие? Сам Высоцкий объяснял происходящее актерской своей профессией — ему, мол, удобно петь от чужого лица, играть роль и т. п. И действительно,— в его песнях выступил не один человек, а множество, и самых разных. Каждый со своей биографией (социально очень определенной, безошибочно угадываемой любой аудиторией, при том, что автор дает лишь косвенные, краткие приметы биографии, чаще всего отраженные в складе речи), своей манерой общаться, оценивать окружающее, приспосабливаться к нему и т. д.

Д. Самойлов настаивает, что истоки подобного творчества уходят в жанр городского романса,— вполне возможно. Но при всей очевидности «чувствительной» природы жанра, его лирической откровенности, исповедальности и т. п., следует сказать, что социальные исповеди песенных монологов Высоцкого не столько даже возродили жанр, сколько взорвали его изнутри особой содержательностью. Нечто традиционное если и было извлечено на свет, то только для того, чтобы встряхнуть традиции как следует на чистом воздухе и вытряхнуть из них пыль. Напомнить то, что было, и поразить тем, чего еще не было.

Благодаря песням Высоцкого множество раньше молчащих людей получили возможность в ы с к а з а т ь с я, что называется, излить душу, сказать о себе и о жизни самое существенное. Распространенные в литературе и театре 60-х годов термины «самовыражение» и «исповедальность» к случаю с Высоцким применимы, но с существенной поправкой: право выразить себя, право на исповедь получил не один человек (автор), а — через него — огромное множество. Оттого это «самовыражение» не могло иссякнуть, не могло быть монотонным, не надоедало эгоцентризмом, чуждо было самолюбованию. Вот самое существенное: Высоцкий открыл дверь в искусство множеству людей, не имевших доступа в подобные сферы. Заслуга Высоцкого — сегодня, оглядываясь, видишь это с полной определенностью,— в том, что, не дожидаясь позволения сверху, минуя запреты и заслоны своего времени, он расширил, если можно так сказать, социальный диапазон поэзии, указал на непременность связей «высокого» материала с самым «низким».

О военных песнях Высоцкого много написано, ибо этот «раздел» его поэзии явился наиболее доступным для официального признания. Действительно, эти песни и патриотичны, и мужественны, и жива в них человеческая память. Но суть подхода поэта к теме была в том, что безымянный (для некоторых почти безликий) герой войны в песнях Высоцкого как бы размножился и разъединился на десятки реальных лиц, индивидуальных характеров, драматических (нередко — трагических) судеб. Каноны официально принятой «типизации» и «героизации» отступили перед убежденностью художника в ценности к а ж д о й человеческой жизни, перед его пристальнейшим интересом не только к реальности войны, но и к ее чудовищно-абсурдной нереальности, неправдоподобию, беззаконию, уносящему миллионы человеческих жизней. Он стремился заглянуть в лица тех, кто составлял армии и роты. И голос одного-единственного, нередко попавшего в ситуацию исключительную (смешную или страшную), оказался важным до чрезвычайности.

Мне неведомо, написал ли кто-нибудь из прозаиков реальную трагическую историю евпаторийских десантников, но Высоцкий рассказал правду об этом обреченном на смерть героическом десанте в «Черных бушлатах». Еще до конца не рассказано в литературе о том, что такое психология людей, попавших в штрафные батальоны,— Высоцкий, минуя известные пределы героической темы, приоткрыл тему еще и с этой стороны, известной народу, но неведомой литературе.

Короче — то, что сегодня путем трудной борьбы завоевывает все сферы общества, поэт, не дожидаясь никаких указаний, реализовывал, полагаясь на собственный природный демократизм, гражданскую и поэтическую интуицию.

Такие понятия, как «уличное», «площадное», «неказенное», «неофициальное», издавна бытуют в эстетике. Высоцкий наполнил их реальным содержанием, ибо вел речь о жизни масс, становился выразителем их мощной разноголосицы. Вводя в поэтический язык неофициальную простонародную речь, он не занимался «стилизацией», как иногда принято думать, но обнаруживал и обнародовал природный, массовый уклад мышления, проявляющий себя в ничем не стесненном слове. Он искал и находил нравственную гармонию там, где, казалось, никакой гармонии нет. Он выявлял здоровое, корневое начало народной души и речи, намекая на сохраняемые где-то в глубине душ здравые представления о жизни, о ее ценностях, о добре и зле.

Как актер, он сыграл в своих песнях множество ролей. Но прежде всего он их с о ч и н и л как автор, как поэт. Они оформились в его сознании в виде художественных образов, которые просились выйти наружу в слове, опираясь при этом не только (и даже не столько) на талант актера, сколько на традиционные для русской поэзии основы.

Вообще, воля русской поэзии — как бы сторонняя для актерского ремесла. Актер — это исполнитель. Такова азбука профессии. Исполнительская энергия вторична. Ее направляет и ведет за собой воля драматурга, а в современном искусстве — и режиссера. Еще, что очень важно,— зрителя.

Пример Высоцкого исключителен, потому что его художественная судьба, как бы ни соприкасалась она с театром и кинематографом, определялась конечно же волей русской поэзии прежде всего. Вопреки ежедневной, узаконенной в актерском деле зависимости, его собственный — авторский — мир рос и расширялся буквально не по дням, а по часам. Да, замысел песни нередко был неотрывен от исполнения, но только воля автора, поэта вызывала к жизни слово и звук живого голоса. В этом собственном мире Высоцкий творил один, независимо ни от кого, и один за все отвечал. Характерно, как сам он объяснял то, что в начале 60-х годов позволило ему выйти с гитарой, правда, не в Политехнический, где выступали Вознесенский, Евтушенко, Ахмадулина, Рождественский, но одновременно с ними. Это был памятный всем взлет современной поэзии и выход на подмостки новых, молодых. Скромного таганского актера никто не приглашал тогда в Политехнический, но в его словах — и уважительная «отдельность», и, что важнее, несомненная причастность к происходящему. «Такой невероятный интерес к поэзии — только в России, в других странах этого не существует,— объяснял Высоцкий. (Побывав в других странах, он знал точно — не существует. Знал и гордился, что существует только у нас, в России.— *Н. К.*)—Это традиционно, это пошло́ еще со времен Пушкина. Мне кажется, это потому, что с именами поэтов в России связаны не только их прекрасные стихи, а еще и их деятельность. И вообще они были очень приличными людьми и достойными гражданами всегда, во всей нашей истории». Конечная ироническая интонация не умаляет серьезности сказанного. Как всегда, Высоцкий, поясняя что-то существенное, пользуется нарочито простыми словами, что-то слегка камуфлирует шуткой, но главную, серьезную свою мысль ведет точно, чувствует так, как натянутый канат чувствует канатоходец. Мысль действительно важна — она касается общественной миссии поэта в России, неотделимости творчества от деятельности, слова — от поступка.

Сегодня мы можем с должным вниманием присмотреться к необычной природе дарования Высоцкого — дарования, несомненно пограничного с театром, с актерством. Тут истоки необычны, но, на удивление, и основательны именно для России, для русского искусства.

Когда-то Станиславский ревностно отстаивал приоритет театра п е р е ж и в а н и я — в противовес представлению и ремеслу. К сожалению, мы сегодня в театре не можем похвастаться расцветом этой школы, хотя не без основания гордимся таким ее теоретиком и практиком, как Станиславский. Переживание, то есть эмоционально точная жизнь актера в образе, в роли,— редкий гость на наших подмостках. Это — отдельная тема. Но к Высоцкому, не только как актеру, но как поэту, она имеет прямое отношение.

Он являлся в с е п е р е ж и в а ю щ е й л и ч н о с т ь ю, художником, который впускал в себя всю боль, все тревоги своего времени, чтобы потом что-то из себя исторгнуть. Оттого и в театре он столь одержимо рвался только к одной роли — Гамлету. Оттого т а к о й Гамлет был им создан — и именно в 71-м году, не раньше,— раньше вряд ли мог родиться трагический хаос вопросов, обращенных к своему времени, к устройству мира, к самому себе. Раньше вряд ли мы могли бы увидеть и пережить вместе с актером то, что «Гамлет»,— как сказал Пастернак,— «не драма бесхарактерности, но драма долга и самоотречения», драма личности, понявшей в полной мере, «что видимость и действительность не сходятся, и их разделяет пропасть», что это «драма высокого жребия, заповедального подвига, вверенного предназначения». Гамлет был создан Высоцким по законам трагедии, в театре переживания, то есть искусства, требующего полной отдачи и полного погружения в роль.

Но и каждую «роль», сочиненную в песне, этот автор п р о ж и в а л. То есть пропускал через себя. «Втискивался» в нее, как он сам говорил. (Станиславский любил повторять слова Щепкина о том, что играть надо так, чтобы между актером и ролью нельзя было просунуть иголки. По существу, речь о том же.) Есть обиходное выражение: побыть в чужой шкуре. Высоцкий часто им пользовался. Побыть в чужой шкуре — для него не значило набросить ее себе на плечи и покрасоваться. «Чужая шкура» для него — опыт чужой жизни, который он принимает на себя, заново, зрением уже другого человека пересматривая все окружающие обстоятельства. Это напряженная работа души, стремящейся перевоплотиться, это непрекращающийся процесс познания.

Почему его принимали и понимали люди разных возрастов, социальных групп, уровней и профессий? Откуда эти постоянные при его жизни вопросы: сам — служил? сам — плавал? сам — сидел? сам...? И т. д. Конечно же нет. Но одно из простейших и главных объяснений сказанному: потому что он очень многое знал о жизни других. Это тоже было определенной позицией в искусстве: знать. Не брать на веру чужие знания, а иметь свои. Чтобы «дойти до самой сути», надо признать относительность собственного опыта и с головой погрузиться в чужой, ничто не считая там ненужной мелочью. Потом произойдет отбор — останутся лишь те подробности, которые нужны для «сути». Поэзия Высоцкого необычайно богата этими подробностями, деталями, раньше даже казалось — перенасыщена ими. Но странное дело — идет время, и эти детали будто возрастают в цене. Он написал (но не обнародовал) поэму о космонавте. Это небольшое исследование того состояния, которое человеку дано пережить в п е р в ы е. Неизвестно, у кого и как выспрашивал Высоцкий то, чего сам знать не мог,— но выспрашивал дотошно, узнал так, что сегодня Г. М. Гречко с удивлением и волнением рассматривает в стихах ту правду своего опыта, своих переживаний и мыслей, которая, может быть, впервые так откровенно и подробно запечатлена в поэтическом слове.

Кабинетное знание изолирует человека, отстраняет литератора от других людей. В данном случае — знание постоянно бросало поэта в толпу, иногда почти растворяло его в ней. А масса питала его собой, давая огромную информацию — фактическую, чувственную, историческую, социальную, современную — какую угодно.

Иногда казалась почти стертой граница между «я» Высоцкого и его персонажем. Это и было искомой полнотой перевоплощения и переживания. Но как раз в печатных текстах, лишенных магии актерского обаяния, мгновенной смены интонаций, игры мимики и т. п.,— как раз в них более уловимо «я» поэта, всегда излучающее свою собственную энергию, независимо от того, героический или низменный объект взят для поэтического изучения. По энергии словотворчества, далекой от распространенного обиходного косноязычия, по той нравственной позиции, которая всегда недвусмысленна, хотя на первый взгляд совершенно растворена в чужой психологии и чужом говоре, по особому лукавству, доброте и еще многим другим приметам стихотворных текстов всегда можно узнать: это — Высоцкий.

Принято считать, что он, как актер, любил менять маски. Мотив жизненного «маскарада» действительно постоянен у Высоцкого, хотя и не столь существен. Нечто большее можно понять в поэтической личности, вспомнив мысль Бахтина о древней потребности человека периодически, путем карнавала, на время освобождаться от пут повседневности, вольно переставляя местами «верх» и «низ» жизни, отбрасывая всяческие пиететы и правила. Действительно, Высоцкий-поэт почти постоянно находится в таком карнавальном кругу,— меняет личины, играет словами, нередко выступает в облике шута, то доброго, то злого.

Когда в есенинском «Пугачеве» он сыграл роль Хлопуши и одновременно выступил автором полушутовских мужицких напевов, трудно было осознать, сколь важнейший узел его собственного творчества в этом спектакле был прочно, накрепко завязан. Как актер он сыграл в «Пугачеве» роль трагическую, поразив помимо мощи темперамента еще и виртуозным владением труднейшей вязью стиха, но главное, он показал, насколько органичным для него является тот сугубо русский, национальный мир, в котором плаха соседствует с разбойничьей удалью, мятеж — с ярмаркой, психология российского лирика — с полуазиатской неукротимой и таинственной вольницей.

> Для тебя я, Русь,
> Эти сказы спел.
> Потому что был
> И правдив и смел.
> Был мастак слагать
> Эти притчины,
> Не боясь ничьей
> Зуботычины.

Это строки из есенинской «Песни о великом походе». Сейчас нам кажется, что они могли бы принадлежать и Высоцкому — и по смыслу, и по темпераменту, и по авторской позиции.

В стихах Высоцкого ожило нечто важное и неожиданное для русской поэзии индустриального XX века, когда, казалось, стирается и уходит в историю все, касающееся мужицкой вольницы, русской деревни и т. п. Высоцкий и не воскрешал это, и не «стилизовал». Он не был ни в коем случае «деревенским» поэтом. Но он безошибочно почувствовал свои корни, свою родословную, уходившую дальше и глубже городского романса. Корни эти уходили к р у с с к о м у с к о м о р о ш е с т в у, к особым, глубоко традиционным взаимоотношениям народной толпы и того, кто ее развлекает, потешит, становится выразителем ее настроений.

Кажется, никаких надежд на воскрешение не было у русского скоморошества. Оно ушло в прошлое, стало его принадлежностью, объектом изучения историков и фольклористов. В современном искусстве оно могло возродиться в лучшем случае как яркий художественный образ (например, в фильме А. Тарковского «Андрей Рублев»), а в худшем — в попытках стилизовать под «балаган» массовые городские представления и празднества.

Поэзия Высоцкого дает возможность присмотреться к истоку, к основе скоморошеского мировоззрения, ибо несомненно здесь исток вышел наружу, на свет. Не внешнее формотворчество в данном случае интересно, а, что называется, природный производительный стимул. Им является н е з а в и с и м о с т ь с а м о о щ у щ е н и я творца, определенное его положение в толпе, безошибочно угаданное, толпой указанное. И не будет преувеличения: перед нами явление поистине уникальное, единственное в своем роде, потому что ни в какие известные рубрики современной литературы и городской культуры оно не укладывается, всякому выпрямлению мощно сопротивляется.

Скоморох на Руси произносил слово, выражающее униженный коллективный разум многих. Он не дурак — это толпа велит ему носить дурацкий колпак, в котором его забавное отличие и своеобразная защита. Скомороха могут ударить, даже убить, но в нем и нуждаются, ему и платят широким жестом, не скупясь.

Художественное ёрничанье — одно из слагаемых высокой поэзии в России, одна из примет того национального артистизма, который требует публичности, ибо в ней, в публичности, общая, совместная разрядка и для автора-исполнителя и для толпы. В такого рода разрядке, вероятно, главный общественный, социальный смысл скоморошества на Руси. В этом, вероятно, и одна из составных творческой природы Высоцкого.

Нередко пишут, что стихи Высоцкого «высмеивают наши недостатки». К этому штампу прибегают, дабы утвердить отношение поэта к так называемым «негативным явлениям». Но о характере юмора Высоцкого есть повод задуматься посерьезней. Трудно вспомнить еще один пример того, чтобы мы так откровенно смеялись, слушая песни. Обычно смеются в ответ слову юмориста, сатирика, актера-комика. А тут смех рождался в ответ песне, где соединялись воедино слово и мимика, сюжет стихотворного рассказа и интонация.

Если верно, что время узнается по тому, над чем люди смеялись,— это был смех определенного времени, которому мы живые свидетели. Но, видимо, время это еще не прошло, потому что «Бермудский треугольник», «Слухи», «Лекция о международном положении», «Письмо с сельхозвыставки», «Таможня» и множество других поэтических текстов таят в себе запас юмора, который еще далеко не исчерпан.

Высоцкий не часто высмеивает, хотя и смеется, и вообще без юмора никогда не обходится. Он не издевается, не бичует и даже не осуждает. Хотя и судит. Судит о жизни и о людях, которых видит насквозь в их прошлом и настоящем, в их подвигах и грехах, в несоответствии мнения человека о себе и его реальной значимости.

Забавность облика, личины — это юмор первого, поверхностного плана. А так как второй план юмора есть не что иное, как второй смысл,— нередко куда более общий, расширительный, всегда требующий напряжения ума и не поддающийся одной-единственной разгадке,— возникали и будут возникать сложности с трактовками стихов. Дело в том, что эти стихи многозначны. В них есть и второй, а нередко и третий смысл. Расхожим является термин: «шуточные песни Высоцкого». Действительно, скажем, шутка в рассказе о Жирафе, который влюбился в Антилопу, наглядна для всех, даже для самых маленьких. Но когда Гоголь утверждал, что басни Крылова «отнюдь не удел детей», он, не отрицая понятного детям смысла басенных сюжетов, звал оценить маленькие притчи еще и как собрание парадоксов бытия, книгу мудрости, отмеченную особым даром автора — выражаться «доступно всем». Простота, доступность, очевидность — это лучший способ первоначального познания. На этой ступени можно и остановиться. А можно пойти дальше. И каждый сделает это в соответствии с собственными фантазией, опытом и, разумеется, чувством юмора.

Кстати, предваряя исполнение именно песни про Жирафа, автор сказал, что в каждой шуточной песне должен быть какой-то «второй слой», а иначе у него не потянется рука к перу. Этот второй слой (непременное условие народной поговорки) существует в простейшей строке, тут же ушедшей из стиха в нашу обиходную речь: «Жираф большой — ему видней!»

Как известно, смех — это сигнал человеческого сближения. Смеются р а в н ы е. Смех уравнивает людей, он восстает против всяческих разделяющих перегородок, чинов и различий. В стихах Высоцкого эта роль смеха имеет явно выраженный общественный характер. В его смехе — призыв, вера и, что очень важно, ощущение идеала, иногда смутное у его персонажей, но постоянное и отчетливое у автора.

Иногда он «полушуткой» называл нечто очень серьезное и сложное. Например, назвал так песню «В сон мне — желтые огни...», одну из самых трагических. Но трагическое состояние души, которой «всё не так», и страшный в своей выразительности перечень полярных явлений, сближенных тем, что и там и тут «ничто не свято»,— сам этот перечень закамуфлирован такой нарочито расхожей цыганщиной, что уже одно это почти смешно. Любители песенных стилизаций блаженно улыбаются лихому переплясу строф, строк, мелодии, между тем слова и строфы соединяются в причудливый, но достаточно строгий порядок, минуют житейскую логику, притом чувство выражают несомненно трагическое. В данном случае песенная природа стиха дает некий исход тому, что в общем-то безысходно, трагично.

Поэзия Высоцкого не разводит в разные стороны смех и драматизм бытия. И это соответствует не только великой литературной (шекспировской, пушкинской) традиции, но народному мироощущению. Оттого в цикле стихов к фильму «Иван-да-Марья» столь естественно соседствует скоморошья блистательно-щедрая «Ярмарка» с лаконизмом печальной и вечной «Беды».

Поэт сближает и воедино сплавляет полярные стороны бытия. От скоморошьей вольницы он свободно переходит к интонациям возвышенным, романтическим и так же свободно опускается вниз, на землю, помня, что «поэзия всегда останется той, превыше всяких Альп прославленной высотой, которая валяется в траве, под ногами, так что надо только нагнуться, чтобы ее увидеть и подобрать с земли...».Это мудрые слова Пастернака, любимейшего (после Пушкина) поэта Высоцкого.

Смех различен, как отпечатки пальцев. Смех Высоцкого имеет характер защиты — человек защищает все живое. Он защищает жизнь — как природу в себе и вокруг, как нормальную среду обитания. Путем смеха он обнаруживает в этой среде все неестественное, искаженное, извращенное. Он в самом себе не боится увидеть искажение идеала и посмеяться над этим.

Набравшись дерзости у народного юмора, то есть у народного склада ума, Высоцкий ввел юмор туда, где ему, вроде бы, мало места,— в тему войны. Он не первый это сделал, но не случайно так долго не могли пробиться к публикации песни Высоцкого «Тот, который не стрелял», «Жил я с матерью и батей...». Кому-то чуть ли не кощунственной казалась интонация этих стихов. Между тем поэт лишь продолжил свое исследование состояния человека на войне, зная, что тема требует полноты объема, а запретных ракурсов в стремлении к правде нет и быть не может.

Он ввел юмор и в ту тему, которая в его время вообще не поднималась, а у него открыто прозвучала и в «Баньке по-белому», и в «Райских яблоках». Жутковатый там юмор, но, однако, несомненный. «А на левой груди — профиль Сталина, а на правой — Маринка анфас». И это — не будем ханжами — смешно. Как говорит народ, что грешно, то смешно. В самые страшные стихи о побеге из мест заключения тоже введен юмор — как страшноватый оскал, как стальной блеск той улыбки бывшего зека, о которой Твардовский писал в поэме «За далью — даль».

Шуткой — вольной, яростной — в народе издавна принято подавлять страх, побеждать его. В эпоху множественных страхов Высоцкий извлекал из себя и из своей огромной, массовой аудитории эту великую способность — смеяться над тем, что страшно.

Подтрунивание над собой — традиционная интонация русских солдатских песен. (В чистом виде она воспроизведена в одной из песен к «Иван-да-Марье».) В этом смысле Высоцкий — поэт глубоко традиционный.

И язык, и смех Высоцкого не являются, строго говоря, фольклорными.

Это искусство поэта-профессионала. Но, вступая в стихию вольной беседы (такова наиболее употребимая им поэтическая форма), откровенного скоморошества и балагурства, он чувствовал себя абсолютно естественно, будто в этой стихии и родился. Неизвестно, сколько книг о фольклоре было им прочитано. Но любой специалист, прислушавшись к гулу его поэтической ярмарки, уловит там многие речевые жанры площади — голоса зазывал-шарлатанов, прибаутки балаганных «дедов», юмористические проклятия, обращенные к публике и к себе. Словом, тот культ смеха, который уходит в глубь народной жизни и сохраняется там веками.

Две стихии народного мышления — плачевая (женская) и смеховая (мужская) органично соседствуют, то сливаясь, то разъединяясь, как реки, в его творчестве. Одна — это Марьюшка, это та, где «над похоронкой заходятся бабы в тылу», где жена нужна, «чтобы пала на гроб». Другая — та, где автор представляет и хор, и солиста, где царит мужское многоголосие.

Позволю себе сказать, что перед нами — редкий пример ф о л ь к л о р н о г о с о з н а н и я у современного поэта. В этом разгадка ничем не укрощенной «вольности суждений площади» и простонародной речи, без спроса вступившей в песенную поэзию, а теперь подлежащей рассмотрению как элемент уже общенародной культуры. Настроение, интонация, обороты мысли — тут все от народного ума, который, как говорил Гоголь, «строго взвешенным и крепким словом так разом... и определит дело, так и означит, в чем его истинное существо».

Слово Высоцкого открыто, распахнуто к людям, не зашифровано. Оно лишено интеллектуальной усложненности. Но в нем природное изящество и своя стать. Поэт охотно и часто играет словами, рифмами (в исполнении — мелодическими ритмами). Эта игра тоже более всего продиктована веселой свободой общения — и со словом, и с аудиторией. Поэзия Высоцкого прямодушна. С простотой, которая в быту лишь ребенку прощается, поэт говорил то, что думал сам и что думали (но не говорили, молчали) многие. Но эта простота, эта как бы немудреная природа содержит в себе свои загадки. Думаю, что внимательный читатель разглядит их именно в печатном виде стиха.

Слово Высоцкого успокаивается на бумаге, в книге. Оно дает себя рассмотреть в разных связях — со звуком, со смыслом, с другими словами-соседями. Наверняка кому-то будет мешать память о голосе актера — этот голос неизбежно озвучивает многие тексты. Песни Высоцкого у всех на слуху, это так. И стихи, лишенные богатства актерских интонаций, вполне вероятно, кого-то разочаруют. Но у меня после долгого общения с рукописями поэта возникло, следует признаться, и новое качество восприятия. Возможно, оно появится и у заинтересованного читателя книги.

То, что в живом авторском исполнении выплескивалось как подчиняющий слушателей единый эмоциональный порыв, при чтении нередко открывает свое достаточно сложное строение, как бы раскладывается на множество эмоциональных движений, объединенных движением к главной цели, которая, в свою очередь, вовсе не предстает столь уж простой и сразу доступной. Будь то «Кони привередливые», «Баллада о брошенном корабле», «Штормит весь вечер...» или тем более «Гербарий» — это достаточно сложная стилистика, не поддающаяся мгновенному разгадыванию. Тут читателя следует призвать к медленному чтению, к неторопливости.

Гораздо проще дело обстоит с ранними стихами. Они действительно просты, иногда почти примитивны, ибо следуют достаточно простой социальной психологии. Чьей? А вот это уже серьезный вопрос.

В повести А. Приставкина «Ночевала тучка золотая» есть строки, в которых неожиданно находится ответ. Рассказывая о детском доме, в котором полторы тысячи подростков, как бы сбереженных в 1944 году от войны, брошены, однако, в развороченное войной и предвоенными бурями огромное пространство, простирающееся от Подмосковья до Северного Кавказа, автор описывает вечера, когда, сбившись в стайки, эти дети-сироты заводили песни. Заводили «разухабистые, уличные, блатные, рыночные (жалостливые), сибирско-ссыльные, бытовые, одесско-воровские (жестоко-сентиментальные), хулиганские, каторжные (из дореволюционных) и некоторые из кино...». Вот, собственно, довольно полный перечень источников тех ранних песен Высоцкого, которые критика стыдливо именует «дворовыми», «приблатненными» или более грозно — «блатными». Перечень и, одновременно, в контексте содержания всей повести о массовом человеческом сиротстве и неприкаянности — указатель социального оправдания этого песенного фольклора. Лицемерием было бы произносить еще какие-то «защитительные» речи, поэзия в них не нуждается, а в ранних стихах Высоцкого она, поэзия, нашла своеобразный приют. Потому показалось неверным лишать данную книгу того, с чего Высоцкий начал. Не думаю, что эти ранние тексты правильно называть «стилизацией» — автор не подделывается под чужие формы и известный жаргон. Он говорит не от своего лица и ищет чужому лицу его органическое выражение. Очевидна множественность этих лиц, распространенность типов,— но ведь так оно и было. Действительно, эти персонажи жили в неупорядоченном законами мире, многих прав были лишены, а само представление о правах и обязанностях было искажено. Но права б ы т ь, то есть жить, переживать, выражать себя в слове или в песне,— этого права человек не может быть лишен, и Высоцкий это твердо знал.

У него самого было военное детство и послевоенное невеселое отрочество. От звуков и настроений того времени он никогда не отмахивался, помнил их прекрасно. Он говорил, что ранние песни дали его голосу «раскрепощенность», и это немаловажно. Постоянно звучит в них мотив свободы — то мнимой, временной, то подлинной, угадываемой как идеал. «У меня гитара есть — расступитесь, стены!» — в наивной форме выражено и счастливое обладание такой собственностью (возможно, единственной), как гитара, и вера в некую свою волшебную силу, которая раздвигает уготованное тесное пространство. Право же, нет смысла как-либо «очищать» то начало, которое Высоцкому органично как поэтическое начало и по-своему чисто и закономерно. И видится какая-то связь между этим юношеским «расступитесь, стены!» и тем постоянным желанием «раздвинуть горизонты», которое стало зна́ком, метой поэтической зрелости. Тут и связь есть, но и стремительное движение очевидно, и рост мастерства, и определенность художественного самосознания. Любопытно еще и вот что — ранние тексты нередко представляют некий «случай из жизни», ситуацию, определенный анекдотический или «роковой» сюжет. Но ведь и «Горизонт», и «Чужая колея», и «Иноходец», и даже «Две судьбы» — это тоже «случай», пружинно-сжатая, а потом развернутая ситуация. Это краткий сюжет, история (правдоподобная или фантастическая), сквозь которую прорастает мощная метафора, как правило, философского толка. Такой же «случай», расширяемый, распираемый метафорой,— знаменитая «Охота на волков», одно из вершинных и программных произведений. Тут не скажешь, что стихи успокаиваются на странице книги. Текст скорее рвется, срывается с листа — в бег, в стремительное и неукротимое движение. Долгое время песня считалась чуть ли не крамольной, потому что слишком уж грозным звуком нарушала всеобщее молчание. Сейчас, однако, думаешь еще и о другом. О том, как разные поэты совсем в разные времена, сопрягая себя с явлением природного мира, отстаивали свою свободу.

> Пусть для сердца тягуче колко,
> Это песня звериных трав!..
> Так охотники травят волка,
> Зажимая в тиски облав.

> О, привет тебе, зверь мой любимый!
> Ты не даром даешься ножу...

И т. д. Это Есенин 22-го года. У Есенина поведение волка — ответное действие природы на то, что «шею деревни» сдавили «каменные руки шоссе», и вряд ли убедительны сегодня рассуждения о защите поэтом «патриархального уклада», милого его сердцу. Есенин решается в финальной строфе на прямое сравнение себя со зверем, который может броситься на охотника, ценой жизни отказавшись быть покорной жертвой:

> Как и ты — я всегда наготове,
> И хоть слышу победный рожок,
> Но отпробует вражеской крови
> Мой последний, смертельный прыжок...

Волк у Высоцкого от мести уходит. И мысль в стихе иная, хотя ситуация аналогична. Автор буквально влезает в шкуру зверя, чтобы через поэтический образ передать свой излюбленный мотив — отчаяния и преодоления. С молоком матери волчата всосали запрет: «нельзя за флажки». Этот запрет — условность, рабство, генетически укорененное, но его надо вырвать из себя во что бы то ни стало. Уйти за флажки — это чья-то коллективная негласная просьба, чье-то веление, которое нельзя не выполнить, ибо оно выполняется для других, и итог победы остается многим.

Один из постоянных мотивов Высоцкого — преодоление отчаяния. Осмысление — и преодоление. В ранних стихах — бездумный выплеск, разухабистость, жалостно-уличные интонации. С годами то же состояние становится все более осмысленным, требует и находит многие формы поэтического анализа, приобретает серьезное общественно-социальное содержание.

«Отчаивать» по В. Далю означает «безнадежить, лишать последней веры и надежды». Опять же по В. Далю «отчаянный человек» — тот, которому все нипочем, решительный до крайности, исступленный. А «отчаянное дело» — не только «безнадежное, пропащее», но и крайнее, опасное, грозное. Указанные смысловые полюсы слова «отчаяние» — крайние точки одного из главных мотивов, который буквально пронизывает творчество Высоцкого,— укореняется в самом начале, а потом растет, ветвится, создает вокруг себя определенную и постоянную атмосферу.

Непременным слагаемым этой атмосферы является д е й с т в и е. И тут отступают все обвинения в пессимизме. Вот уж чего избежал Высоцкий, чему был абсолютно чужд, так это апатии. И это во времена, когда именно апатия, как серьезнейшая болезнь, возникла в обществе и во многом парализовала его энергию. Стало массовым равнодушие. Во все сферы — личные и общественные — проникла аморфность. Отсутствие инициативы стало нормой. Привычка к безликости укоренилась и накопила вражду ко всякой яркой личности. Таким складывалось психологическое наследие тяжких лет безверия и молчания. Сильнейший действенный заряд поэзии и личности Высоцкого сопротивлялся этому. Самое тяжелое, самое страшное состояние души у него ищет выхода в действии. Это действие иногда неправдоподобно, иррационально, фантастично, но всегда исполнено яростной силы. На эту силу, таящуюся в человеке, до конца им самим не познанную, указывает поэт. Это один из самых постоянных незримых его жестов, хотя он по природе совсем не моралист и никаких указующих перстов не терпит.

Довольно рано он обдумывал свой реальный конец, предел сил и предел жизни. Гораздо раньше, чем были написаны такие трагические стихи, как «Две просьбы», «Мне судьба — до последней черты, до креста...», «Райские яблоки». Удивительно, но «Кони привередливые» созданы были в 72-м году, а «Памятник» — в 73-м. «Когда я отпою и отыграю...» — тогда же. Человек обдумывал не смерть даже, но свое поведение, свое действие в присутствии смерти, а в «Памятнике» — и после нее. Не состояние, не настроение, а именно п о в е д е н и е. И это поведение действенно, динамично. Поэт бросает смерти вызов. Он не предается мысли о бессмертии поэзии, о собственных заслугах и т. п. У него свой взгляд на то, чтó такое главная победа художника. Она требует нечеловеческих, неправдоподобных усилий — их, собственно, и перечисляет автор. Он будто планирует, изучает и фиксирует их необходимую последовательность. «Посажен на литую цепь почета» — это чужое действие. Оно насильственно и потому враждебно, хотя и являет собой знак признания. С этой «золотой цепью» Высоцкий совершает то, что в стихах с ней вполне сделать можно. «Перегрызу... порву...» — только так. И — «выбегу!». Куда можно выбежать, уже «отпев и отыграв»? Конечно же — «в грозу»! Именно гроза, ее раскаты и потоки становятся олицетворением жизни, воли и — бессмертия.

Картина, нарисованная в «Памятнике», еще более невероятна. Мысль Высоцкого вовсе не упирается в заботу о посмертной славе. Он знает: тот, кто думает о всякого рода «памятниках», уходит от живой жизни. Его же движение всегда противоположно — в жизнь, в грозу, в борьбу. Он знает, что всенародно признан, но так же всенародно он рвется из гранита, бунтует против сужения и выпрямления, которые предвидит, но категорически не приемлет. «Памятник» — почти заклинание, но и пророчество, и завещание, взывающее к справедливости и опять-таки — к действию. В стихах действует он один, фантастическим усилием воли встает так, что «осыпались камни» и «шарахнулись толпы в проулки», нарушает заведенный порядок всеобщего молитвенного созерцания:

> Не сумел я, как было угодно —
> Шито-крыто:
> Я, напротив, ушел всенародно
> Из гранита.

Это, по существу, единственное его постоянное желание: «быть живым, живым и только». И не «до конца», а остаться живым после того, что является концом реальной жизни.

Надо полагать, что наш долг перед поэтом — вспомнить это его желание. Во всяком случае, не делать того, что Высоцкому чуждо,— не лакировать его облик, дать жить его слову, его стихам, как явлению, из реальной почвы возникшему и продолжающему жить.

Сказанное имеет прямое отношение к тому, как подготавливалась к изданию эта книга. О некоторых условиях и правилах, поставленных перед собой составителем и редакторами, необходимо сказать потому, что литературное наследие в данном случае имеет необычный облик и необычную судьбу.

Разные поэты очень по-разному осуществляли себя. Скажем, про Пастернака известно, что он свой творческий путь обычно мерил книгами, а не отдельными стихотворениями. Именно книга стихов складывалась, создавалась им как нечто целое, как компактное единство и, одновременно, веха творческого пути. У других такое значение нередко имели первые сборники — поэт как бы з а я в л я л о себе книгой, а потом обстоятельства жизни диктовали ту или иную периодичность публикаций.

Высоцкий не подготовил к изданию книги своих стихов. Он, как верно отметила Б. Ахмадулина, вообще не пережил того особого момента, который переживает всякий печатающийся поэт,— момента отстранения и новой связи с собственным, теперь уже типографски набранным текстом.

Беловой вариант стиха, который в форме песни был обращен к людям, чаще всего жил в горле. В зависимости от аудитории, настроения, от взятого в данный момент камертонного звука, некоторые стихи варьировались, меняли свою окраску, слова и смысловые нюансы. Сохранившиеся черновики отражают тщательную, упорную и весьма своеобразную работу над словом — Высоцкий нередко отдавал предпочтение шероховатой выразительности устной речи, оставляя в стороне более гладкий, литературно более «сделанный» вариант. Он искал способ жизни своим стихам сообразно сложившемуся образу собственной профессиональной жизни. Другого выхода к людям он не получил.

Таким образом, надеюсь, понятна вся сложность и необычность работы над этой книгой. Подготавливая ее к изданию, мы шли прежде всего от рукописей Высоцкого — тех, которыми располагали. В некоторых из них (беловых) достаточно отчетливо выражена авторская воля. Ее своеобразие следовало учитывать при подготовке к печати всех текстов.

Книга не дает простора многовариантности. Собиратели песен Высоцкого, в чьих домах хранятся не только фонотеки, но и самодеятельные печатные сборники, могут долго спорить — какой вариант текста лучше, более ранний или более поздний, и т. д. Подобные споры велись и среди тех, кто над книгой работал,— но в конце концов потребовалось завершить их определенностью выбора. Приходилось брать на себя то, что, по нашему ощущению, наиболее выразительно передает авторскую мысль и чувство.

Пространство книги имеет границы и диктует свои законы. Прежде всего это отбор, а потом и принцип расположения стихов. Нам кажется, что в «Избранное» вошли действительно лучшие произведения Высоцкого. Возможно, кто-то из пристрастных поклонников поэта с этим не согласится.

Что касается строения книги, при всех трудностях и оговорках показалось самым правильным остановиться на хронологическом принципе. Трудность заключалась в том, что Высоцкий никогда не ставил дат на своих рукописях. Потому ли, что имел в виду длительность живой — в исполнении — работы над текстом, проверку и обработку,— мы не знаем. И все же, вопреки этой авторской особенности, показалось необходимым проделать эту работу — выяснить и зафиксировать даты написания стихов. Как правило, опираться при этом можно было на первое открытое исполнение. Хронологический принцип строения книги, думается, дает возможность судить о том, каким было становление и развитие поэта.

Как ни странно, бо́льшую, чем обычно, трудность составила пунктуация. Дело даже не в том, что поэтам дозволено нарушать ее правила, тем более что эти современные правила подвижны. Перед нами опять-таки особый случай: тончайшая интонационная нюансировка Высоцкого-исполнителя решительно не совпадает с его явным равнодушием к знакам препинания, которые подобные нюансы на бумаге отражают. Досаду или удовольствие испытал бы он сам, если бы сам и готовил свою книгу к печати? В любом случае это было бы некое новое для него ощущение обязательной д и с ц и-п л и н ы.

А про тех, кто работал сегодня над этим сборником, можно сказать, что их не покидало чувство волнения и ответственности. Вполне может быть, это не избавило книгу от ошибок, но так или иначе к читателям выходит наиболее объемное и выверенное по рукописям издание стихов Владимира Высоцкого.

СОДЕРЖАНИЕ

Составитель
Наталья Анатольевна Крымова

ВЛАДИМИР СЕМЕНОВИЧ ВЫСОЦКИЙ

ИЗБРАННОЕ

Редактор
В. С. ФОГЕЛЬСОН

Художественный редактор
Д. С. МУХИН

Технический редактор
Т. С. КАЗОВСКАЯ

Корректор
Т. Н. ГУЛЯЕВА

ИБ № 6378

Сдано в набор 13.04.88.
Подписано к печати 07.06.88. А 03246.
Формат 60×90^1/₁₆. Бумага офсетная № 1.
Гарнитура «Балтика».
Офсетная печать.
Усл. печ. л. 32. Уч.-изд. л. 23,24.
Тираж 200 000 экз. (1-й з-д 1—100 000 экз.)
Заказ № 276. Цена 6 руб.

Ордена Дружбы народов
издательство «Советский писатель»,
121069, Москва, ул. Воровского, 11

Тульская типография Союзполиграфпрома
при Государственном комитете СССР
по делам издательств,
полиграфии и книжной торговли,
300600, г. Тула, проспект Ленина, 109

10.75

Высоцкий В. С.

В 93   Избранное. — М.: Советский писатель, 1988. —
512 с.

ISBN 5—265—00508—0

В этой книге творчество Владимира Высоцкого представлено с наибольшей
полнотой. Наряду с уже печатавшимися произведениями поэта читатель найдет
здесь целый ряд стихотворений и песен, публикуемых впервые.

В 4702010202— 233
 ————————174—88   ББК 84 Р7
    083(02)—88

12